D0641028

SV

Band 441 der Bibliothek Suhrkamp

Hermann Hesse – Thomas Mann
Briefwechsel

Suhrkamp Verlag
S. Fischer Verlag

Herausgegeben von Anni Carlsson (1968), erweitert von Volker Michels (1975), mit einem Vorwort von Prof. Theodore Ziolkowski, Princeton University, aus dem Amerikanischen übersetzt von Ursula Michels-Wenz

Sechstes bis achtes Tausend 1975

Druck: Poeschel & Schulz-Schomburgk, Eschwege
Printed in Germany

Vorwort

Vorläufigen Schätzungen zufolge hat Thomas Mann im Laufe seines Lebens mindestens fünfundzwanzigtausend Briefe geschrieben, Hermann Hesse dagegen mehr als fünfunddreißigtausend. Neben Hunderten von Einzelmitteilungen umfassen diese Briefe auch eine Anzahl wesentlicher Korrespondenzen, die separat veröffentlicht wurden: zum Beispiel das Duett über den Pazifismus, das Hermann Hesse und Romain Rolland gegen die Dissonanzen des Ersten Weltkrieges anstimmten, oder die stoßweisen und spannungsgeladenen Depeschen über Politik, Literatur und Familienangelegenheiten zwischen Thomas Mann und seinem Bruder Heinrich. – Man könnte nun behaupten, daß der einzelne, jedenfalls wie er sich in seinen Briefen spiegelt, in mehr als einem etymologischen Sinn dem Atom ähnelt. Denn der bedachte Briefschreiber wird, indem er sich auf den jeweiligen Empfänger einstellt, immer neue Verbindungen von Temperament und Anteilnahme eingehen, so daß auf diese Weise Korrespondenzen entstehen, die in ihrer Zusammensetzung ebenso verschiedenartig sind wie durch unterschiedliche Atomverbindungen gebildete Moleküle. Die »Reaktion« zwischen Mann und Karl Kerényi etwa erzeugte einen profunden Gedankenaustausch über Wesen und Funktion des Mythos und unterscheidet sich darin von der Belanglosigkeit der Hesse-Kerényi Briefe ebenso stark wie Wein von Wasser. – Dagegen zeigen sich beide, Hesse wie auch Mann, in der umfangreichen Korrespondenz mit ihren jeweiligen Verlegern gereizt und pedantisch, während Peter Suhrkamp und Gottfried Bermann Fischer sich als Männer von großer Geduld, Würde und Besorgtheit erweisen.

Kurz, jeder Briefwechsel muß im Licht derjenigen Kräfte gesehen werden, welche die Atome zusammenhalten. Im Falle von Hesse und Mann resultieren die Valenzen weniger aus irgendeinem instinktiven Empfinden von Kongenialität als vielmehr aus dem wachsenden Bewußtsein ihrer Mission, gemeinsam die humanistische Tradition in der deutschen Kultur verfechten zu müssen. Dieses humanistische Band wiederum verleiht ihren Briefen eine unverkennbare molekulare Ähnlichkeit mit dem klassischen Briefwechsel zwischen Goethe und Schiller, deren höchst stilisierte Episteln gleichfalls ein ständiges Sichbewußtbleiben ihrer Rollen als Repräsentanten der humanistischen Werte in einem ebenso turbulenten Zeitalter offenbaren. Nicht zufällig beschwören Hesse und Mann gleich zu Beginn ihres Briefwechsels ausdrücklich das Andenken an die Weimarer Dioskuren herauf – auch wenn diese Analogie sie unvermeidlich daran erinnern muß, daß ihre eigenen epigonalen Bestrebungen keineswegs verglichen werden können mit dem, was sie das »Eigentliche« nannten.

Wie Goethe und Schiller (und trotz einer Freundschaft, die über ein halbes Jahrhundert währte) gelangten Hesse und Mann niemals über den reservierten Ton eines formellen Umgangs hinaus: sie redeten sich mit »Sie« und dem Nachnamen (»Lieber Herr Mann«) oder mit dem vollen Namen (»Lieber Hermann Hesse«) an. Dieses Zeichen formeller Zurückhaltung deutet auch hin auf die leicht ironische Distanz – Hesse hat einmal von Manns »mokanter Höflichkeit« gesprochen –, die zwischen den beiden Männern vorherrschend blieb trotz aller gegenseitigen Achtung und trotz des wachsenden Gefühls von Solidarität in ihren gemeinsamen Bestrebungen. Allerdings waren beide Schriftsteller weit über fünfzig, ehe sie diese, ihre gemeinsame Aufgabe erkannten und eine mehr oder weniger systematische Korrespondenz aufnahmen.

Als Mann und Hesse sich im Jahre 1904 zum ersten Mal trafen, waren sie die zwei meistversprechenden Sterne am Publikationshimmel Samuel Fischers, der sie damals in München zusammenbrachte. Mann (1875 geboren) hatte einen Band Novellen und den Roman *Buddenbrooks* (1901) veröffentlicht, durch welchen sein Ansehen in und außerhalb Deutschlands – sowie auch seine Vermögensverhältnisse – gefestigt worden waren. Hesse, obwohl zwei Jahre jünger, war bereits Ver-

fasser zweier Gedichtbände, einer Sammlung von Prosa-Gedichten im Stil des *fin de siècle* und eines neuromantischen Romans *Hermann Lauscher*. Gerade hatte er seinen ersten wirklichen Erfolg und finanzielle Unabhängigkeit erlangt mit dem Erscheinen seines Romans *Peter Camenzind* (1904). Schon in diesen frühesten Veröffentlichungen zeichnete sich bei beiden der Charakter ihrer nachfolgenden Werke ab: Hesses im wesentlichen lyrische Natur, die Mann später einmal mit einer Nachtigall unter den konventionelleren bürgerlichen Kanaris der deutschen Dichtung vergleicht, wird ein Leben lang ihren Ausdruck in Versen suchen bzw. in Dichtungen, die eher lyrisch introspektiv als zwingend erzählerisch sind; Mann blieb, abgesehen von einigen wenigen angestrengten Abstechern in das Versmaß, ein Meister der epischen Erzählung – seine Romane und Novellen waren Hesses Ansicht nach so natürlich und überzeugend wie die Natur selbst. Obschon beider Denken stark beeinflußt wurde von so unterschiedlichen Vorläufern wie Goethe, Schopenhauer, Nietzsche und Dostojewski, war Hesse als Dichter eigentlich ein Erbe der deutsch-romantischen Tradition von Novalis, Eichendorff und E. T. A. Hoffmann, während Mann das meiste den französischen, russischen und skandinavischen Realisten verdankte. (Beide Schriftsteller waren auch der Musik leidenschaftlich ergeben, doch ist es bezeichnend, daß Hesse immer die strahlend helle Klarheit Bachs und Mozarts liebte, während Mann mit ambilaventen Gefühlen dem schwerfälligen Monumentalismus Wagners verfallen blieb.)
Bereits bei ihrer erwähnten ersten Begegnung traten gewisse deutliche Unterschiede zutage – vom gänzlich abweichenden Geschmack in »Kleidung und Schuhzeug«, den sich Hesse später wieder ins Gedächtnis zurückruft, ganz zu schweigen –, so daß von vornherein jede echte Gemeinsamkeit zwischen den beiden Romanautoren ausgeschlossen war, bis sie sich schließlich, aber erst nach vielen Jahren, wieder einmal trafen, nun im Selbstbewußtsein der Gereiftheit und des Erfolges und unter gänzlich veränderten Vorzeichen. Schon der norddeutsche

Akzent Manns ließ die ganze patrizische Eleganz seines Vaters heraushören, des Senators der Stadt Lübeck und Sprößlings einer reichen Kaufmannsfamilie. Hesses Sprache hingegen trug deutlich die Färbung des alemannischen Dialekts seiner Schwarzwälder Geburtsstadt Calw, wo sein Vater Leiter einer missionarischen Verlagsanstalt gewesen war. Später wird Hesse mit ironischer Wertschätzung von Manns »hanseatischen Tugenden« sprechen – seiner Selbstzucht, seiner Bildung, seinem Intellekt, der Sicherheit in Geschmacksdingen – und diese mit spielerischer Präzision in der Gestalt des *magister ludi* Thomas von der Trave in seinem *Glasperlenspiel* verarbeiten. Mann, dem es zwar immer Vergnügen bereitete, Hesse mit den schwäbischen Diminutiven, die seine Sprache und Schriften auszeichneten, zu necken, lernte die spezifisch schwäbischen Qualitäten an Hesses Persönlichkeit achten, zumal er in ihnen das wahre geistige Deutschland bewahrt sah, das andernorts so rapide im Verschwinden begriffen war.

Freilich, im Leben dieser beiden jungen literarischen Berühmtheiten von derart unterschiedlicher Herkunft gab es auch einige merkwürdige Parallelen. Beide, zum Beispiel, hatten sich gegen ihr bürgerliches Erbe aufgelehnt, hatten die Schule ohne einen Abschluß verlassen und relativ niedrige Arbeitsstellen angenommen – Mann in einer Versicherungsgesellschaft, Hesse in einem Buchantiquariat –, nur, um schreiben zu können. Darüber hinaus war in beiden Fällen von seiten der Mutter ein Hauch Exotik in die ansonsten konventionelle Kindheit eingeflossen. Manns Mutter war, als Tochter eines wohlhabenden deutschen Plantagenbesitzers, in Brasilien geboren; daher auch stellt sich später in Manns Werken als eines der Hauptthemen die Spannung zwischen Kunst und bürgerlicher Gesellschaft heraus, die durch seine Helden aufgrund einer symbolisch gemischten Abstammung erzeugt wird; und als lebenslanger Globetrotter wird Mann immer wieder über den Atlantik und zurück getrieben werden. – Hesses Mutter war in Indien geboren, wo ihr Vater als Missionar und Indologe lebte. Es ist folglich kein Zufall, daß sich Hesse bereits mit jungen Jahren in die Literatur und Gedankenwelt des Orients vertiefte, daß er ein Reisebuch sowie einen Roman über Indien schrieb, und daß die einzige große Reise, die er während seines ganzen Lebens unternahm, seine Reise nach Indien im Jahre 1911 war.

In den ersten dreißig Jahren ihrer Bekanntschaft allerdings überdeckten die offenbaren Unterschiede im literarischen wie im Lebensstil die zugrundeliegenden Ähnlichkeiten der beiden jungen Autoren, zumal ihre erfolgreich begonnene Laufbahn sie in völlig andere Richtungen lenkte. Kurz nach ihrer Begegnung im Jahre 1904 heirateten sie beide. Mann betrat den Schauplatz der Münchner *beau monde* durch seine glänzende Partie mit Katia Pringsheim, der Tochter eines in Gesellschaftskreisen sehr anerkannten Professors für Mathematik. Wenn auch seine Werke die Zerbrechlichkeit der bürgerlichen Gesellschaft mit aller Schärfe entlarvt hatten, schien er doch im eigenen Leben darauf bedacht, die Werte ebendieser Kultur, deren Untergang er bereits vorweggenommen hatte, zu bewahren und zu »repräsentieren«. Die ihm eigene Urbanität und das Konservative seiner Lebensweise fallen auch auf fast allen Photographien dieses tadellos gepflegten Kosmopoliten ins Auge, der gewöhnlich von seiner stattlichen Familie und einem jener großen Hunde, die er so liebte, eingerahmt ist, und der immer aussieht, als müsse er bereits im nächsten Augenblick seine elegante Villa verlassen wegen irgendwelcher Termine bei Königinnen, Präsidenten und Päpsten, die alle nur darauf warteten, ihm eine Audienz zu gewähren. – Auch Hesse heiratete in eine Mathematikerfamilie (die berühmten Bernoullis von Basel); aber er holte seine Braut von der Stadt weg und zog mit ihr in das abgelegene Dorf Gaienhofen am Bodensee, wo er jeglichen Anschein von bürgerlicher Vornehmheit geflissentlich vermied. Der Photograph erhascht Hesse nur selten im Stadtanzug oder in gesellschaftlicher Aufmachung: wir sehen ihn, bis zum Gürtel entblößt, auf einer Wanderung durch Italien; hoch in den Bergen in grober Bergsteigeraus-

rüstung; oder im Arbeitsanzug, hingekauert in seinem Garten, mit einer seiner Katzen.
Manns Leben gibt fortan den Anschein einer mühelosen Wallfahrt bis hin zum Nobelpreis, den er 1929 würdevoll entgegennahm. Zwischen den *Buddenbrooks* (1901) und dem *Zauberberg* (1924) schrieb er nur zwei wichtigere Werke: den Roman *Königliche Hoheit* (1909) und die Novelle *Der Tod in Venedig* (1913). Überraschend hierbei ist nicht, daß er so wenig schrieb, sondern daß er überhaupt noch so viel schreiben konnte angesichts der zahlreichen gesellschaftlichen und »repräsentativen« Verpflichtungen, die er so ernst nahm. Im Verlauf derselben Jahre wurde er darüber hinaus der liebevolle Vater von sechs Kindern. Von 1905, dem Jahr seiner Heirat, bis 1933, als er Deutschland verließ, blieb Manns Hauptwohnsitz in München. Doch hatte er sich bereits vor dem Ersten Weltkrieg an einen gedrängten Terminkalender für Vorträge gewöhnt, so daß er tage- und wochenlang von zu Hause (und seinem Schreibtisch) ferngehalten war. Während der Kriegsjahre, die er ziemlich friedlich in München verbrachte, trat Mann als ein Wortführer der Deutschkonservativen hervor. Danach, in den zwanziger Jahren, wurde er so etwas wie ein inoffizieller Kulturbotschafter der Weimarer Republik an die Welt. Seine triumphalen Vortragsreisen führten ihn von Prag nach Madrid, von Kopenhagen nach Budapest, wo er immer mit den bedeutendsten Größen jener Zeit in Kontakt kam und gewöhnlich noch einen Preis oder ehrenamtlichen Titel mitnahm. Sein fünfzigster Geburtstag wurde in München wie ein öffentliches Ereignis gefeiert, und im gleichen Jahr konnte er als offizieller Gast einer Schiffahrtsgesellschaft das Mittelmeer durchkreuzen. In den Jahren 1926 und 1927 hießen PEN-Club und andere Verbände ihn in Paris und Polen festlich willkommen. Die Auszeichnung mit dem Nobelpreis, die er – wie er »ohne Überheblichkeit« bemerkte – als »lebenszugehörig« und auf seinem Wege liegend ansah, kam fast wie eine Antiklimax in dieser märchenhaft literarischen Biographie. Und als im Jahre 1932

Goethes hundertster Todestag begangen wurde, stellte Mann (als Empfänger der Goethe-Medaille im gleichen Jahr) auf den Festlichkeiten in ganz Deutschland eigentlich noch Goethe selbst in den Schatten.

Vielleicht konnte überhaupt nur Hesse – mit seiner Gabe, parallel laufende und doch völlig verschiedene Lebenswege für seine Romane zu ersinnen – auf ein so durch und durch anderes Leben als dasjenige Thomas Manns verfallen. Aus all jenen Gründen, die er so witzig beschreibt in seiner autobiographischen Aufzeichnung *Die Nürnberger Reise,* waren ihm Vorlesungsreisen und öffentliche Auftritte jeder Art eine Qual, der er sich nur in Fällen äußerster finanzieller Not aussetzte. In den Jahren, während welcher Mann sich zu einer Person der Öffentlichkeit wandelte, zog sich Hesse immer stärker in eine individuelle Selbstbesinnung zurück. Der literarische Ertrag indessen war erstaunlich. Abgesehen von zahlreichen Gedichtbänden, Erzählungen und Essays, schrieb er damals nahezu dreitausend Rezensionen, arbeitete an Neuausgaben von über fünfzig Bänden literarischer Klassiker, veröffentlichte sieben Romane (*Unterm Rad, Gertrud, Roßhalde, Demian, Siddhartha, Steppenwolf* und *Narziß und Goldmund*) und war Mitherausgeber zweier Kulturzeitschriften (*März,* 1907-1912; *Vivos voco,* 1919-1923). Während Mann sich in den Huldigungen der Öffentlichkeit sonnte und seine »repräsentativen« Pflichten erfüllte, erwarb sich Hesse das Ansehen eines verläßlichen und hart arbeitenden Berufsschriftstellers. Nur im persönlichen Leben wurde er immer unzufriedener.

Nach seiner Rückkehr aus Indien im Jahre 1911 übersiedelte er mit seiner Frau und den drei Kindern in die Schweiz. Bei Kriegsausbruch stellte sich Hesse in den Dienst des Deutschen Konsulats in Bern und arbeitete dort, praktisch unter Aufgabe aller eigenen schriftstellerischen Arbeit, unermüdlich für die deutsche *Kriegsgefangenen-Fürsorge.* Sein selbstloser Einsatz entsprang freilich humanitären, und keineswegs nationalistischen, Motiven. Als erklärter Pazifist war Hesse zutiefst ge-

troffen durch den Krieg, und mit einer Reihe von Antikriegsaufsätzen erreichte er sehr schnell, daß viele seiner ehemaligen Freunde und Leser in Deutschland ihm den Rücken kehrten. Im Jahre 1916, als das öffentliche Ressentiment gegen seine Stellungnahmen gerade den Gipfel erreicht hatte, trafen Hesse zudem mehrere persönliche Schicksalsschläge: sein Vater starb, einer seiner Söhne erkrankte lebensgefährlich, und seine Frau wurde von einer Nervenkrankheit befallen, die einen Sanatoriumsaufenthalt erforderlich machte. 1916 und 1917 unterzog sich Hesse einer Psychoanalyse bei Dr. J. B. Lang, einem Schüler C. G. Jungs. Die völlige Umwertung aller Werte, die bei einer derart harten Selbstüberprüfung notwendigerweise folgen mußte, bewirkte, daß Hesse im Alter von vierzig Jahren sein Leben radikal veränderte.
Bald nach Kriegsende – seine Frau mußte weiter in der Heilanstalt bleiben, die Kinder waren bei Freunden in Pflege – übersiedelte Hesse nach Montagnola, einem Dorf in der Südschweiz, wo er den Rest seines Lebens in relativer Abgeschiedenheit zubrachte, mit nur gelegentlichen Unterbrechungen durch Winteraufenthalte in Basel und Zürich sowie – ab 1923 in zunehmendem Maße – durch Kuraufenthalte in Baden wegen seines sich ständig verschlimmernden Ischiasleidens. Während Mann sich eines glücklichen Familienlebens und des allgemeinen Beifalls erfreute, ging Hesse eine kurze und unglückliche zweite Ehe ein (1924) und schlug sich, bei dem Versuch, eine neue Leserschaft für seine Werke zu gewinnen, kümmerlich durchs Leben, indem er Bilderhandschriften seiner Gedichte und Erzählungen an reiche Sammler verkaufte. 1931 schließlich heiratete er zum dritten Mal und zog innerhalb Montagnolas in ein anderes Haus um, das ihm ein Freund und Gönner gebaut und – da Hesse den Besitz ablehnte – ihm auf Lebenszeit zur Verfügung gestellt hatte.
Solange ihr Leben und ihr Aufstieg sich in so gänzlich anderen Bahnen bewegte, waren Hesse und Mann doch nicht ohne jede Verbindung geblieben. Hesse hatte einige Werke Manns bespro-

chen, und Mann war beteiligt gewesen an der sensationellen Spekulation über die Autorschaft des *Demian*, den Hesse 1919 pseudonym veröffentlicht hatte, weil dieser Roman einen so scharfen Bruch mit seinen früheren Schriften und seiner Vorkriegsreputation darstellte. Auch fand ein gelegentlicher Briefaustausch halboffizieller Natur statt: Hesse wendet sich an Mann um einen Beitrag für seinen Fürsorge-Fonds; Mann lädt Hesse zur Feier von S. Fischers 70. Geburtstag ein; sie korrespondieren über Hesses widerwillige Mitgliedschaft in der Preußischen Akademie der Künste und über den ungünstigen Zeitpunkt seines Austritts aus derselben. Doch deutet der formelle Ton der Briefe an, wie unpersönlich ihre Beziehungen bis zum Jahre 1933 geblieben sind.

Trotz aller Unterschiede aber zwischen Norden und Süden, zwischen Städtischem und Ländlichem, zwischen epischer Erzählkunst und lyrischem Bekenntnis, zwischen versiertem Weltbürgertum und störrischer Einsiedelei, hatten Hesse und Mann dennoch eine gemeinsame Erfahrung gemacht, welche die Grundlage für ihr späteres Empfinden der geistigen Verwandtschaft schuf. Zurückgeführt auf die einfachste Formel, basierte diese Erfahrung auf der Einsicht, daß ihr gemeinsames bürgerliches Erbe – sei es nun in Gestalt des norddeutschen Patriziertums oder des süddeutschen Pietismus – erschöpft und leer geworden war. Tatsächlich begann die literarische Laufbahn beider, sowohl Manns als auch Hesses, mit einem Werk, das die Hohlheit dieser bürgerlichen, aller Substanz beraubten Kultur exponierte: mit den *Buddenbrooks* bzw. dem *Peter Camenzind*. Doch war die erste Reaktion auf diese deprimierende Einsicht bei ihnen ganz verschieden. Wie Tony Buddenbrook, die ihr ganzes Leben der Aufrechterhaltung einer nur noch formal bestehenden Familie widmet, nachdem jede Zusammengehörigkeit, das Vermögen und der männliche Stamm bereits verloren sind, so klammerte sich auch Mann, aus einem inneren Gefühl, das kulturelle Erbe dennoch bewahren zu müssen, beinahe verzweifelt an die Lebensform der vornehmen Bourgeoisie. Hesse hingegen folgte dem Beispiel seines eigenen Helden, Peter Camenzind, der, enttäuscht von der bürgerlichen Kultur, in die Einsamkeit seines Bergdorfes zurückkehrt. Hieraus versteht sich auch, daß Hesse die Bahn des Außenseiters einschlug und alle konventionellen, gesellschaftlichen Normen abwarf, um seinen eigenen Weg zu gehen. Allmählich jedoch, und aus ganz verschiedenen Richtungen kommend, näherten sich die beiden Schriftsteller immer stärker in ihrer Überzeugung, die ehedem vom Gerüst der Bürgerlichkeit getragene Ordnung nun mit Hilfe neuer Werte aufrechterhalten zu müssen. Ihrer Diagnose nach war es die *gedankenlose* Unterwürfigkeit gegenüber veralteten und sterilen bürgerlichen Idealen gewesen, die es den Faschisten mit ihrer »Ruhe und Ordnung«-Mentalität so leichtgemacht hatte, in Europa ans Ruder zu gelangen. Im Gegensatz zu dieser Mentalität, die auf einem strengen moralischen Dualismus und ideologischer oder Klassen-Loyalität gründet, bekundeten Hesse und Mann ihr Vertrauen in einen Humanismus, der sich als Glaube an die Integrität des einzelnen verstand. Dieser Humanismus – anstatt gewisse Grundeigenschaften der menschlichen Natur blind zu ignorieren oder abzulehnen – anerkennt alle Seiten einer Persönlichkeit, ihre dämonischen und konstruktiven, das Schreckliche und das Herrliche, und ist bemüht, sie in einen Einklang zu bringen, der sämtliche Ideologien transzendiert.

Auf den ersten Blick erscheint es paradox, daß es die politischen Umstände waren, durch welche die zwei Humanisten schließlich zusammengeführt werden sollten, zumal Hesse sich später ausdrücklich an die »moralische und politische Unschuld« erinnerte, die sie beide zur Zeit ihrer ersten Begegnung im Jahre 1904 kennzeichnete. Und doch war es im Grunde ja gerade die Politik, an der sich mit unmißverständlicher Eindeutigkeit die Leere jener bürgerlichen Welt entlarvte, die Hesse und Mann schon seit Jahren kritisiert hatten, und die die Forderung nach einem neuen Humanismus, wie sie ihn vertraten, so dringend notwendig machte. Als Hesse und Mann erstmals in engeren

persönlichen Kontakt traten, waren ihre Rollen zumindest in einer Hinsicht vertauscht. Während des Ersten Weltkrieges und der zwanziger Jahre war Hesse der einsame und entwurzelte Außenseiter gewesen; jetzt, als Schweizer Staatsbürger seit 1923, hatte er eine friedliche Bleibe gefunden, hatte Frau und Haus in einem neutralen Land, das vielen der ab 1933 über die Grenze kommenden, verstörten und erschreckten deutschen Emigranten eine Zuflucht bot. Mann dagegen hatte den Komfort und die Sicherheit seiner bisherigen Existenz zurücklassen und sich auf eine Odyssee begeben müssen, die ihn sein ganzes weiteres Leben von einem zum andern Land treiben sollte.
Die Verschiedenheit ihrer Schicksale läßt sich schon an den Poststempeln ihrer Briefe ablesen. Mit wenigen Ausnahmen sind Hesses Briefe alle aus Montagnola oder seinem Kurort Baden geschrieben. Manns Briefe hingegen tragen die Stempel von vielen Städten und Ländern: der Riviera, Zürich, Princeton, Noordwijk, Chicago, Pacific Palisades und so weiter. Sogar noch, wenn Mann von »zu Hause« schreibt, berichtet er immer über seine Reisen: gerade ist er aus Prag oder Wien oder Budapest zurückgekehrt; oder er ist im Begriff, wieder einmal in die Vereinigten Staaten zu reisen; in seinen Briefen wimmelt es von Hinweisen auf Autos, Flugzeuge, Schiffe und Eisenbahnen. Hesse jedoch, der sich immer mehr verbarrikadierte hinter einer Eingangstafel mit der Aufschrift »Bitte keine Besuche!«, kann umgekehrt nur mit Berichten von der alljährlichen Fahrt zu seinem Kurort dienen oder mit der Bemerkung, daß seine Frau gerade eine Griechenlandreise angetreten habe. (So sind auch nahezu alle Briefe Manns an Hesse erhalten, weil sie nach Montagnola adressiert waren und dort unversehrt blieben; viele Hesse-Briefe an Mann jedoch gingen im Laufe von Manns ständigem Unterwegssein verloren.)
In den dreißiger Jahren diente Hesses Haus in Montagnola vielen deutschen Emigranten als erster Orientierungspunkt, und hier war es auch, daß er und Thomas Mann schließlich, nach drei Jahrzehnten sehr flüchtiger Bekanntschaft, ihre geistige Zu-

sammengehörigkeit erkannten und Freunde wurden. Unter den gegebenen Umständen war es nur selbstverständlich, daß ihre Gespräche und Briefe das Thema der Politik häufig berührten. Gerade so wie Hesses Haus einen Ruhepol darstellte, zu welchem Mann im wörtlichen wie auch übertragenen Sinn oft zurückkehrte im Lauf seiner Weltumwanderungen, so bildeten auch Hesses politische Ansichten einen festen, durch Erfahrung gestärkten Rahmen, an welchem Manns wechselnde Einstellung genau abgelesen werden kann.

Hesses politisches Denken, das eigentlich eher ethisch als politisch zu nennen ist, war immer relativ konstant geblieben, seitdem er seine »politische Unschuld« im Ersten Weltkrieg verloren hatte. Seine Erfahrungen aus jener Zeit hatten ihn gelehrt, jeder Erscheinungsform von Nationalismus und Ideologie zu mißtrauen. Wie er es in einem Gedicht der dreißiger Jahre formulierte, wollte er lieber von den Faschisten oder Kommunisten getötet werden, als sich selbst einer dieser Parteien zu verschreiben – eine Haltung, die vollkommen in Einklang steht mit dem eigensinnigen Individualismus, der bezeichnend ist für sein ganzes Denken. So weigerte sich Hesse auch fast durchweg, irgendwelche Manifeste zu unterschreiben oder öffentliche Aufrufe zu verfassen, mit dem Argument, daß diese gewöhnlich doch nichts bessern, häufig aber großen Schaden anrichten würden. Er mußte dabei erfahren, daß jeder, der den Versuch unternimmt, in Zeiten großer Unruhe politisch objektiv zu bleiben, von allen Parteien als ein Feind angesehen wird, und dieselbe bittere Lektion wiederholte sich für ihn nocheinmal in den dreißiger Jahren. Da Hesse Schweizer Staatsbürger war, teilte er nämlich nicht die emotionsgeladenen Gesinnungen der verschiedenen Exilgruppen. So griff ihn die Emigrantenpresse auf bissige Weise an, weil er auch nach 1933 noch einige Jahre lang zeitkritische Rezensionen und Artikel in Peter Suhrkamps *Neuer Rundschau* veröffentlichte; und andererseits schmähten ihn die Nazis, weil er in ebendiesen Rezensionen versucht hatte, die Aufmerksamkeit der Deutschen

wie auch des Auslands auf die bedeutenden jüdischen und nichtnazistischen Schriftsteller zu lenken, die von den Kulturhütern der Partei verdammt wurden. Trotz all dieser Pressionen und Angriffe aber bewahrte Hesse seine politische Unabhängigkeit bis zu seinem Tode im Jahre 1962: er weigerte sich bis zuletzt, seinen Namen irgend einer Partei oder Ideologie zur Verfügung zu stellen, und blieb beharrlich dabei, die politischen Ereignisse immer nach seinem eigenen ethischen Maßstab zu beurteilen.
Ganz im Gegensatz zu Hesses ethischer Verweigerung lief Manns politische Entwicklung quer durch das ganze Spektrum der Politik, beginnend mit dem Ultrakonservatismus seiner Jugend bis hin zum links orientierten Liberalismus seiner späteren Jahre. Im Ersten Weltkrieg verfaßte er eine Reihe von Essays, worin er die deutsche *Kultur*, wie er sie verstand, gegen die seelenlose »westliche« Zivilisation verteidigte und Vernunftgründe bemühte für die autoritäre Staatsführung Preußens als einer Gegenkraft zur »westlichen« Gleichschaltung – eine Position, die ohne weiteres zu vereinbaren ist mit seiner früheren Entschlossenheit, die gehüteten, wenn auch leer gewordenen, bürgerlichen Ideale seiner Jugend aufrechtzuerhalten. Dieses Essays, später unter dem merkwürdigen Titel *Betrachtungen eines Unpolitischen* erschienen, wurden von vielen als eine irregeleitete und chauvinistische Befürwortung des deutschen Militarismus gelesen. Auf jeden Fall führten sie zum Bruch mit seinem liberal gesinnten Bruder Heinrich; und in ihrer geistigen Sicht waren sie nahezu restlos das Gegenstück zu den pazifistischen Essays, die Hesse während derselben Jahre veröffentlicht hatte. Im Jahre 1922 dann wurde Mann mit seiner vielerorts propagierten Rede »Von Deutscher Republik«, worin er seine ursprüngliche Position fast ganz revidierte, zum intellektuellen Liebling der Weimarer Republik; nur war er wegen seiner verhängnisvollen Neigung, die eigenen politischen Emotionen auf die öffentliche Allgemeinheit zu projizieren, nicht in der Lage, die Gefährlichkeit und Anziehungskraft eines Hitler richtig einzuschätzen. Hesse

seinerseits hatte bereits 1931 in einem Brief an Mann aus tiefer Skepsis vorausgesagt, daß die wenigen gutgewillten Republikaner in Deutschland vollkommen machtlos der unvermeidlichen blutigen Welle von Terror, wie sie sich durch die Nazis ankündigte, gegenüberstehen würden. Manns politische Arglosigkeit findet ihren Ausdruck in seinem Wunschdenken – und das noch im Dezember 1932 –, daß nun hoffentlich »der Gipfel des Wahnsinns überschritten« sei. (Es war reiner Zufall, und keineswegs politischer Spürsinn, daß Mann bei der Machtergreifung der Nazis nach dem Reichstagsbrand gerade nicht in Deutschland weilte.)

Nach 1933 pendelte Manns politische Einstellung immer weiter nach links. Im Frühjahr 1938 unternahm er eine groß angelegte Vortragsreise innerhalb der Vereinigten Staaten, um dort öffentlich seinen Glauben an den kommenden Sieg der Demokratie zu bekunden. Auch nach seiner Emigration in die Staaten fuhr er fort, vor Massenversammlungen zu reden, und sprach während des Krieges wie auch danach im Namen der verschiedensten politischen Vereinigungen und »Friedens«-Organisationen, deren Politik er allzu oft nur vage zur Kenntnis genommen hatte.

Zwar versicherte Mann unterdessen fast feierlich Hesse gegenüber, daß er ihn beneide um sein stilles Leben in Montagnola und um seine Stärke, sich öffentlichen Angelegenheiten fernzuhalten, doch dürften seine Worte nicht viel mehr als eine rhetorische Floskel sein. Denn er, der geradezu aufging in gesellschaftlichen Festivitäten, und der es liebte, mit den Großen auf freundschaftlichem Fuß zu stehen, wäre genauso unfähig gewesen, die selbstgewählte Einsamkeit Hesses auszuhalten, wie Hesse seinerseits nicht das hektische Tempo der Mannschen Betriebsamkeit ertragen hätte. Seit seinem Aufbruch in die Vereinigten Staaten wurde Mann niemals müde, Hesse an die *grand monde* zu erinnern, in welcher er sich so gewandt zu bewegen wußte: er hat gerade Nehru getroffen; oder er erwähnt einen zurückliegenden Besuch bei Roosevelt (den *er-*

sten, wie er betont, damit man auch merkt, daß es nicht der einzige war); oder er wiederholt eine Anekdote, die er vorher einmal Bernard Berenson erzählt hat (auf *englisch,* so fügt er hinzu, um als Mann von Welt seine Sprachbegabung hervorzuheben).

Nach dem Krieg dann, als sich die beiden Siebzigjährigen im Jahre 1947 zum erstenmal wiedersahen, war auch ihr Verhältnis zueinander wieder ein anderes geworden. Hesse hatte inzwischen ebenfalls den Nobelpreis erhalten – wobei Mann kein geringer Dank gebührt, denn er hatte ihn wiederholt und großherzig vorgeschlagen –, so daß die beiden Würdenträger sich nun auf der Basis ebenbürtigen Ruhmes begrüßen konnten. Noch entscheidender aber: die unterschwellige Ähnlichkeit ihrer Bestrebungen war ihnen inzwischen auf frappierende Weise durch ihre eigenen literarischen Werke bewußt geworden. Beider Hauptwerke nämlich, die sie während ihrer Trennung in den Kriegsjahren geschrieben hatten, – Hesses *Glasperlenspiel* (1943) und Manns *Doktor Faustus* (1947) – schildern mit erschreckender Genauigkeit die völlige Auflösung jener bürgerlichen Welt (bei Hesse heißt sie »feuilletonistisches Zeitalter«), deren Abkömmlinge sie waren und an der sie beide noch immer im Spannungszustand der Haßliebe hingen. Darüber hinaus sind beide Werke Ausdruck des Vertrauens in den Humanismus als die einzig mögliche Antwort auf diese Auflösung, wenn anders sie nicht zum totalen Chaos und in die Anarchie führen soll. Manns Brief vom 8. April 1945 zeigt, mit welcher Bestürzung er Hesses Roman gelesen hatte, weil dieser eine so auffallende Ähnlichkeit in Aufbau, Thematik und Stil mit seinem eigenen aufwies.

Bis zum Jahre 1947 endlich waren also die oberflächlichen Verschiedenheiten der beiden Schriftsteller angesichts ihrer grundsätzlichen Gleichartigkeit weitgehend in den Hintergrund gerückt. Im Selbstbewußtsein ihrer persönlichen Integrität und der Leistung ihres literarischen Werkes waren nun beide imstande, Leben und Verdienst des anderen zu schätzen ohne die private und berufliche Spannung, die ihrer früheren Verbindung im Weg gestanden hatte. Aus dem tiefen Wissen um ihre Verschiedenheiten heraus konnten sie jetzt all den angestrengten Versuchen vonseiten der Leserschaft und der Kritiker widerstehen, die gerne einen gegen den anderen ausgespielt hätten. Gerade so, wie sie während der beiden Weltkriege als Repräsentanten entgegengesetzter politischer Anschauungen hingestellt worden waren, verglichen nun ihre literarischen Anhänger bzw. Gegner Hesses sogenannten »Romantizismus« gerne mit Manns angeblichem »Intellektualismus«. Auf Kritiken solcher Art jedoch reagierten sie mit dem Hinweis, daß ihrem Schaffen der gleiche Impuls zugrundeliege: Ironie, spielerische Freude am Schönen und die beiderseitige Sorge um die Gefährdung des Menschen in einer Welt erschütterter Werte. Denjenigen gegenüber, die Mann Berechnung und Distanziertheit vorwarfen, betonte Hesse die persönliche Loyalität und vor allem die große Liebesfähigkeit seines Freundes. Diejenigen, die Hesse geringschätzig abtun wollten, verwies Mann auf die »Universalität« von Hesses Bildung, auf den Humor seines Stils und seinen Scharfsinn.

Ihre letzten Briefe, wie auch die verschiedenen Glückwunschadressen, die einer an den anderen richtete während der letzten Jahre ihrer Freundschaft, enthüllen – um eine Wendung des Nikolaus Cusanus zu gebrauchen, die Hesse von diesem übernommen hatte – die höchste und äußerste *coincidentia oppositorum* in zwei großen Künstlern, welche die Gegensätze ihrer Abstammung und ihres Temperaments überwanden im Dienst eines umfassenden Humanismus, der alle willkürlichen Unterscheidungen in Klassen oder Ideologien nicht anerkennt und stattdessen nur die Integrität des freien Einzelnen respektiert.

Hesse wie auch Mann haben eine Vorliebe für die geographische Symbolik in ihren Romanen bekundet. Die Tatsache nun, daß sie – die aus entgegengesetzten Winkeln Deutschlands gekommen waren und völlig verschiedene Lebenswege eingeschlagen hatten – die letzten Jahre vor ihrem Tod beide ausgerechnet auf demselben Boden der neutralen Schweiz leben sollten, muß ihrem Sinn für Ironie sicher ein ganz besonders subtiles Vergnügen bereitet haben.

Princeton, 1974 *Theodore Ziolkowski*

1

München, den 1. IV. 1910

Sehr geehrter Herr Hesse:
Meine zur Zeit recht schlechte Gesundheit ist schuld, daß ich erst heute dazu komme, Ihnen für Ihren freundlichen Brief[1] vom 24. März zu danken, und ich bedauere die Verzögerung umso mehr, als sie in diesem Falle wohl gar zu einem Mißverständnis führen konnte. Ich säume daher heute nicht länger, Ihnen zu sagen, daß Sie mir mit Ihrem Schreiben eine wirkliche Freude bereitet haben und namentlich, daß Sie Ihrer März-Besprechung von »Königliche Hoheit«[2] Unrecht thun, indem Sie sie »nörgelnd« nennen. Das war sie nicht, sondern sie war kritisch und mit Allem was Kritik und Erkenntnis heißt (und ist!) stehe ich auf viel zu freundschaftlichem Fuße, als daß ich etwas Anderes als Interesse und Vergnügen bei der Lektüre hätte empfinden können. Die Besprechung aus den »Propyläen«[3] ist ja gewiß süffiger, sie geht recht glatt durch die Kehle, aber Ihre ist mir lieber und die andere beweist eben nur Ihren Satz, daß zweierlei oder mancherlei Leute bei meinen Sachen auf ihre Kosten kommen. Darin kann man ebenso gut einen schweren Einwand wie einen besonderen Vorzug sehen, und also thut man wohl am besten, es als Thatsache zu nehmen. Gelegentlich Ihrer feinen mißtrauischen Bemerkungen habe ich wieder darüber nachgedacht und dessen kann ich Sie versichern, daß keine Berechnung, kein bewußtes Liebäugeln mit dem Publikum dabei im Spiele ist. Die populären Elemente in »Königliche Hoheit« z. B. sind ebenso ehrlicher und instinktiver Herkunft wie die artistischen, soviel ich weiß. Oft glaube ich, daß das, was Sie »Antreibereien des Publikums« nennen, ein Ergebnis meines langen leidenschaftlich-kritischen Enthusiasmus für die Kunst Richard Wagners ist – diese ebenso exklusive wie demagogische Kunst, die mein Ideal, meine Bedürfnisse vielleicht auf immer beeinflußt, um nicht zu sagen, korrumpiert hat. Nietzsche spricht einmal von Wagners »wechselnder Optik«: bald in Hinsicht auf die gröb-

sten Bedürfnisse, bald in Hinsicht auf die raffiniertesten.[4] Dies ist der Einfluß, den ich meine, und ich weiß nicht, ob ich je den Willen finden werde, mich seiner völlig zu entschlagen. Die Künstler, denen es nur um eine Coenakel-Wirkung zu thun ist, war ich stets geneigt, gering zu schätzen. Eine solche Wirkung würde mich nicht befriedigen. *Mich verlangt auch nach den Dummen.* Aber das ist nachträgliche Psychologie. Bei der Arbeit bin ich unschuldig und selbstgenügsam.

Dem »März« einmal etwas anbieten zu können, ist längst mein Wunsch. Aber ich bin so langsam und oft so wenig bei Kräften! Konzentration auf ein paar Hauptaufgaben wird mir mehr und mehr zur Pflicht. Hoffentlich kommt es trotzdem recht bald zur Erfüllung meines Wunsches. Daß es auch der Ihre ist, empfinde ich als sehr ehrenvoll.

Mit dem Ausdruck aufrichtiger Wertschätzung bin ich, lieber Herr Hesse,

Ihr ergebener Thomas Mann

1 Die Briefe und Karten Thomas Manns an Hermann Hesse sind wahrscheinlich vollzählig erhalten. Die Sendungen Hermann Hesses an Thomas Mann sind nur zum Teil erhalten. Aus den hier dokumentierten Antworten T. M.'s geht hervor, daß etwa 14 Schreiben Hesses fehlen. Alle im Münchener Hause T. M.'s befindlichen Briefschaften, Manuskripte etc. wurden nach 1933 von den Nationalsozialisten beschlagnahmt, und infolge der häufigen Aufenthaltswechsel T. M.'s nach seiner Emigration ging manches verloren. Ein Teil der verlorenen Briefe ist in Abschriften Ninon Hesses erhalten, die H. H. und seine Frau in den Sammelband der »Briefe« Hesses an viele Empfänger (Frankfurt a. Main 1951, 1959, 1964, 1974) mit veröffentlichte. (Vgl. H. H., »Ausgewählte Briefe«, 1974).

2 Hermann Hesse, »Gute neue Bücher«, in: »März«, Halbmonatsschrift für deutsche Kultur, hrsg. von Hermann Hesse, Ludwig Thoma, Kurt Aram, Stuttgart, München, Berlin, 1910. Jg. 4, Bd. 1. S. 281-283. Siehe den nachfolgenden Text.

3 Dr. Ludwig Finckh, »Neue wertvolle Erzählungsbücher« in: »Die Propyläen«, Wochenschrift geleitet von Eduard Engels. München, Jg. 7 (1909/10), Nr. 25, S. 388-90.

4 So in Fr. Nietzsche: »Der Fall Wagner« und »Nietzsche contra Wagner«. Siehe Anhang.

Gute neue Bücher
von Hermann Hesse

Ein umfangreicher, neuer Roman von Thomas Mann ist in unsrer Literatur wohl ein Ereignis zu nennen. Überraschungen zwar erwartet niemand von ihm, denn kaum ein andrer von unsern zeitgenössischen Dichtern ist wie er gleich mit dem ersten Buche fast als Fertiger aufgetreten und hat uns von allem Anfang an sein Bild mit allen wesentlichen Zügen gegeben: das Bild eines noblen, gescheiten, differenzierten Menschen, eines unerbittlichen Beobachters, der feine Sprachkünste übt und dabei sich seiner Künstlerschaft beinahe schämt, sodaß er zum Melancholiker und, als intelligenter und auf Abwehr bedachter Mensch, leicht zum Ironiker wird. Alle diese Züge waren schon im kleinen Herrn Friedemann, und alle zeigten sich, voll und harmonisch entwickelt, in verblüffendem Zusammenklang in den »Buddenbrooks«.

»Königliche Hoheit«, Manns neuer, großer Roman bringt wirklich keine Überraschung. Er bringt vielleicht denen, die sich in diesen Jahren wiederholt und beglückt mit den Buddenbrooks beschäftigt hatten, eine Art von Enttäuschung; denn solche Bücher wie die Buddenbrooks schreibt auch ein Meister nicht alle Jahre, und auch nicht alle zehn Jahre. Die Buddenbrooks waren, von kleinen Sonderlichkeiten und Spielereien abgesehen, ein Werk von jener Art, das man im Lauf der Jahre mit eigenem Erleben verwechseln kann, ähnlich einigen großen Schöpfungen von Balzac, Flaubert, Tolstoi, Bang. Sie waren so absichtslos, unerfunden, natürlich und überzeugend wie ein Stück Natur, man verlor ihnen gegenüber den ästhetischen Standpunkt und gab sich hin wie dem Anblick eines natürlichen Geschehens. Damit verglichen, ist »Königliche Hoheit« ein Roman, ein Roman in gutem und schlechtem Sinn, eine Erfindung und künstlerische Arbeit, ein Gewolltes, dem wir mit Interesse, Liebe, Bewunderung, aber nicht mit solcher selbstvergessener Hingenommenheit folgen.

Vielleicht hängt es damit zusammen, daß in diesem neuen Buche auch die paar störenden Sonderbarkeiten weit stärker empfunden werden. Da nun einmal jene Gewalt fehlt, die uns in den Buddenbrooks mitriß, sind wir strengere und kühlere Richter, und da wundern wir uns denn, daß dieser große Künstler einen so fatalen Zug hat und daß all seine Sicherheit ihn nicht immer vor offensichtlichen Irrtümern und Geschmacklosigkeiten retten kann. Es klingt beinah komisch: Thomas Mann und Geschmacklosigkeiten, und doch ist es so.
Thomas Mann hat nämlich die Sicherheit des Geschmacks, die auf höchster Bildung beruht, nicht aber die traumwandlerische Sicherheit des naiven Genies. Damit ist alles gesagt: er ist ein Dichter, ein begabter und vielleicht großer Dichter, aber er ist ebensosehr und noch mehr Intellektueller. Er hat die Gaben, aber er hat nicht die Naivität eines Balzac oder gar Dickens. Darum fühlt er auch seine große Begabung mehr als vereinsamende Besonderheit denn als stolze Auszeichnung. Darum neigt er auch zum Ironisieren und gelegentlichen Durchreißen der Kunstform.
Der naive, »reine« Dichter, scheint mir, denkt überhaupt nicht an Leser. Der schlechte Autor denkt an sie, sucht ihnen zu gefallen, schmeichelt ihnen. Der mißtrauische Intellektuelle, also Thomas Mann, sucht sich den Leser in Distanz zu halten, indem er ihn ironisiert, indem er ihm scheinbar entgegenkommt, ihm Erleichterungen und Eselsbrücken bietet. Dazu gehört die boshafte, übrigens leider häßliche Manier, jede Figur bei jedem Wiederauftreten ihre stereotypen Attribute vorzeigen zu lassen, damit der Leser sage: Aha, das ist der! Mit solchen schlechten Scherzen weiß Mann den Leser bald zu locken bald zu düpieren, ja er geht so weit, ein durchaus kindliches, ja kindisches Spiel mit Namen und Masken zu treiben, von der Art ältester und übelster Lustspiele. Er bringt einen Doktor Überbein mit grüner Gesichtshaut und rotem Bart, ein Fräulein Unschlitt (Tochter eines Seifensieders!) mit auffallenden Schlüsselbeinen, auch Herr Schustermann mit seinen Zeitungs-

ausschnitten und viele andre solche Figuren sind garnichts als Masken. Und wenn man eine von Manns unglaublich liebevollen Naturbeobachtungen oder einen seiner leuchtenden Sätze über Kunst, etwa über Musik, gelesen hat, begreift man vorübergehend nicht, wie derselbe Mann seine Kunst so mißbrauchen kann.

Das klingt nun alles etwas grämlich und tadlerisch. Aber doch nur, weil wir Thomas Mann lieben und hochachten, müssen wir ihm jene Manieriertheiten so streng anmerken. Wahrlich, ein kleinerer könnte mit diesen Mätzchen und Spielereien, die bei Mann uns ärgern, noch Staat machen und imponieren. Uns aber scheint, ein Künstler wie Mann, der intellektuell so hoch über allen Vorurteilen und Urteilen steht, der so rein zu beobachten und so rein zu gestalten weiß, müßte in großen, ernsthaft angelegten und ernsthaft unternommenen Dichtungen diese gewiß witzigen, gewiß amüsanten und ihn gewiß heimlich befriedigenden Antreibereien des Publikums entbehren können. Er räumt damit, natürlich absichtlich, dem gemeinen Leser eine Art von Überlegenheit ein, um ihm alles Feine, Ernsthafte, wirklich Sagenswerte dafür zu unterschlagen, denn das sagt er dann so zart und nebenbei, daß jener es nicht merkt. So ist auch seine Sprache anscheinend die eines guten Journalisten, hat scheinbar keine Absicht als Deutlichsein, Präzisieren, und ist heimlich so voll Pikanterie, Ironie, Noblesse und verstohlenem Glanz, daß man beim Lesen beständig feine Reizungen und Überraschungen erlebt.

Der Bürger kann diese Bücher lesen und sich tatsächlich unterhalten fühlen (um so mehr als in diesem neuen Roman eine recht romanhafte Fabel spielt), während ihm Pointe um Pointe entgeht. Und unsereiner, der die Nase für die Pointen wohl hat, genießt sie nur mit halbem Genuß und beinahe schlechtem Gewissen, weil sie bei allem Geist und aller Grazie doch mit der Kunst nur ganz äußerlich zu tun haben. Wir möchten einmal ein Buch von Thomas Mann lesen, in dem er an die Leser garnicht denkt, in dem er niemand zu verlocken und niemand zu ironisieren trachtet. Wir werden dies Buch nie bekommen, unser Wunsch ist ungerecht, denn jenes Spiel mit der Maus gehört bei Mann zum Wesen; aber vielleicht tut er, der doch nach einer gewissen Objektivität zu streben scheint, sich einmal soweit Zwang an, diese allzu subjektive Technik noch etwas zu objektivieren. Denn dieses beständige Spielen mit dem Leser setzt ein beständiges Denken an den Leser voraus, und dieses Denken gehört nicht zu den Voraussetzungen für das Gelingen reiner Kunstwerke.

Inzwischen aber freuen wir uns an der »Königlichen Hoheit« und an allem, was von diesem feinen Manne kommt. Sein Unscheinbarstes wird immer noch hoch über dem Üblichen stehen.

Das erste Buch Thomas Manns, das Hesse rezensierte, war der 1903 bei S. Fischer Berlin erschienene Novellenband »Tristan«. Hesse publizierte seine Besprechung am 5. 12. 1903 in der »Neuen Zürcher Zeitung«:

Tristan, sechs Novellen

Man könnte beinah glauben, Thomas Mann habe den Ehrgeiz eines Tausendkünstlers. In den »Buddenbrooks« war er der Athlet, der kaltblütig und sicher mit der Zentnerlast eines Riesenstoffes »arbeitete«, im »Tristan« zeigt er sich nun als zierlichen Jongleur, als Meister der Bagatelle. Im Grunde sind freilich beide Bücher so nahe als möglich miteinander verwandt; nur wuchs, was im »Tristan« als flüchtiges Mienenspiel erscheint, in den »Buddenbrooks« durch die Wucht und Einheitlichkeit des Stoffes zur großen tragischen Gebärde. Sein neues Buch mag manchen dazu verführen, es rein als die saubere Arbeit eines sehr raffinierten Artisten zu betrachten; es scheint fast mit seiner kühlen Grazie selbst zu kokettieren. Dennoch ist es mehr als ein technisches Meisterwerkchen. Die sechs Novellen, von denen nur die eine, »Luischen«, dauernd unbefriedigt läßt, spielen meist nahe an der Grenze des Burlesken und erinnern zuweilen an irgendwelche alte, tolle songes drolatiques. Sieht man genauer zu, so sind die Ungeheuer keine Ungeheuer, die Fratzen keine Fratzen, es ist nur die scheinbar zufällige, höchst durchdachte und ausstudierte Beleuchtung – sobald wir die Laterne etwas anders stellen, erkennen wir in dem Spuk unsre Freunde, Brüder, Vettern, Nachbarn, manchmal auch wohlbekannte Züge von uns selber. Bei dieser Entdeckung haben wir ein Gefühl, das halb Schrekken, halb Aufatmen ist, halb Befriedigung und halb Enttäuschung, und genau genommen war das auch schon in den »Buddenbrooks« die Grundstimmung. Es gibt Tage, an denen wir die Welt mit einer Mischung von nüchterner Kritik und uneingestandener Sehnsucht betrachten; an diesen Tagen zeigen Menschen und Dinge uns solche Gesichter wie Th. Mann sie malt, so zum Lachen ernsthaft und zum Weinen komisch. Wer solche Mischungen braut, ist niemals bloß Artist, sondern muß schon tief aus den Schalen des Ungenügens und der Sehnsucht getrunken haben, ohne die kein Artist zum Dichter wird. So ist »Tristan« ein Buch, in dem man sehr Verschiedenes finden und das man auf sehr verschiedene Weisen genießen kann, ein Buch ausschließlich für literarische Leser, für Kenner; für diese aber wird es zum Delikatesten gehören, was das zu Ende gehende Jahr geboten hat.

2

Bad Tölz[1] den 2. VIII. 16

Lieber und verehrter Herr Hesse:
Wie hätten Ihre Zeilen und die Sache, die sie betreffen, mir fremd bleiben sollen.[2] Ich möchte gern helfen, und werde es irgendwie ja auch können, wenn auch für meine Person, nicht mit Geld. Als ich gestern auf der Post Ihren Brief in Empfang nahm, hatte ich eben wieder einmal einen Geldschein für einen hungernden Kollegen aufgegeben. Die privaten Anforderungen, die an mich gestellt werden, sind zu groß. Ich gebe aber Ihre Werbeschrift weiter, an eine Stelle, wo sie, wie ich hoffe, nicht ohne Erfolg bleiben wird. Ferner schreibe ich an Fischer[3], daß er Ihnen Freiexemplare meiner Bücher schicken soll. Glauben Sie mir, daß ich Sie für Ihre hingebungsvolle Thätigkeit ungeheuer achte.

Ihr ergebener Thomas Mann

1 In Bad Tölz hatte sich T. M. 1908 ein Landhaus gebaut, worin er von 1909-1917 mit seiner Familie die Sommermonate verbrachte.

2 H. H. lebte von 1912-1919 in Bern. Bei Kriegsbeginn 1914 hatte er sich zum freiwilligen Militärdienst gemeldet, wurde aber als dienstuntauglich zurückgestellt und der Deutschen Gesandtschaft in Bern zugeteilt, wo er seit 1916 im Dienst der »Deutschen Gefangenenfürsorge« Hunderttausende von Kriegsgefangenen und Internierten in Frankreich, England, Rußland und Italien mit Lektüre versorgte, Gefangenenzeitschriften (u. a. die »Deutsche Internierenzeitung«) herausgab, redigierte und einen eigenen Verlag für Kriegsgefangene (»Verlag der Bücherzentrale für deutsche Kriegsgefangene«) aufbaute, in welchem von 1918-1919 22 Bändchen erschienen. Mit einem persönlichen Schreiben und wohl einem seiner vervielfältigten Offenen Briefe, worin er um Geld und Bücher für die Gefangenen bat, hatte sich Hesse auch an T. M. gewandt.

3 Samuel Fischer (1859-1934) gründete 1886 Deutschlands renomiertesten belletristischen Verlag, betreute seit 1898 das Werk Thomas Manns, seit 1904 das von Hermann Hesse.

3 *Postkarte*

Bad Tölz den 10. VIII. 16

Lieber Herr Hesse:

Ich habe einem Verwandten 50 M für Ihre Sache abgeknöpft, die ich Ihnen zugehen lasse: ich weiß nur noch nicht recht, wie?[1] Werde es aber schon herauskriegen. An Fischer habe ich geschrieben; hoffentlich ist er freigebig mit Exemplaren![2]

Ihr Thomas Mann.

1 Während des Krieges war der Geld-Transfer ins Ausland eingeschränkt.
2 S. Fischer stiftete 50 Titel nach Hesses eigener Wahl, sowie 5 Expl. von jedem der Bücher Thomas Manns.

4 *Postkarte*

Baden den 4. x. 26

Unmöglich, lieber Herr Hesse, hier nicht Ihrer und Ihres entzückendsten Buches[1] zu gedenken! Nehmen Sie die erinnerungsvollen, dankbaren Grüße dreier in Ihren Spuren wandelnder Touristen.

Thomas Mann. Katia Mann[2]. Ernst Bertram[3].

1 H. H., »Kurgast«. Aufzeichnungen von einer Kur in Baden. Berlin, 1925. Erstdruck u. d. T. »Psychologia Balnearia«, Privatdruck, Montagnola, 1924.
2 Katia Mann (* 1883; geb. Pringsheim) mit T. M. seit 1905 verheiratet.
3 Ernst Bertram (1884-1957) Prof. für deutsche Literatur an der Universität Köln, seit 1910 mit T. M. befreundet.

5

München 27, den 3. 1. 28

Lieber Herr Hesse,

ich danke Ihnen, daß Sie auch mich durch die Übersendung dieser Verse geehrt haben,[1] deren Atmosphäre nicht jedermanns Sache sein wird. Daß ich mich darauf verstehen würde, innerlich, obgleich mein Stoffwechsel physiologisch ist, durften Sie glauben. Die Liebenswürdigkeit Ihrer Hypochondrie und die im Grunde junge Sehnsucht nach dem »Aufgehen«[2] haben mich, wie schon so oft bei Ihnen aufs innigste berührt. Man wird ja immer verdrießlich-wählerischer in Dingen der Lektüre und kommt mit dem Meisten nicht mit. Der »Steppenwolf«[3] hat mich seit langem zum erstenmal wieder gelehrt, was Lesen heißt.

Ihr Thomas Mann

1 H. H., »Krisis«. Ein Stück Tagebuch. Berlin, 1928.
2 So in dem Gedicht »Paradies-Traum«:
Auf tausend Flügeln auseinanderfaltet
Sich meine Seele, die ich Eins gemeint,
Vertausendfacht, zum bunten All gestaltet,
Erlösch ich mir und bin der Welt vereint.
3 H. H., »Der Steppenwolf«, Berlin, 1927.

6

München den 21. XII. 29

Lieber Hermann Hesse:

Ich komme zu Ihnen mit einem Vorschlag und mit einer Bitte. Am 24. Dezember hat, wie Sie wissen werden, S. Fischer seinen siebzigsten Geburtstag. Von einer offiziellen Feier in Berlin will der alte Herr nichts wissen, dagegen hat sich der Gedanke durchgesetzt, daß Fischers eine Woche später in unserem Hause an einer kleinen intimen Feier am Sylvesterabend teilnehmen. Sie würden sich nun, wie ich bestimmt weiß, ganz besonders freuen, und diese Freude wäre auch die unsrige, wenn Sie bei diesem kleinen Fest zugegen wären.[1] Es sollen außer Fischers mit ihren Kindern nur Wassermanns, René Schickele und Hans Reisiger daran teilnehmen. Ich möchte Ihnen recht herzlich zureden, die Reise nicht zu scheuen und unserem Fischer, wie auch uns, die Freude Ihrer Anwesenheit zu machen. Ich weiß wohl, es liegt auch etwas wie Zumutung in dem Vorschlag, aber schließlich sage ich mir, daß der alte Mann es wert ist, daß diejenigen, von denen es ihm wohl tut, ihm an diesem Tage etwas Liebes erweisen.

Seien Sie, lieber Herr Hesse, zu Weihnachten recht herzlich von uns beiden begrüßt!

Ihr Thomas Mann

1 Hesse hat den Brief oben angekreuzt und »Nein« dazugeschrieben.

8 *Postkarte*

München den 18. II. 31

Lieber Hermann Hesse,
Heute schickte ich Ihnen ein Stück Frankfurter Zeitung mit einem Artikel meines Bruders über die Akademie.[1] Es liegt mir daran, daß Sie ihn lesen. Er zeichnet die Situation sehr klar und richtig.
Gestern hatte ich gute Nachricht aus Amerika! Daß nämlich der »Goldmund« sehr wahrscheinlich vom »Book of the Month-Club« herausgebracht werden wird, dem ich ihn dringlich empfahl. Wenn's wahr wird, können Sie Frau Ninon[2] was Hübsches schenken.

Herzlich Ihr Thomas Mann.

1 Heinrich Mann, »Pariser Platz 4«, »Frankfurter Zeitung«, 15. 2. 1931. Nr. 121/123 S. 3. Siehe Anhang.
2 Ninon Dolbin (1895-1966; geb. Ausländer), die am 14. 11. 1931 Hesses dritte Frau wurde.

7 Postkarte

München 23. XII. 30

Lieber Herr Hesse, Dank für Ihre Worte und noch einmal für den bewunderungswürdigen Goldmund[1]! Möge Ihre Gesundheit sich bessern! Spätestens durch das Engadin – wo wir uns vielleicht treffen.[2] Haben Sie gute Festtage!

Ihr Thomas Mann.

Thomas Manns Antwort auf die Umfrage der Zeitschrift »Das Tagebuch« (6. 12. 1930) »Die besten Bücher des Jahres«:

Von den Darbietungen der älteren Generation hat mich Hermann Hesses Roman *Narziß und Goldmund* am meisten beglückt, ein wunderschönes Buch in seiner poetischen Klugheit, seiner Mischung aus deutsch-romantischen und modern-psychologischen, ja psychoanalytischen Elementen.

1 H. H., »Narziß und Goldmund«. Erzählung. Berlin, 1930.
2 In der 2. Januarhälfte 1931 waren Thomas Mann, Hesse und Jakob Wassermann gleichzeitig in Chantarella bei St. Moritz zur Kur. Vgl. die Bildtafeln.

Thomas Mann
1929
H Hesse

Gelehrte ein rührendes Loblied der Natur und der Wohlgebornen singt,und den Gegensatz von "Grosser Kopf" und "Liebling der Natur"(oder vielleicht heisst es "Günstling" d. Natur) aufstellt.Das einzige von Kant,was mir je lieb geworden ist.

Ihre Tolstoigestalt,als Typ des Naturlieblings,des Jägers,des Falkenauges, des gelegentlich gegen den Geist beinahe dumm-böse Werdenden,hat mich an mehrern Stellen auch an Hamsun erinnert.Mir ein vertrautes Problem,denn ich stehe auf der selben Seite,meine Herkunft ist mütterlich und mein Quell und Zuverlass die Natur.

Kurz,ich möchte Ihnen danken für den echten Genuss,den Ihre Schrift mir brachte.

Nach der Zeit ungewöhnlichen Wohlergehens,die ich im Engadin hatte,bin ich seit der Rückkher wieder weniger wohl,seit 3 Wochen darmkrank etc spüre die Ferien aber doch wohltätig nachwirken und freue mich auf die Heimkehr ins Tessin,wo wir gegen Mitte April einrücken wollen.Von Zürich,wo ich seit 6 Jahren ein Junggesellenquartier für den Winter hatte,muss ich nun Abschied nehmen.Die Stadt wird mir nicht fehlen,wohl aber einige Freunde und die Gelegenheit Musik zu hören.Ich bereite mich auf eine Periode des Verbauerns vor,wie ich sie auch früher schon erlebt habe.

Auf gutes Wiedersehen,und Ihnen allen herzliche Grüsse von Ihrem

H Hesse

Zürich im März 1932

Lieber Herr Thomas Mann

In diesen Tagen hat meine Frau mir Ihr
Goethe-Tolstoi-Buch vorgelesen, und ich habe,
wie schon manchesmal, nicht nur die klare und
reinliche Formulierung in Ihrer wunderschön-
en Arbeit bewundert, sondern eigentlich noch
mehr die Tapferkeit und Schärfe, mit der Sie,
aller deutschen Sitte entgegen, sich nicht
um ein Abschwächen, Vereinfachen und Beschönigen, sondern gerade um ein Betonen und
Vertiefen der tragischen Problematik bemühen.
Sie können sich denken, dass mir besonders
die Antithese Goethe-Schiller wichtig war,
und manchmal musste ich an einen Aufsatz des
späten, alten Kant denken, in dem der alte

THOMAS MANN
TRISTAN
S. FISCHER. VERLAG. BERLIN

Königliche
Hoheit
Roman
von
Thomas Mann
S. Fischer, Verlag Berlin

4

3

2

I

9

Chantarella im Engadin, 20. Februar 1931

Lieber verehrter Herr Thomas Mann

Haben Sie schönen Dank für Ihren Gruß und für den Aufsatz Ihres Bruders. Ninon war neulich sehr erfreut über den Gruß von Ihrer Frau, und es war hier jeden Tag von Ihnen dreien[1] oft und herzlich die Rede.

Im Augenblick sind wir eingeschneit. Es schneit seit drei Tagen ohne Pause, und seit gestern kann man draußen sich nur noch auf wenigen halbwegs frei gehaltenen Wegen mühsam bewegen. Der meterhohe neue Schnee ist gefährlich, Skilaufen ist im Moment unmöglich, der Schnee kommt leicht ins Rutschen und bildet dann gleich Lawinen – heute morgen mußte nahe beim Haus ein Bauer mit zwei Pferden ausgeschaufelt werden, die in rutschenden Schnee geraten waren und um Hilfe riefen.

Die Akademiefrage[2] hat für mich etwas Bedenkliches dadurch bekommen, daß ich nun vorerst mit den andern Ausgetretenen in einen Topf geworfen werde. Auch im Aufsatz Ihres Bruders ist nur von den ausgetretenen »Herren« die Rede.[3]

Das wird rasch vergessen werden, und die allzu Nationalen, die sich heut mit auf mich berufen, werden sehr bald wieder Gelegenheit haben, mich als Feind zu erkennen und zu behandeln.

Meine persönliche Stellung zu der Frage ist, unter uns gesagt, ungefähr diese:

Ich bin nicht mißtrauisch gegen den jetzigen Staat, weil er neu und republikanisch ist, sondern weil er mir beides zu wenig ist. Ich kann nie ganz vergessen, daß der preußische Staat und sein Kultusministerium, die Schirmherren der Akademie, zugleich die verantwortliche Instanz für die Universitäten und ihren fatalen Ungeist sind, und ich sehe in dem Versuch, die »freien« Geister in einer Akademie zu vereinen, ein wenig auch den Versuch, diese oft unbequemen Kritiker des Offiziellen leichter im Zaume zu halten.

Dazu aber kommt noch dies, daß ich als Schweizer Staatsbürger[4] garnicht in der Lage bin, aktiv mitzutun. Bin ich Mitglied der Akademie, so anerkenne ich damit den preußischen Staat und seine Art, den Geist zu verwalten, ohne doch Angehöriger des Reichs oder Preußens zu sein. Dieser Mißklang hat mich am meisten gestört, und seine Beseitigung war mir bei meinem Austritt das Wichtigste.

Nun, wir sehen uns ja wieder, und vielleicht bekommt alles mit der Zeit wieder ein andres Ansehen.

Wir beide grüßen Sie herzlich, ich zeige meinen Brief auch Ninon, die wohl einen Gruß für Ihre Frau beifügen wird.

1 Th. M. war mit Frau und Tochter Elisabeth in Chantarella gewesen.

2 Am 10. 11. 1930 trat Hesse aus der »Preußischen Akademie für Künste«, »der einzigen offiziellen Zugehörigkeit, auf die ich mich im Leben je eingelassen habe« wieder aus, in die er im Oktober 1926 gewählt wurde. Begründend schrieb er im November 1930 an Wilhelm Schäfer: »Ich habe das Gefühl, beim nächsten Krieg wird diese Akademie viel zu der Schar jener 90 oder 100 Prominenten beitragen, welche das Volk wieder, wie 1914 im Staatsauftrag über alle lebenswichtigen Fragen belügen werde.« Schäfer und seine völkisch gesinnten Kollegen Erwin Guido Kolbenheyer und Emil Strauß (1866-1960) benützten diesen Anlaß als Vorwand für ihren eigenen wenig später (am 5. 1. 1931) erfolgten Austritt. Doch ganz im Gegensatz zu Hermann Hesse hatten sie kaum eine andere Wahl, da die Mehrheit der Akademiemitglieder u. a. Alfred Döblin (1878-1957), Walter v. Molo (1880-1958), Oskar Loerke (1884-1941), an der Spitze Thomas Mann, Schäfer und seinen Gefolgsleuten den Austritt aus der Akademie nahelegten, indem sie beantragten, Schäfers Geschäftsordnung zurückzuziehen. (Vgl. dazu die Dokumentation: Inge Jens, »Dichter zwischen rechts und links«. Die Geschichte der Sektion für Dichtkunst der Preußischen Akademie der Künste, München, 1971.)

3 Es heißt im Aufsatz von Heinrich Mann: »Die Sektion hat den Austritt jener Herren durchaus begriffen. Jetzt muß sie aktiv werden ... Sie hat fortan die Geistesfreiheit zu verteidigen, gleichgültig, welche geistige Richtung verfolgt wird.« Aus dem Aufsatz geht hervor, daß H. M. hier die beständigen Quertreibereien der ausgetretenen E. G. Kolbenheyer und W. Schäfer in den Arbeitssitzungen der Akademie meinte. Siehe Anhang.

4 Bis zu seinem 14. Lebensjahr besaß Hesse das Schweizer Bürgerrecht (Bürgerrecht der Stadt Basel). 1891 erwarb sein Vater für ihn die württembergische Staatsangehörigkeit. 1924 wurde Hesse wieder Schweizer Staatsbürger (Bürgerrecht der Stadt Bern). Vgl. H. H., »Eigensinn«. Autobiographische Schriften. Frankfurt a. Main, 1972.

10

München den 27. XI. 31

Lieber und verehrter Herr Hermann Hesse:
Dies ist ein ganz privater und persönlicher Brief, aber es hängt viel überpersönlich Wichtiges davon ab, wie Sie ihn aufnehmen. Sie erinnern sich unserer Gespräche von St. Moritz über die Sektion für Dichtung der Preußischen Akademie der Künste, Ihren Austritt aus dieser Körperschaft und die Möglichkeit Ihres Wiedereintritts. Ich sondierte damals mit gebotener Vorsicht, wie Sie über diese Möglichkeit dächten, und stieß, wie mir schien, auf keinen besonderen Enthusiasmus, aber auch nicht auf entschiedenen Widerstand. Sie meinten zwar, daß eine allzu baldige Rückkehr einen unernsten Eindruck machen würde, daß Sie den Gedanken aber nicht grundsätzlich und für alle Zeit von sich weisen wollten.
Nun stehen für Januar Zuwahlen zur Akademie bevor, die übrigens nur in kleiner Anzahl vorgenommen werden sollen: es werden kaum mehr als fünf oder sechs Dichter und Schriftsteller sein, denen man die Mitgliedschaft anbieten will. In der letzten Sitzung, der ich beiwohnte, habe ich davon gesprochen, es sei mein Lieblingstraum, Sie, lieber Herr Hesse, der Akademie wiederzugewinnen, und es gab keinen unter den Anwesenden, der nicht freudig zugestimmt und nicht im Interesse der Akademie den Gedanken herzlichst begrüßt hätte, daß Sie Ihrer Wiederwahl vielleicht folgen könnten.
Wenn ich mir, lieber Herr Hesse, die Motive wieder vergegenwärtige, aus denen Sie damals auszutreten beschlossen, die Taktlosigkeit Schäfers[1], und, tiefer gelegen, Ihre Scheu vor staatlicher und offizieller Bindung, Ihre Vorstellung, die Akademie könne vielleicht im Falle einer europäischen Verwickelung ein ähnliche Rolle spielen, wie seinerzeit die dreiundneunzig Intellektuellen, die die anstößige Proklamation unterzeichneten,[2] so darf ich mir und Ihnen sagen, daß der erste Grund zwar seinerzeit eine leidige Stichhaltigkeit besaß, daß aber der zweite heute weniger Gültigkeit hat als je, denn Sie

verkennen durchaus die Grundhaltung der literarischen Akademie, wenn Sie irgendwelche Nachgiebigkeit gegen nationalistische Strömungen von ihr befürchten, eine Befürchtung, die gerade nach dem gleichzeitig mit dem Ihren erfolgten Austritt von Schäfer und Kolbenheyer durchaus keine Berechtigung mehr hat.

Damit komme ich aber auf einen Punkt, der, wie wir in St. Moritz schon besprachen, eines der stärksten Argumente für Ihren Wiedereintritt abgibt. Es würde sich bei diesem für die Akademie so erfreulichen Schritt um die Richtigstellung eines öffentlichen Irrtums handeln, der sich an Ihren Austritt knüpfte, eine Richtigstellung, die Ihnen selbst eigentlich willkommen sein muß. Man hat damals und namentlich in reaktionärer deutscher Sphäre Ihre Motive mit denen Schäfers und Kolbenheyers identifiziert und damit Ihrem Austritt einen vollkommen falschen Sinn gegeben. Wie heute die Dinge in Deutschland geistig liegen, gehören Sie, lieber Herr Hesse, zur Akademie. Es wäre für diese eine nicht hoch genug zu veranschlagende moralische Stützung, wenn Sie ihr, neugewählt, wieder beiträten, und es würde eine unwidersprechliche Korrektur von Irrtümern über Sie und Ihre Haltung bedeuten, wenn Sie es täten.

Ich weiß ja sehr gut, daß Ihnen auch Ihre erste Zusage[3] nicht leicht gefallen ist, und daß Ihnen das Gesellschaftlich-Offizielle, das im Literarisch-Korporativen immer liegt, von Natur widersteht. Aber wem ginge es anders? Dem Akademischen und Bindenden sind wir im Grunde alle abgeneigt und es ist nur eine Art sozialen, von der Zeit geforderten und ausgebildeten Pflichtgefühls, wenn wir trotzdem einem solchen Rufe folgen. Ihre Lebensform bringt es noch besonders mit sich, daß eine aktive Beteiligung von Ihrer Seite nicht in Frage kommt und nicht erwartet wird. Taktlose Forderungen und Vorwürfe von der Art, wie Schäfer sie sich ganz unautorisierter Weise erlaubte, werden nicht mehr vorkommen, dafür verbürge ich mich. Es würde sich in Ihrem Falle durchaus um etwas Moralisches handeln, um die geistige Tatsache Ihrer Zugehörigkeit zu uns.

Haben Sie also die Güte, lieber Herr Hesse, sich die Frage noch einmal zu überlegen und mich wissen zu lassen, welche Aussichten ein erneuter Antrag der Akademie bei Ihnen hätte. Habe ich ein hoffnungsreiches Wort von Ihnen, so besteht natürlich nicht der geringste Zweifel, daß mit Einstimmigkeit Ihre Wiederwahl im Januar erfolgen würde.

Ich hoffe das Beste für Ihre Gesundheit und für Ihre Arbeit. Meine Frau vereinigt ihre Grüße mit den meinen für Sie und Frau Dolbin. Kommen Sie diesen Winter wieder nach St. Moritz? Wir denken wieder an Chantarella und würden uns über ein Zusammentreffen alle von Herzen freuen, auch Mädi.

Ihr Thomas Mann.

1 Wilhelm Schäfer, damaliger Verhandlungsleiter, hatte am 4. 11. 1930 in einem Rundbrief den weniger aktiven Mitgliedern nahegelegt, aus der Akademie auszutreten, woraufhin Hesse am 10. 11. 1930 seinen – schon lange vorher gewünschten – Austritt erklärte. Vgl. Fußnote 2 zu Brief 9.

2 Protest von 93 prominenten deutschen Gelehrten und Intellektuellen im Herbst 1914 gegen die Anschuldigungen einer barbarischen deutschen Kriegführung in Belgien.

3 Am 27. Oktober 1926 wurde Hesse mit zwanzig anderen Schriftstellern, darunter R. Huch, O. Loerke, H. Mann, J. Ponten, A. Schnitzler, F. Werfel, J. Wassermann, zum Mitglied der Sektion für Dichtung der Preuß. Akademie der Künste gewählt.

11

Baden, Anfang Dezember 1931

Verehrter Herr Thomas Mann
Ihr lieber Brief fand mich in Baden, von der Kur ermüdet und bei sehr schlechtem Augenbefinden, so daß ich nie mit meiner Post fertig werde. Verzeihen Sie darum, wenn ich mich kurz fasse. Die Antwort selbst auf Ihre Frage erfordert keinen Raum, sie lautet Nein, aber ich möchte gern so ausführlich wie möglich begründen, warum ich die durch einen so verehrten und geliebten Mann überbrachte Einladung der Akademie dennoch nicht annehmen kann. Aber je mehr ich darüber nachdenke, desto komplizierter und metaphysischer wird die Sache, und da ich mein Nein Ihnen gegenüber doch begründen muß, so tue ich es mit der etwas überdeutlichen und brutalen Zuspitzung, welche so komplizierte Zusammenhänge, wenn sie plötzlich in Worte formuliert werden sollen, ja meistens annehmen.

Also: der letzte Grund meines Unvermögens zur Einordnung in eine offizielle deutsche Korporation ist mein tiefes Mißtrauen gegen die deutsche Republik. Dieser haltlose und geistlose Staat ist entstanden aus dem Vacuum, aus der Erschöpfung nach dem Kriege. Die paar guten Geister der »Revolution«, welche keine war, sind totgeschlagen[1], unter Billigung von 99 Prozent des Volkes. Die Gerichte sind ungerecht, die Beamten gleichgiltig, das Volk vollkommen infantil. Ich habe Anno 1918 die Revolution mit aller Sympathie begrüßt, meine Hoffnungen auf eine ernst zu nehmende deutsche Republik sind seither längst zerstört. Deutschland hat es versäumt, seine eigene Revolution zu machen und seine eigene Form zu finden.[2] Seine Zukunft ist die Bolschewisierung, mir an sich gar nicht widerwärtig, aber sie bedeutet eben doch einen großen Verlust an einmaligen nationalen Möglichkeiten. Und leider wird ihr ohne Zweifel eine blutige Welle weißen Terrors vorangehen. So sehe ich die Dinge seit langem und so sympathisch mir die kleine Minderheit der gutgewillten Republikaner ist, ich halte sie für vollkommen machtlos und zukunftslos, für ebenso zukunftslos, wie es einst die sympathische Gesinnung Uhlands und seiner Freunde in der Frankfurter Paulskirche war. Von 1000 Deutschen sind es auch heute noch 999, welche nichts von einer Kriegsschuld wissen, welche den Krieg weder gemacht noch verloren noch den Vertrag von Versailles unterzeichnet haben, den sie wie einen perfiden Blitz aus heiterem Himmel empfinden.

Kurz, ich finde mich von der Mentalität, welche Deutschland beherrscht, genauso weit entfernt wie in den Jahren 1914-1918. Ich sehe Vorgängen zu, die ich als sinnlos empfinde, und bin seit 1914 und 1918 statt des winzigen Schrittes nach links, den die Gesinnung des Volkes getan hat, um viele Meilen nach links getrieben worden. Ich vermag auch keine einzige deutsche Zeitung mehr zu lesen.

Lieber Thomas Mann, ich erwarte nicht, daß Sie meine Gesinnungen und Meinungen teilen, aber daß Sie sie anerkennen, in der Verbindlichkeit, die sie für mich haben. Wegen unserer Winterpläne schreibt meine Frau der Ihren. Grüßen Sie Frau Mann und Mädi[3] bitte recht sehr von mir, wir haben sie beide lieb gewonnen. Und bleiben Sie mir bitte wohlgesinnt, auch wenn meine Antwort Sie enttäuscht. Aber ich glaube im Grunde, sie werde Ihnen doch eigentlich nicht überraschend kommen.

In der alten Verehrung und Anhänglichkeit grüßt Sie

Ihr H. Hesse

1 Gustav Landauer (1870-1919), Kurt Eisner (1867-1919), Matthias Erzberger (1875-1921), Karl Liebknecht (1871-1919), Rosa Luxemburg (1870-1919), Walter Rathenau (1867-1922).

2 Ähnlich urteilte Rilke 1918. Siehe Anhang.

3 Elisabeth Mann (* 1918; genannt Mädi), zweitjüngstes Kind von Katia und T. M.

12

Zürich, im März 1932

Lieber Herr Thomas Mann

In diesen Tagen hat meine Frau mir Ihr Goethe-Tolstoi-Buch[1] vorgelesen, und ich habe, wie schon manches Mal, nicht nur die klare und reinliche Formulierung in Ihrer wunderschönen Arbeit bewundert, sondern eigentlich noch mehr die Tapferkeit und Schärfe, mit der Sie, aller deutschen Sitte entgegen, sich nicht um ein Abschwächen, Vereinfachen und Beschönigen, sondern gerade um ein Betonen und Vertiefen der tragischen Problematik bemühen. Sie können sich denken, daß mir besonders die Antithese Goethe–Schiller wichtig war, und manchmal mußte ich an einen Aufsatz des späten, alten Kant denken, in dem der alte Gelehrte ein rührendes Loblied der Natur und der Wohlgeborenen singt und den Gegensatz von »Großer Kopf« und »Liebling der Natur« (oder vielleicht heißt es »Günstling der Natur«) aufstellt.[2] Das einzige von Kant, was mir je lieb geworden ist.

Ihre Tolstoigestalt, als Typ des Naturlieblings, des Jägers, des Falkenauges[3], des gelegentlich gegen den Geist beinahe dummböse Werdenden, hat mich an mehreren Stellen auch an Hamsun erinnert. Mir ein vertrautes Problem, denn ich stehe auf derselben Seite, meine Herkunft ist mütterlich[4] und mein Quell und Zuverlaß die Natur.

Kurz, ich möchte Ihnen danken für den echten Genuß, den Ihre Schrift mir brachte.

Nach der Zeit ungewöhnlichen Wohlergehens, die ich im Engadin hatte, bin ich seit der Rückkehr wieder weniger wohl, seit 3 Wochen darmkrank etc., spüre die Ferien aber doch wohltätig nachwirken und freue mich auf die Heimkehr ins Tessin, wo wir gegen Mitte April einrücken wollen. In Zürich, wo ich seit 6 Jahren ein Junggesellenquartier für den Winter hatte, muß ich nun Abschied nehmen. Die Stadt wird mir nicht fehlen, wohl aber einige Freunde und die Gelegenheit Musik zu hören. Ich bereite mich auf eine Periode des Ver-

bauerns vor, wie ich sie auch früher schon erlebt habe.
Auf gutes Wiedersehen, und Ihnen allen herzliche Grüße von Ihrem

H. Hesse

Nachschrift
Zufällig fand ich dieser Tage einen Aufsatz wieder, den ich vor längerer Zeit einmal geschrieben habe, um meiner Frau einige Begriffe und Nomenclaturen meines Denkens klar zu machen.[5] In diesem Aufsatz könnte vielleicht der zweispaltig geschriebene Teil, die Gegenüberstellung von »Vernünftig« und »Fromm« Sie interessieren als Analogie zu Goethe–Schiller etc.
Keinesfalls möchte ich Sie mit diesem Manuskript belästigen. Falls Sie jene Seiten lesen mögen, so tun Sie es ohne Eile. Mögen Sie sie nicht lesen, so haben Sie die Freundlichkeit, den Aufsatz nicht mir zurückzusenden, sondern ihn ganz gelegentlich abzusenden an die Redaktion der Neuen Rundschau, im Verlag Fischer.[6]

1 »Goethe und Tolstoi. Fragmente zum Problem der Humanität.« Ges. Werke, Frankfurt, 1960, Bd. IX. S. 58-173.
2 In der »Kritik der Urteilskraft« (1790), Deduktion der reinen ästhetischen Urteile, § 47, stellt Kant dem »großen Kopf« den »Günstling der Natur« gegenüber.
3 Thomas Mann folgt hier in vielem D. Mereschkowski, der Tolstoi den Seher des Leibes nennt im Gegensatz zu Dostojewski, dem Visionär der Seele.
4 Hesse übernimmt den Gegensatz »mütterlich-väterlich«, der für seine Optik ganz fundamental ist, von J. J. Bachofen. Auch in der Psychoanalyse spielt dieser Gegensatz eine große Rolle – eine der Varianten des 19. Jahrhunderts zu Schillers Gegenüberstellung des naiven und sentimentalischen Typus. Auch Nietzsches Gegenüberstellung des Dionysischen und Apollinischen ist eine solche Variante.
5 »Ein Stückchen Theologie« (1932) in H. Hesse: Werkausgabe in 12 Bänden, Frankfurt a. Main, 1969, (W. A.) Bd. 10, S. 74 ff. Siehe Anhang.
6 Hesses Essay »Ein Stückchen Theologie« erschien erstmals im Juni 1932 in der »Neuen Rundschau«.

13

München den 25. III. 32

Lieber Herr Hesse,

von Herzen Dank für Ihre schöne Sendung, die vom aquarellierten Briefkopf angefangen[1] ganz den Stempel Ihres vertrauten Geistes trägt. Ihr erneutes Teilnehmen an »Goethe und Tolstoi« hat mich gerührt und erfreut. Wenn diese hübsche Separat-Ausgabe weiter keine Folge hätte, so hätte sie sich schon bezahlt gemacht in meinen Augen; aber ich denke, die Auffrischung wird sich mit Hülfe der Gedenkzeit[2] allgemeiner bewähren, zumal der behandelte Gegensatz, gerade unter dem Gesichtspunkt der Vornehmheitsfrage betrachtet, ganz danach angetan ist, wenigstens für Deutschland, das eigentliche geistige Thema des Goethe-Festes abzugeben.[3]

Kants Aufsatz ist mir nur indirekt bekannt; ich las einmal eine schöne Untersuchung darüber von Würzbach, dem Mann der Nietzsche-Gesellschaft, im Sinne einer Verherrlichung des »Dionysischen« natürlich und des Natur-Adels[4], also zu vorbehaltlos für meinen Geschmack. Mir kommt es nicht zu, es wäre eine Art von Snobismus, mich unumwunden auf die Seite des Mütterlichen und der »Königin der Nacht«[5] zu schlagen. Unter uns gesagt, gerät man auch heute in eine fürchterliche Gesellschaft[6] dabei, und aus Ekel vor dieser habe ich das kleinere Übel vorgezogen, mich in den Ruf eines dürrhumanitären Rationalisten zu bringen. In Wahrheit ist meine Produktion ein Spielen zwischen geliebten und ironisierten Gegensätzen, – wie mir denn überhaupt dieser Zwischenraum recht eigentlich als der Spiel-Raum der Kunst und Ironie erscheint.

Das Manuskript gebe ich Ihrem Wunsch gemäß an die Rundschau weiter.

Übrigens hat Kayser[7] sich, den Fiedler'schen Aufsatz[8] betreffend, entgegenkommend geäußert.

Diesen Zeilen füge ich ein Bildchen hinzu, das Mr. Knopf[9] mir für Sie schickte.

Es bekümmert mich, daß Ihre Gesundheit augenblicklich zu wünschen läßt. Aber Sie sind ja erfahren und zäh.
Ich habe meine Goethe-Fahrt in leidlichem Zustande hinter mich gebracht[10], wobei die drei Wochen Chantarella mir gewiß behülflich gewesen sind. Jetzt gilt es, mich in die verwaiste Welt meines Romans wieder hineinzufinden.[11]
Recht herzliche Grüße Ihrer lieben Frau, von deren guter Stimme ich mir »Goethe und Tolstoi« gern gelesen denke!

Ihr Thomas Mann

1 Hesse benutzte für seine Briefe an Freunde oft Briefbogen, auf deren erste Seite er oben ein kleines Aquarell gemalt hatte. Vgl. Bildtafel mit faksimilierten Hesse-Brief.
2 Jubiläumsfeiern zu Goethes 100. Todestag (22. März 1832)
3 In »Goethe und Tolstoi« heißt es, daß sich bei dem Vergleich Goethes mit Schiller oder Tolstois mit Dostojewski die »Vornehmheitsfrage« stellt – die Frage, wer von beiden höheren Ranges sei. »Goethe und Tolstoi« a. a. O. S. 60-64.
4 Erkennen und Erleben. Der »Große Kopf« und der »Günstling der Natur« von Friedrich Würzbach. Berlin 1932. Würzbach entlehnt hier Kants Begriffe, um gänzlich unkantisch im Sinne Nietzsches zugunsten des Genies gegen den Gelehrten zu polemisieren.
5 Das Bild der »Königin der Nacht« (aus Mozarts Zauberflöte) wird hier tiefenpsychologisch entlehnt als Sinnbild des Irrationalen, Unbewußt-»Nächtigen«, dessen Kult schon ressentimentbedingt ist. (Richard Wagners Rheintöchter: »Traulich und treu ist's nur in der Tiefe: falsch und feig ist, was dort oben sich freut.«)
6 Siehe Anhang.
7 Rudolf Kayser, (1889-1964) Essayist und von 1922-1932 Redakteur der »Neuen Rundschau«.
8 Kuno Fiedler, (1895-1973) Pastor, Lehrer, Philosoph und Publizist, seit 1915 mit T. M., seit 1922 mit H. H. in Briefwechsel. Er taufte T. M.'s jüngste Tochter Elisabeth (Vgl. T. M., »Gesang vom Kindchen«). Bei der ev. Landeskirche machte er sich durch seine theol. Publikationen so unbeliebt, daß er vom Kirchendienst suspendiert wurde; 1936 durch politischen Widerstand von der Gestapo verhaftet, gelang ihm die Flucht in die Schweiz, wo er bei T. M. für 14 Tage eine erste Unterkunft fand. Danach wieder Pastor in Graubünden. Publizistische Tätigkeit unter versch. Pseudonymen.
Der im Brief erwähnte Aufsatz wurde in der »Neuen Rundschau« nicht veröffentlicht.
9 Alfred A. Knopf (* 1892) seit 1916 T. M.'s amerikanischer Verleger.
10 Festvorträge zu Goethes 100. Todestag in Prag, Wien, Berlin und Weimar 13.-22. März 1932.
11 »Joseph und seine Brüder. Die Geschichten Jaakobs«.

14

19. 12. 1932

Lieber Herr Thomas Mann!
Dieser Tage schickte mir jemand aus Amerika den beiliegenden Ausschnitt aus einer Zeitung. Da Sie darin erwähnt sind, und da die Rezension mir für Amerika charakteristisch scheint, schicke ich sie Ihnen Spaßes halber.[1]
Ich war kürzlich zu einer kurzen Kur in Baden, meine Frau bei Freunden in Zürich, sonst waren wir das ganze Jahr in Montagnola, haben Gemüse und Blumen gepflanzt und Trauben geerntet und noch jetzt, kurz vor Weihnachten, blühen ein paar Rosen vor dem Haus. Ob diesen Winter ein Ferienaufenthalt in der Chantarella möglich sein wird, ist noch ungewiß. Sollte Ihr Weg je durch Lugano führen, so wäre Ihr Besuch uns eine große Freude.
Ihrem ganzen Hause unsre Grüße und für die Festtage unsre guten Wünsche!

Ihr Hermann Hesse

1 Vermutlich eine Rezension von Hesses Erzählung »Narziß und Goldmund«, die kurz zuvor u. d. T. »Death and the Lover« in amerik. Übersetzung bei Dodd, Mead & Co, New York (1932) erschienen war.

15

München den 22. XII. 32

Lieber Herr Hermann Hesse,
mangels Talent (ist das eigentlich richtig oder regiert das komische Wort »mangels« den Genitiv?) kann ich keine so schön geschmückten Briefbogen beschreiben, wie der Ihre ist[1]; aber recht herzlich danken möchte ich doch für Ihre Gedenken, Ihre Nachrichten und für die amüsante Beilage aus Amerika. Es ist mir sehr angenehm zu wissen, daß man dort weiß, daß ich zu Ihren Bewunderern und besonders zu denen von »Narziß und Goldmund« zähle.
Gerade als Ihr Briefchen kam, hatte ich Ihre Tagebuch-Aufzeichnungen in der »Corona«[2] gelesen, eine höchst reizvolle Publikation, die einem das Verlangen nach mehr davon eingibt. Auf diese Weise allein, unter Verzicht auf alle Fiktion, könnte man sich sehr schön und bequem mitteilen und verewigen. Charles du Bos in Paris tat nichts weiter mit seinen »Approximations« und ist ein bedeutender Schriftsteller dabei geworden.[3] Die »Haßbriefe«[4] übrigens haben mich sehr angeheimelt. Vorigen Sommer schickte mir ein Jüngling aus Königsberg sogar ein verkohltes Exemplar der Volksausgabe von »Buddenbrooks«, weil ich etwas gegen Hitler gesagt hatte.[5] Er schrieb dazu (anonym), er wolle mich zwingen, das Werk der Vernichtung selbst zu vollenden. Das habe ich aber nicht getan, sondern die schwarzen Reste sorgfältig aufgehoben, damit sie einmal von dem Geisteszustand des deutschen Volkes im Jahre 1932 zeugen. Wir sind aber, glaube ich, über den Berg. Der Gipfel des Wahnsinns scheint überschritten, und wenn wir alt werden, können wir noch ganz heitere Tage sehen.
Meine Frau hat bei der Ihren schon angefragt, wie es dieses Jahr ist mit Chantarella? Aus unseren Gesprächen über diesen Punkt ergibt sich, daß wir unselbständig genug sind, unser Kommen von dem Ihren abhängig zu machen. Eigentlich sind ja die Zeiten nicht danach, aber der Aufenthalt ist wohltuend,

und meine Nerven sind – ich glaube »dank« einer Arbeit, die etwas über meine Kräfte geht[6] – in ziemlich strapaziertem Zustande. Waren nicht auch unsere Abende im Salon der Wiederaufnahme wert?

Hauptmann wurde kürzlich auch hier gefeiert, und ich mußte reden. Ich schicke Ihnen den Text.[7] Der festliche Anlaß zwang mich, einen rein positiven Gesichtspunkt zu finden, und ich bin dessen ganz froh.

In Bezug auf Chantarella lassen Sie mich noch erwähnen, daß wir für Mitte Februar eine Reise vorhaben, nach Amsterdam und Paris. Da müßte man sich zu Chantarella also wohl schon bald nach Neujahr entschließen.

Haben Sie gute Feiertage in Ihrem schönen Heim, Sie Beide, und nehmen unser beider herzliche Grüße!

Ihr Thomas Mann.

1 Hesses Brief vom 19. 2. 1932 enthielt als Briefkopf ein kleines, eigenhändiges Aquarell mit dem handschriftlichen Zusatz: »Dies ist unser Haus, wir hoffen Sie einmal darin zu sehen.«

2 H. H., »Aus einem Tagebuch des Jahres 1920«, »Corona, Zweimonatsschrift für Dichtung und Forschung«, hrsg. von M. Bodmer und H. Steiner, Zürich, Jg. III (1932/33), Heft 2, S. 192-209. Vgl. H. H., »Eigensinn«, Frankfurt a. Main, 1972, S. 118 ff.

3 Charles du Bos (1882-1939), französischer Literaturkritiker, seine Tagebuchaufzeichnungen »Approximations« erschienen in sieben Bänden (1922-37).

4 »Inzwischen schreiben unentwegt mir Studenten ihre Haßbriefe, voll Mark und edler Entrüstung, und ich brauche nur einen dieser Briefe zu lesen, einen dieser zwanghaften, krampfigen, bösen Briefe von engstirnig gläubigen Fanatikern, so sehe ich, wie sehr gesund ich trotz allem bin, wie ich ihnen auf die Nerven gehe, wie ich sie aufrege und in Not bringe, wieviel Verführung zu Gefahr, zu Denken, zu Geist, zu Einsicht, zu Spott, zu Phantasie doch aus meinen Worten spürbar sein muß. Wären diese bittern und haßvollen Reaktionen nicht, so würde ich schwerlich noch länger unsre kleine Zeitschrift mit herausgeben und mich um die Dinge des Tages und die Jugend kümmern«. (»Corona« a. a. O. S. 193/194). Hesse gab 1919/1920 mit Richard Woltereck in Leipzig die Monatsschrift »Vivos voco« heraus.

5 Siehe Anhang.

6 Der Essay zu Wagners 50. Todestag: »Leiden und Größe Richard Wagners«

7 Festansprache zu G. Hauptmanns 70. Geburtstag, am 11. November 1932, im Münchner Nationaltheater. Gesammelte Werke, S. Fischer, 1960, Bd. x, S. 331 ff.

16

München den 11. 1. 33

Lieber Herr Hesse;

Heute danke ich noch vielmals für Ihre Karte, die freilich betrüblichen Inhalts war. Sehr schade, daß Sie nicht hinaufkommen können, aber ob wir es können, ist auch noch garnicht einmal so sicher. Ich stecke in einer Arbeit über Richard Wagner, die fertig oder doch bis zu einem gewissen Punkt fertig sein müßte, bevor wir reisen könnten, und vielleicht wird sich das zu lange hinziehen, denn am 13. Februar muß ich schon in Holland[1] sein.

Hauptsächlich wollte ich Ihnen Ihre Frage beantworten, wann wir hier in München und wann wir nicht hier sind. Das steht nun aber gerade aus dem eben angegebenen Grunde nicht ganz fest. Bis 20. Januar[2] sind wir wohl sicher hier, hoffentlich können Sie und Ihre liebe Frau vorher kommen. Sonst wären wir erst gegen den März hin wieder sicher zur Stelle. Es wäre reizend, wenn wir hier einen Abend am Kaminfeuer mit einander haben könnten.

Viele Grüße von uns beiden und Mädi, an Sie beide.

Ihr Thomas Mann.

1 Th. M. hielt den Vortrag »Leiden und Größe Richard Wagners« am 10. Februar im Münchener Auditorium maximum, anschließend in Amsterdam, Brüssel und Paris.

2 Vor seiner Lesereise plante Thomas Mann, einige Tage mit seiner Familie auf dem Land zu verbringen und hielt sich vom 20. 1.-9. 2. in Garmisch-Partenkirchen auf. Am 30. 1. 1933 wurde Hitler zum Reichskanzler ernannt.

17

21. April 1933

Lieber Herr Mann

Mit Freuden sah ich in der Zürcher Zeitung den Aufsatz von Schuh (den ich seit Jahren schätze)[1] und denke mir, daß er auch Ihnen Freude gemacht hat.

Ihre jetzige Situation[2] bewegt mich aus mancherlei Gründen sehr stark mit. Zum Teil wohl deshalb, weil ich selbst, während des Krieges, sehr Ähnliches erlebt habe, woraus für mich nicht nur eine vollkommene Absage an das offizielle Deutschland wurde, sondern auch eine Revision meiner Auffassung von der Funktion des Geistes und der Dichtung überhaupt. Bei Ihnen liegt vieles anders als damals bei mir, gemeinsam aber scheint mir das seelische Erlebnis dabei: das Abschiednehmenmüssen von Begriffen, die man sehr geliebt und lang mit dem eigenen Blut genährt hat.

Es steht mir nicht zu und ist nicht mein Wunsch, darüber andre Worte zu sagen als eines der innigen Sympathie. Ich fühle auch, daß Ihr jetziges Erlebnis von meinem damaligen verschieden und schwerer ist, als das meine war – einfach dadurch, daß Sie heute wesentlich älter sind, als ich es in der Kriegszeit war.

Aber ich sehe aus dem allen einen Weg für Sie und für uns weiterführen, einen Weg ins Europäische aus dem Deutschen und ins Überzeitliche aus dem Aktuellen. In dieser Hinsicht halte ich den Zusammenbruch der deutschen Republik und der Hoffnungen, die Sie auf sie setzten, nicht für unerträglich. Es ist etwas zusammengebrochen, was nicht recht lebendig war. Und es wird für den deutschen Geist eine fruchtbare Schule sein, wenn er wieder in offene Opposition zum offiziellen Deutschland kommt.

Ich hoffe, wir sehen uns bald wieder, auch die Kinder.

Herzlich grüßt Sie Ihr H. Hesse

1 Am 16./17. April 1933 hatte die »Richard Wagner-Stadt« München öf-

fentlich gegen Thomas Manns Wagnervortrag protestiert, unterzeichnet vom bayrischen Kultusminister Hans Schemm, dem Präsidenten der Akademie der bildenden Künste Geheimrat H. Bestelmeyer, dem Generaldirektor der Bayerischen Staatsgemäldesammlung Geheimrat F. Dörnhöffer und vielen weiteren Persönlichkeiten des öffentlichen Lebens, unter ihnen Hans Pfitzner und Richard Strauss. Am 21. April 1933 erschien dazu ein Aufsatz des Musikkritikers Willi Schuh in der »Neuen Zürcher Zeitung«: »Thomas Mann, Richard Wagner und die Münchener Gralshüter«. Siehe Anhang.

2 Von Paris aus waren Katia und Thomas Mann am 26. 2. 1933 nach Arosa gefahren, wo sie bis Mitte März blieben. Am 27. 2. stand das Reichstagsgebäude in Flammen. Eine Rückkehr nach Deutschland war nicht mehr möglich. Ab 24. 3. besuchte Thomas Mann mehrmals Hesse und schrieb am 29. 3. aus Lugano an Ernst Bertram: »Unsere Abwesenheit von München werden Sie unterdessen festgestellt haben. Sie zieht sich notgedrungen in die Länge. Am 10. Februar sind wir ahnungslos und vertrauensvoll nach Amsterdam zur Wagner-Feier gereist, von da nach Brüssel, von da nach Paris ... Nach den Wahlen wollten wir heim, aber die dringendsten Warnungen hielten uns zurück. Wir ... sind dann ins Tessin gegangen, zunächst zum Besuch Hermann Hesses in Montagnola ... Die Zukunft ist ungewiß.« (»Thomas Mann an Ernst Bertram, Briefe aus den Jahren 1910-1955«. Pfullingen, 1960, S. 176)

18

Lugano den 23. IV. 33

Lieber Herr Hesse,
von Herzen Dank für Ihre guten Worte. Sie haben mich in der Vermutung bestärkt, die allmählich in mir dämmert, daß etwas, was als schwerer Choc und Schrecken begann, mir am Ende noch zum reinen Gewinn werden kann. Den Anfang hat es gleich damit gemacht, daß es mich Ihnen persönlich brachte.

Der Artikel der N.Z.Z. war mir natürlich eine Genugtuung und Freude. Ich habe Herrn Schuh dankbar geschrieben[1]. Übrigens war, wie mein Sohn[2] mir schreibt, in München sofort kein Exemplar mehr zu bekommen. Das bedeutet entweder sehr starke Nachfrage oder schleunigen Aufkauf. Ich bin geneigt, das Letztere zu glauben.

Die Kinder[3] sind heute mit ihren großen Geschwistern[4], die uns besuchten, nach Le Lavendou abgefahren. Das schafft uns mehr Bewegungsfreiheit, von der Ersparnis abgesehen. Wir müssen nach Mailand in Sachen meines Passes, dann nach Basel, um Quartier zu machen. Von da wollen wir nach Sanary sur Mer, wo wir uns mit den Kindern wieder vereinigen. Aber vorher kommen wir, zu zweit, bestimmt noch zu Ihnen hinauf.

Viele Grüße für heute von uns zu Ihnen.

Ihr Thomas Mann.

1 Vgl. T. M., »Briefe«, Bd. 1 (1889-1936), Frankfurt a. Main, 1961, S. 330.
2 Golo Mann (* 1909) war in München geblieben um dort sein Studium abzuschließen.
3 Elisabeth (gen. Mädi, * 1918) und Michael (gen. Bibi, * 1919)
4 Erika (1905-1969) und Klaus (1906-1949)

19

Bandol (Var) den 2. VI. 33

Lieber Herr Hesse,

Gestern habe ich »Krieg und Frieden« beendet[1] und kann Ihnen Ihre Bände nun endlich mit vielem Dank zurückgeben. Sie waren mir Trost und Stütze in all diesen Wochen.

Wenn ich denke, daß wir Juni schreiben, und daß es Februar war, als ich Deutschland verließ, so packt mich immer noch ein nervöser Schrecken. Dabei haben wir uns an dieser Küste, nach Überwindung kleiner Widerstände gegen den Midi, recht gut eingelebt, hauptsächlich mit Hülfe der Liebenswürdigkeit des Klimas, und uns bei Sanary ein Häuschen gemietet, genannt »La Tranquille«, hübsch provençalisch möbliert, das wir in einigen Tagen beziehen wollen. Wir haben jetzt 4 Kinder bei uns[2], die jüngeren. Die »Großen« sind unterwegs in Paris, Zürich, Wien und gehen ihren Geschäften und Unternehmungen nach. Auch mein Bruder Heinrich ist hier bei uns.[3] Die alten Eltern meiner Frau waren ein paar Wochen zu Besuch da.

Wir werden jedenfalls den Sommer hier verbringen. Was dann kommt, ist ungewiß. Von dem Baseler Plan, dessen Verwirklichung schon weitgehend vorbereitet war, sind wir zurückgekommen, selbst von Zürich. Die deutsche Schweiz scheint nicht mehr recht geheuer. Sehr ernstlich haben wir wieder an Straßburg gedacht, aber auch an Wien, wenn Österreich sich mit französischer und italienischer Hülfe »hält«.

Das Weiter-Arbeiten fällt mir unter so unruhigen Umständen recht schwer und geht nur zeitweise vonstatten. Gehässige Schläge aus der Heimat fallen immer wieder dazwischen. So hat man jetzt in München mein flüssiges Vermögen, soweit es greifbar war, beschlagnahmt – eine so rechtswidrige Handlung, daß ich selbst mich von aller Rücksichtnahme entbunden fühlen darf und muß. Dabei handelt es sich um lokale Eigenmächtigkeiten, die garnicht mit den »oben« geäußerten Stimmungen und Wünschen, was meine Person betrifft, übereinstimmen. Die »Gleichschaltung« funktioniert eben keineswegs.

Was haben Sie zu dem letzten Heft der Rundschau gesagt? Interessant, nicht wahr? Z. B. gewisse Huldigungen in der Akademie-Rede Bindings. Und dann das patriotische Götterstraf-Spiel am Anfang. Ich habe viel angestrichen.[4]

Ich vermisse die Möglichkeit der Unterredung mit Ihnen. Hoffentlich sind Sie wohlauf und ruhigen Mutes. In meinen besseren Stunden bin ich es auch und suche den Dingen gerecht zu werden. Ein Kern sozialer und geschichtlicher Richtigkeit und Notwendigkeit ist wohl vorhanden, nur ist das Gewand teils gestohlen, teils hoffnungslos lumpig und verschlissen.

Grüßen Sie herzlich Ihre liebe Frau!

Ihr ergebener Thomas Mann.

1 T. M. hatte von H. H. Tolstois »Krieg und Frieden«, eines seiner liebsten Werke, entliehen.

2 Golo, Monika (* 1910), Elisabeth und Michael

3 Heinrich Mann hatte Deutschland am 30. 1. 1933, unmittelbar nach Hitlers Ernennung zum Reichskanzler verlassen.

4 »Die Neue Rundschau«, 1933, Bd. 1. Rudolf G. Binding: »Von der Kraft deutschen Worts als Ausdruck der Nation«. Rede gehalten in der Preußischen Akademie der Künste, am 28. 4. 1933, S. 801-814. Siehe Anhang. Ebenda: »Die Preußische Komödie«. Eine Funkdichtung von Hans Rehberg. S. 721-756. (Spielt in der Zeit des Großen Kurfürsten.)

20

Nach Pfingsten 1933
[Poststempel: 12. 6. 1933]

Lieber Herr Mann
Wir sind recht froh darüber, etwas von Ihnen zu wissen, haben Sie Dank für Ihren lieben Brief! Um Basel tut es mir leid, ich weiß selber nicht recht, warum ich das als eine Art Nachbarschaft empfunden hätte.[1]
Mit der spezifisch deutschen Art von Vaterlandsliebe erlebt man jetzt manche wunderliche und rührende Beispiele. Es gibt hinausgeworfene Juden und Kommunisten, darunter solche, die in der Kollektivhaltung eines unsentimentalen Heroismus schon ganz hübsche Fortschritte gemacht hatten und welche jetzt, kaum eine kleine Weile in der Fremde und Unsicherheit lebend, an einem geradezu rührenden Heimweh leiden. Ich kann es begreifen, wenn ich daran denke, wie schwer es mir in der Zeit des Krieges fiel und wie lang ich dazu brauchte, in mir selbst mit dem sentimentalen Teil der Deutschlandliebe aufzuräumen.
Von Ihnen allen war und ist bei uns oft und herzlich die Rede. Es waren seither viele Besuche da, allzu viele, aber auch, von den übrigen Sympathien abgesehen, empfand ich zu den wenigsten eine solche Verwandtschaft wie zu Ihnen in Hinsicht auf Ihr Verhältnis zu Deutschland. Auch die Art der Beleidigungen, die Sie erfuhren, ist mir vom Kriege her vertraut – noch jetzt lese ich je und je in Literatur- oder Buchhändlerblättern solche Töne.
Ich muß gestehen, daß ich diesmal die deutschen Vorgänge nicht so heftig miterlebe wie damals im Krieg, weder um Deutschland bange noch mich für Deutschland schäme, sondern eigentlich wenig berührt bin. Ich hänge, je mehr das Gleichschalten Schlagwort wird, desto inniger an meinem Glauben ans Organische und an die Berechtigung und Unentbehrlichkeit auch solcher Funktionen, welche vom Kollektivbewußtsein verabscheut werden. Darüber, ob mein Denken

und Tun deutsch sei oder nicht, habe ich ja garnicht zu urteilen. Ich kann aus dem Deutschtum, das ich habe, ja nicht heraus, und ich glaube, daß mein Individualismus und auch mein Widerstand und Haß gegen gewisse deutsche Allüren und Phrasen Funktionen sind, bei deren Ausübung ich nicht bloß mir, sondern meinem Volk diene.
Ihnen allen die herzlichsten Grüße! Wir hatten eine sehr trokkene Zeit und sind dem Gießkannen-Schleppen beinah erlegen, jetzt hat es endlich tüchtig geregnet, und man kann wieder an seinen Beeten vorübergehn, ohne sich schämen zu müssen. Zwei junge Katzen haben unsere Familie vergrößert, von Ninon wohl gefüttert und gepflegt.

Gute Wünsche von Ihrem H. Hesse

1 Hesse, der das Basler Bürgerrecht besessen hatte, verbrachte in Basel sein viertes bis neuntes Lebensjahr. 22-26jährig war er in Basel Buchhändlerlehrling, im Winter 1924/25 schrieb er dort den ersten Teil seines »Steppenwolf«. Vgl. »Basler Erinnerungen« in H. H., »Die Kunst des Müßiggangs«, Frankfurt a. Main, 1973, S. 336 ff.

21

Mitte Juli 1933

Lieber Herr Mann

Ihr Sohn Michael hat mir einen lieben Brief geschrieben, ich lege meine Antwort hier bei. Unsere Frauen haben einander auch geschrieben, und nun komme ich auch noch, obwohl eigentlich in letzter Zeit genug zu tun wäre, aber ich denke sehr viel an Sie, und werde in letzter Zeit immer wieder an Sie erinnert. Einmal durch die Geschichte mit Fiedler[1] in Altenburg, von dessen Prozeß Sie ja wissen. Dann war Bruno Frank[2] einmal bei uns, und er sprach so schön und wissend und verehrend von Ihnen, daß es eine Freude war, ich dachte lebhaft an mein erstes Zusammensein mit Frank, etwa 1908, schon damals waren Sie sein Stern und Vorbild. Und so mahnt mich dies und jenes an Sie, auch manche unserer Gespräche haben Nachklänge bei mir hinterlassen.

Leid tut es mir ein wenig, daß ich bei Ihrem Hiersein meine Scheu nicht überwand und Sie mit dem Vorwort meines seit zwei Jahren geplanten Buches bekannt machte.[3] Es ist vor mehr als einem Jahr geschrieben, und schildert den heutigen geistigen Zustand Deutschlands so genau voraus, daß ich dieser Tage beim Wiederlesen beinah erschrak.

Gleich als Sie abgereist waren, nahm ich mir vor, mich nun auch wieder eine Weile mit Ihrem Werk zu beschäftigen, von dem ich die »Buddenbrooks« und die »Königliche Hoheit« sehr viele Jahre nicht mehr gelesen hatte. Bei meinem Augenzustand ist es nun freilich so eine Sache mit Lesevorsätzen, aber nun sind wir soweit, und seit einigen Tagen sind die »Buddenbrooks« unsere Abendlektüre, meine Frau liest sie mit Hingabe vor, und Sie sind oft den ganzen Abend aufs lebendigste bei uns.[4]

Meine Rolle in Deutschland und der dortigen Literatur ist diesmal, vorerst wenigstens, eine angenehmere als die Ihre. Offiziell bin ich unbelästigt geblieben. In Aufrufen an die Hitlerjugend, sich um ihre deutschen Dichter zu kümmern, finde

ich mich weder unter den empfohlenen Kolbenheyern etc noch auch unter den »Asphaltliteraten« genannt, vor denen gewarnt wird. Man hat mich diesmal vergessen, und ich schätze das sehr, ohne doch zu vergessen, daß es nur ein Versehen ist und sich jeden Tag ändern kann.
Sehr merkwürdig sind mir die Briefe aus dem Reich, die ich von Anhängern des Regimes bekomme, sie sind alle in einer Temperatur von etwa 42 Grad geschrieben, rühmen in großen Worten die Einigkeit, ja sogar die »Freiheit«, die jetzt im Reich herrsche, und schreiben in der nächsten Zeile wütend über das Saupack von Katholiken oder Sozialisten, dem man es jetzt zeigen werde. Es ist Kriegs- und Pogromstimmung, freudig und schwer betrunken, es sind Töne von 1914, ohne die damals noch mögliche Naivität. Es wird Blut und anderes kosten, es riecht sehr nach allem Bösen. Dennoch rührt mich zuweilen die blauäugige Begeisterung und Opferbereitschaft, die man bei vielen spürt.
Möchten Sie es erträglich haben, und möchten wir uns in nicht zu ferner Zeit doch wiedersehen!
Ich bitte Sie, Ihre Frau recht sehr von mir zu grüßen, und Mädi!

Herzlich Ihr H. Hesse

1 Kuno Fiedler, vgl. Brief 13 (Fußnote 8), damals Studienrat in Altenburg/Thüringen, war 1932 von seinem Dienst suspendiert worden, da er dem nationalsozialistischen Volksbildungsminister den Gehorsam verweigert hatte. 1936 wurde er von der Gestapo inhaftiert. Nach gelungener Flucht in die Schweiz amtierte er dort wieder als Pastor.
2 Der nah mit T. M. befreundete Schriftsteller Bruno Frank (1887-1945), seit 1906 mit Hesse im Briefwechsel.
3 »Vom Wesen und von der Herkunft des Glasperlenspiels«, politische, zu Hesses Lebzeiten unpublizierte Fassung der Einleitung, beendet im Frühsommer 1932. Hesse publizierte diese Einleitung nicht, da es sich bald herausstellte, daß das Glasperlenspiel mit dieser Einleitung im NS-Deutschland nicht erscheinen konnte. Doch auch mit der 1934 entstandenen abstrakteren Neufassung der Einleitung konnte das Buch in Deutschland nicht erscheinen. Es wurde 1942 vom Propagandaministerium abgelehnt. Die Erstausgabe erschien deshalb erst 1943 in der Schweiz.
Das in diesem Brief von Hesse erwähnte Vorwort (»Vom Wesen und von der

Herkunft des Glasperlenspiels«) wurde erstmals gedruckt in Band 1 der »Materialien« zu Hermann Hesse, »Das Glasperlenspiel«, Frankfurt a. Main, 1973.

4 Vermutlich um diese Zeit schrieb Hesse ein kurzes Statement für eine indische Ausgabe der Buddenbrooks:

Die »Buddenbrooks« sind die Geschichte vom Altern und vom Verfall einer Familie aus der Oberschicht des deutschen Bürgertums um 1900. Sie sind ein historisches Dokument und werden in Europa auch heute schon als solches gewertet. Sie sind aber noch viel mehr, sie sind ein Werk intimer Beobachtung von höchster psychologischer und sprachlicher Meisterschaft und die schönste und vorbildlichste Familiengeschichte der neueren deutschen Dichtung. Es ist die Geschichte seiner eigenen Familie, welche der Dichter erzählt, und er erzählt sie mit so viel Liebe, so viel Humor, so viel Schalkhaftigkeit, daß wir nicht fehlzugehen glauben, wenn wir auch das Wort »Verfall« als halb ironisch gemeint ansehen. So wie die letzte Generation des Hauses Buddenbrook im bürgerlichen Sinne dem Verfall geweiht scheint, während in den Seelen der Nachkommen eine hohe Differenzierung und Verfeinerung sich vollzieht, so haben die Nachkommen der Familie Mann den bürgerlichen und kommerziellen Niedergang nicht nur überdauert, sondern ihrem Namen Glanz und Weltruhm gebracht.

22

Sanary s/Mer den 31. VII. 33

Lieber Herr Hesse,
so lieb und schön haben Sie mir geschrieben! Es war mir eine Freude, und ich danke Ihnen herzlich. Auch ich denke viel an Sie, Ihre sanfte Frau, Ihr schönes Haus, seine Landschaft und die mit Ihnen verbrachten wohltuenden Stunden. Ich war recht leidend damals, aber ich kann sagen, daß ich ruhiger und wohlgemuter geworden bin und meiner Arbeit nachgehe wie vorher. Ich habe meinen Kampf durchgekämpft. Es kommen freilich immer noch Augenblicke, in denen ich mich frage: Warum eigentlich? Es können in Deutschland doch andere leben, Hauptmann etwa, die Huch, Carossa. Aber die Anfechtung geht rasch vorüber. Es ginge nicht, ich würde verkommen und ersticken. Es geht auch aus einfachen menschlichen Gründen, um der Meinen willen nicht. Ich werde das alles einmal öffentlich aussprechen müssen, wenn es so weit ist, d. h. wenn die amtliche Aufforderung zur Rückkehr ergeht. Die Nachrichten aus Deutschland, der Schwindel, die Gewalt, die alberne Vortäuschung großer »Geschichte«, verbunden mit soviel gemeiner Grausamkeit, erfüllen mich immer wieder mit Grauen, Verachtung und Abscheu. Die »blauäugige Begeisterung«, von der Sie schreiben, kann mich auch nicht mehr rühren. Ich finde, soviel Dummheit ist nicht mehr erlaubt. Ein furchtbarer Bürgerkrieg scheint mir unvermeidlich, und »ich begehre«, wie unser Matthias Claudius sagt, »nicht schuld zu sein«[1] an alldem, was geschehen ist, geschieht und geschehen wird.

Wie jammerschade, daß Sie versäumten, mir Ihr merkwürdiges Vorwort mitzuteilen! Ich wäre ein empfänglicher Hörer gewesen und habe solchen Austausch überhaupt sehr gern. Hier habe ich sogleich Abende eingeführt, bei denen wir, Schickele, mein Bruder, Meier-Graefe, Aldous Huxley[2] und ich, abwechselnd aus unseren neuesten Arbeiten vorlesen.

Fischer bleibt dabei, den ersten Band meines biblischen Romans[3] im Herbst herausbringen zu wollen, und so schließen die auswärtigen Verlage sich an. Wie es unter den obwaltenden Umständen und denen, die sich erst noch herausstellen werden, mit dem Vertriebe in Deutschland werden wird, ist nicht recht abzusehen. Ich denke mir, das Buch wird bald dort sein, wo sein Autor ist, nämlich draußen.

Wie ist es aber, wollen Sie mir das Vorwort nicht schicken? Ich würde es so besonders gern lesen und würde es Ihnen umgehend zurückstellen.

Noch immer schwanken wir, ob wir den Winter noch in Nizza verbringen sollen, wo man uns ein wunderbar schönes Haus für wenig Geld zur Verfügung gestellt hat, oder ob wir besser tun, gleich das Definitive zu suchen und uns nach Zürich zu wenden. Da ich die deutsche Staatsangehörigkeit verliere, werde ich doch wohl Schweizer werden. Was uns zögern läßt, ist nur Wien, das, wenn es den Türken noch einmal widersteht, natürlich das Gegebene für uns wäre. Aber das ist ja sehr unsicher, und das Wahrscheinlichere bleibt, daß wir Ihnen bald wieder näher rücken.

Herzliche Grüße von uns allen an Sie und Ihre liebe Frau!

Ihr Thomas Mann

1 Matthias Claudius (1740-1815): »Kriegslied«. 1. Strophe:
»'s ist Krieg! 's ist Krieg! O Gottes Engel wehre,
Und rede du darein!
's ist leider Krieg, – und ich begehre
Nicht schuld daran zu sein.«

2 Der Kreis bestand also aus den Schriftstellern René Schickele (1883-1940), Heinrich Mann (1871-1950), dem englischen Romancier Aldous Huxley (1894-1963) und dem nah mit Schickele befreundeten Kunsthistoriker Julius Meier-Graefe (1867-1935).

3 »Joseph und seine Brüder. Die Geschichten Jaakobs«, Berlin, 1933.

23

Küsnacht bei Zürich den 18. XI. 33

Lieber Herr Hesse,
nur einen herzlichen Gruß heute und Dank für Ihre Zeilen von neulich. Wir hätten Sie schon besucht[1], wenn, leider, meine Frau nicht krank wäre. Eine Frauensache, unbedenklich wie der Arzt versichert und kurabel in einigen Tage, aber doch wohl das Signal für eine zukünftig eingeschränkte Aktivität.
Wir kommen so bald wie möglich mit dem Wägelchen herüber und freuen uns auf das Wiedersehen, das Hören und Berichten.
Meine Frau sendet vom Bette tausend Grüße. Wir beide wünschen eine erfolgreiche Kur. Wenn Frau Ninon schon vorher einmal zu uns kommen will, – wir wohnen Schiedhaldenstraße 33 und haben Telephon Zürich 911 107.

Ihr Thomas Mann.

1 Hesse war, wie oft, zur Kur in Baden bei Zürich.

24

Hotel Verenahof
Baden (Schweiz)
26. XI. 33

Lieber Herr Thomas Mann!
Längst wollte ich für Ihren Gruß danken u. Ihnen sagen, wie sehr Ihr Besuch mich freuen würde. Nur die Ermüdung durch die Kur u. die Augenschwäche sind schuld, daß es unterblieb. Ich hoffe sehr, Ihre Frau sei bald wieder wohlauf, einen so lebendigen Menschen kann man sich krank nicht vorstellen! Und ich hoffe, Sie können doch noch kommen, mindestens 10 Tage bin ich noch hier. Die Einleitung zu Ihrem Josef lasen wir gestern. Wundervoll! Ich bin davon entzückt u. lebendigst angeregt. Gut daß es das gibt!
Das Gedicht[1], das ich beilege, hängt zusammen mit meiner (oft von den »Emigranten« angegriffenen) Neutralität im Politischen. Nun, darüber sprechen wir noch.
Ihrer denkt in Treue

Ihr H. Hesse

1 »Besinnung«

Besinnung

(Geschrieben in Baden, am 20. Nov. 33, als ein Versuch, jene paar Fundamente meines Glaubens zu formulieren, deren ich sicher bin.)

Göttlich ist und ewig der Geist.
Ihm entgegen, dessen wir Bild und Werkzeug sind,
Führt unser Weg, unsre innerste Sehnsucht ist:
Werden wie Er, leuchten in Seinem Licht.
Aber irden und sterblich sind wir geboren,
Träge lastet auf uns Kreaturen die Schwere.

Hold zwar und mütterlich warm umhegt uns Natur,
Säugt uns Erde, bettet uns Wiege und Grab;
Doch befriedet Natur uns nicht,
Ihren Liebeszauber durchbricht
Des unsterblichen Geistes mahnender Funke
Väterlich, macht zum Manne das Kind,
Löscht die Unschuld und weckt uns zu Kampf und Gewissen.

So zwischen Vater und Mutter,
So zwischen Leib und Geist
Zögert der Schöpfung gebrechlichstes Kind,
Zitternde Seele Mensch, des Leidens fähig
Wie kein andres Wesen, und fähig des Höchsten:
Gläubiger, hoffender Liebe.

Schwer ist sein Weg, Sünde und Tod seine Speise,
Oft verirrt er ins Finstre, oft wär' ihm
Besser, nicht geschaffen zu sein.
Ewig aber strahlt über ihm seine Sendung,
Seine Bestimmung; das Licht, der Geist.
Und wir Fühlen: ihn, den Gefährdeten,
Liebt der Ewige mit besonderer Liebe.
Darum ist uns irrenden Brüdern
Liebe möglich noch in der Entzweiung,

Und nicht Richten und Haß,
Sondern geduldige Liebe,
Liebendes Dulden führt
Uns dem heiligen Ziele näher.

Hermann Hesse

25

Küsnacht 3. XII. 33

Lieber Herr Hesse,
über Ihren Brief, besonders über das gute Wort, das Sie zur »Höllenfahrt«[1] sagen, habe ich mich herzlich gefreut und noch mehr über das schöne, weisheits- und gütevolle Gedicht. Ich schreibe Ihnen das, weil ich nicht weiß, ob ich es Ihnen jetzt noch mündlich werde sagen können. Immer wollten wir kommen, aber die Krankheit meiner Frau, schlechtes Wetter, dann der Besuch meiner Schwiegereltern, der noch andauert, haben es verhindert. Am 6. muß ich zu einer Vorlesung nach Lausanne. Vielleicht kommen wir am 5. noch – bestimmt können wir es nicht sagen.[2] Wir rufen jedenfalls noch an vorher – um vielleicht zu erfahren, daß Sie garnicht mehr da sind? Die Hauptsache ist, daß die Kur Ihnen gut getan hat. Vorhin erquickte ich mich an Ihrer lyrischen Ernte in der »Rundschau«.[3] Wie rein und schön und gut! Ich spräche gern mit Ihnen wieder über die deutschen Dinge. Gruß an Frau Ninon!

Ihr Thomas Mann.

1 »Joseph und seine Brüder. Die Geschichten Jaakobs«. Vorspiel: Höllenfahrt.

2 Hesse, Katia und Thomas Mann trafen sich noch am 6. 12. 1933 in Baden bei Zürich.

3 H. H., »Gedichte des Sommers 1933«. »Die Neue Rundschau«, Dez. 1933, Bd. 2, S. 737-743. Vgl. W. A. Bd. 1, S. 100 ff.

26

Montagnola Ende 1933

Lieber Herr Thomas Mann

Schon lange haben wir die Lektüre des Jaakob beendet, ich hätte Ihnen daraufhin gerne gleich einen Gruß geschickt, aber die Weihnacht, mein sehr schlechtes Augenbefinden und dauernde Störungen im Haushalt (so daß auch die Mithilfe meiner Frau oft wegfiel) haben mich gehindert. Jetzt möchte ich Ihnen wenigstens danken für den großen Genuß, den ich von dem Buch hatte. Es wären viele Einzelheiten zu nennen, die mich entzückt haben, am meisten aber ist es doch die Gleichmäßigkeit und Kontinuität, die mich an diesem Buch wie an jedem frühern von Ihnen erfreut und ergriffen haben, die Dichtigkeit des Gewebes, die Treue im Willen zum Ganzen, zur großen Form. Und dann ist natürlich inmitten der heutigen Art von Geschichtsauffassung und Geschichtschreibung die stille, leicht melancholische Ironie mir bis ins Kleinste lieb geworden, mit der Sie letzten Endes die Problematik aller Geschichte und allen Erzählenwollens ansehen, ohne doch einen Augenblick in der Bemühung um eben diese im Grund als unmöglich erkannte Geschichtschreibung nachzulassen. Dies grade ist mir, der ich in Vielem anders geartet und durch andre Herkünfte gebildet bin, tief sympathisch und vertraut: das Unmögliche zu unternehmen, obwohl man darum weiß,[1] das Tragische aktiv auf sich zu nehmen. Und dann traf dieses Buch so schön mit seiner Stille in eine mit dummen Aktualitäten überstopfte Zeit! Und seine Figuren fast alle waren so viel wirklicher, wahrscheinlicher, richtiger als die Figuren der Weltbühne. Es wird keinen Leser geben, der nicht Ihren Laban als eine erregende persönliche Bekanntschaft erlebt ...

Ich lese, soweit die Augen es erlauben, pietistische Biographien des 18. Jahrhunderts,[2] und weiß gar nicht mehr, was Produktivität eigentlich ist. Dabei wächst die Vorstellung von meinem seit 2 Jahren vorhandenen Plan (dem mathematisch-musikalischen Geist-Spiel) zur Vorstellung eines bändereichen

Werkes, ja einer Bibliothek an, desto hübscher und kompletter in der Phantasie, je weiter weg sie von der Möglichkeit einer Realisierung rückt. Unsere Gegend ist weiß, es schneit und taut durcheinander.

Grüßen Sie bitte Frau Mann und Mädi und Bibi schön von mir, und nehmen Sie unsere guten Wünsche für das neue Jahr!

Herzlich Ihr H. Hesse

1 Eine solche paradoxale »Geschichtsschreibung« macht sich auch das »Glasperlenspiel« zur Aufgabe. Vgl. das Motto: ». . . denn mögen auch in gewisser Hinsicht und für leichtfertige Menschen die nicht existierenden Dinge leichter und verantwortungsloser durch Worte darzustellen sein als die seienden, so ist es doch für den frommen und gewissenhaften Geschichtsschreiber gerade umgekehrt: nichts entzieht sich der Darstellung durch Worte so sehr und nichts ist doch notwendiger, den Menschen vor Augen zu stellen als gewisse Dinge, deren Existenz weder beweisbar noch wahrscheinlich ist . . .«

2 Vorstudien zu jenem »vierten Lebenslauf Josef Knechts«, dessen zwei Fassungen aus dem Jahre 1934 Hesse dann nicht in »Das Glasperlenspiel« aufnahm und die erst in der »Prosa aus dem Nachlaß«, Frankfurt 1965, publiziert wurden. Separatausgabe als Bd. 181 der Bibliothek Suhrkamp.

27

Küsnacht den 3. 1. 34

Lieber Herr Hesse,
kaum hatte ich Sie, neulich in Baden, gebeten, mir über den Jaakob ein Wort zu schreiben, wenn Sie damit fertig wären, als ich es auch schon bereute, Sie damit beschwert zu haben. Verstanden haben werden Sie meine Begierde, denn Sie kennen das Niveau der deutschen Buchkritik, das jetzt natürlich vollends auf den Hund gekommen ist, und können sich die freche Stumpfheit vorstellen, mit der sie fast ohne Ausnahme gerade diesem Buch begegnet ist. Diese – schon unbewußte – Unterworfenheit und Entmanntheit der Gehirne im Einzelnen zu beobachten, bei Leuten, die man kannte, ist kläglich und schauerlich. Die Güte und Feinheit nun, mit der Sie in meinem Fall dem alten deutschen Autoren-Herzensschrei: »Ein Königreich für ein gescheites Wort!«[1] Rechnung getragen haben, hat mich tief gerührt, und aufrichtig danke ich Ihnen für Ihre wohltuende Äußerung, indem ich mich wegen meiner Zudringlichkeit noch einmal entschuldige.
Mit höchstem Interesse erfüllt mich jede Ihrer Mitteilungen über die zarte und weitläufige, kühne und hochprekäre Arbeitsidee, mit der Sie sich tragen, – es ist eine Mischung von Neid, Neugier und Besorgnis, die ich dabei empfinde. Das Werdende zeigt offenbar gegenwärtig die Tendenz, im Stadium selbstgenüsamen Traumes zu verharren und sich grenzenlos darin auszuleben. Aber die alte Gewohnheit der Gestaltgebung und Objektivierung, der soziale Trieb zur Verwirklichung und Mitteilung wird sich auch in diesem diffizilen Falle schon durchsetzen, und wenn dabei nicht alle Blütenträume reifen,[2] so wird das notdürftig hinübergerettete Produkt doch die beglückenden Spuren seiner unendlichen Vorgeschichte tragen. Zuletzt besteht das Schöne überhaupt in einigen solchen Spuren von Traum-Verwegenheit, die ein Kunstwerk aus seiner geistigen Heimat mitbringt. –
Wir haben das Weihnachtsfest mit den versammelten Kindern,

dazu ein paar Freunden, Reisiger und Therese Giehse vom Schauspielhaus recht vergnügt begangen. Die Dunkelheit des hiesigen Winterklimas setzt mir etwas zu, abgesehen von den laufenden Unzuträglichkeiten, für die das Vaterland aufkommt. Die Gleichschaltungsformulare der Berliner Zwangsorganisation[3] kann ich nicht unterschreiben, und wenn man dort nicht etwa ein Auge zudrückt, ist es an dem, daß ich aus dem deutschen Schrifttum ausscheide. Es wird nicht ganz leicht sein, gerade für mich, mit der Welt allein auszukommen. Vielleicht kann ich ausweichen, indem ich dem Schweizerischen Schriftsteller-Verein beitrete.

Ein Hauptspaß ist der kolossale Erfolg, mit dem Erika hier vorgestern ihr literarisches Cabaret wieder eröffnet hat.[4] Ich freue mich mehr darüber, als über den Beifall, der etwa meinem Roman zuteil wird, – ein Zeichen freundlich sich einschleichender Abdikation zugunsten der jungen Leute.

Am Neujahrsmorgen ist unser alter Freund Wassermann gestorben.[5] In seiner Produktion gab es viel hohlen Pomp, und oft war sie mir komisch. Aber ihm war sie feierlichster Ernst, und sein Wille war groß. Dieser Wille war recht eigentlich das »Visionäre« seines Künstlertums. – Kurz vor seinem Tode war er hier, – so verändert, daß wir mit Trauer übereinkamen, er werde das neue Jahr nicht überleben. Aber man realisiert solche Vorwegnahme nicht recht und vergißt immer wieder, welche Lücke das Ausscheiden solcher Generationsgenossen und Mitkämpfer ins Weltbild reißt. Er war ein anhänglicher Freund, ein guter, kindlicher Kerl. Zuletzt war er auch wirtschaftlich am Ende, dank den Streitigkeiten mit seiner ersten Frau, einer Tollen, die ihn buchstäblich zu Tode gehetzt hat. Noch rechtzeitig vor dem völligen Ruin, dem Verlust auch seines Altaussee'er Heims hat er sich in Sicherheit gebracht. Er kam aus Dunkelheit und Not, brachte es zu großem Glück, Reichtum, Ruhm und ging dann wieder im Elend unter. Goethe sagt: »Der Mensch muß wieder ruiniert werden«.[6] Die

Jahre und manches andere bringen es mit sich, daß ich oft an den Ausspruch denke. –
Wollten doch Ihre Augen sich bessern! Es schnitt mir in die Seele zu hören, daß es zur Zeit nicht gut damit steht. Grüßen Sie Ihre liebe Frau und nehmen Sie selbst unsere freundschaftlichen Grüße und Wünsche!

Ihr Thomas Mann.

1 Friedrich Nietzsche, »Ecce Homo. Menschliches Allzumenschliches« 2: »– ich habe alle Art Bekenntnisse »schöner Seelen« über Wagner gehört. Ein Königreich für ein gescheites Wort!« (Fr. Nietzsche, »Götzendämmerung. Der Antichrist«. Gedichte. Leipzig 1930. S. 361.)
2 Mit dem Begriff Hermann Meyers: Kryptisches Zitat aus Goethe: »Prometheus«:
»Wähntest du etwa,
Ich sollte das Leben hassen,
In Wüsten fliehen,
Weil nicht alle
Blütenträume reiften?«
3 Reichsschrifttumskammer. T. M. bezieht sich hier u. a. auf die von Gottfried Benn verfaßte Erklärung vom 13. 3. 1933. Vgl. Inge Jens, »Dichter zwischen rechts und links«, a. a. O. S. 191, 197 ff.
4 Das politisch-satirische Kabarett »Die Pfeffermühle«, das Erika Mann am 1. 1. 1933 mit Therese Giehse (1898-1975) in München gestartet und – nachdem es verboten wurde – im Januar 1934 in Zürich wiedereröffnet hatte.
5 Der Romancier Jakob Wassermann (1873-1934)
6 Goethe zu Eckermann, am 11. März 1828: »Wissen Sie aber, wie ich es mir denke? – *Der Mensch muß wieder ruiniert werden!* Jeder außerordentliche Mensch hat eine gewisse Sendung, die er zu vollführen berufen ist. Hat er sie vollbracht, ist er auf Erden in dieser Gestalt nicht weiter vonnöten, und die Vorsehung verwendet ihn wieder zu etwas anderem. Da aber hienieden alles auf natürlichem Wege geschieht, so stellen ihm die Dämonen ein Bein nach dem anderen, bis er zuletzt unterliegt.«

28

8. März 34

Lieber Herr Thomas Mann

Der Gruß, den Sie an H. Wiegand[1] nach Lerici sandten, ist hier bei uns gelandet. Wiegand ist vor Kurzem in Lerici, in schweren Sorgen und nach manchen Enttäuschungen, aber mitten in der Arbeit an einem Roman[2], ganz plötzlich gestorben, er war nur einen Tag krank. Es ist jetzt eben ein Jahr, seit er damals als Flüchtling aus Leipzig zu mir kam und eine Weile mein Gast war, und jetzt haben wir seit 3 Wochen seine Frau bei uns, die noch nicht weiß wohin, aber wohl versuchsweise nach ihrer Heimat zurückkehren wird.

Wir haben neulich während einer Reise in Bayern viel an Sie gedacht. Ich war 14 Tage in Egern bei Tegernsee, wo mein alter Augenarzt, der Graf Wiser[3], diesen Winter einige Monate sich aufhielt, wir waren auch 2 Tage in München, wo die Jugend wie einst in Scharen zu den Redouten zog. In jenen Gegenden dachten wir sehr an Sie. Das schöne weite bayrische Land mit dem großen Himmel, und München, alles bei tiefem Schnee und Sonne machte mir wieder einen starken Eindruck. Die kleinen Leute fand ich unverändert, Intellektuelle sah ich nicht, dagegen fand ich in dem Kreis von gutsbesitzenden Aristokraten, in den ich durch Wiser kam, gelegentlich wunderliche und wüste Auffassungen und Urteile.

Nun ist es mir eine Freude zu wissen, daß jeden Tag Ihr zweiter Band eintreffen kann.[4] Über den ersten habe ich unter meinen Bekannten nur bewundernde Urteile gehört, zuletzt von Annette Kolb, die wir jüngst zweimal trafen.

Als wir auf der Rückreise aus Bayern durch Zürich kamen, waren Sie verreist, zu meiner Freude sah ich wenigstens Mädi und ihren Bruder in einem Konzert von Andreä.[5]

Wir beginnen bei dem Frühlingswetter wieder mit den Gartenarbeiten. Literarisch bin ich, seit wir uns nicht sahen, wenig weiter gekommen, doch habe ich eine Erzählung, gedacht als Teilstück in jenem Plan, über den wir einmal sprachen, fertig gemacht, sie wird nächstens in der N. Rundschau erscheinen.[6]

Möchte Arosa Ihnen gut getan haben! Ich kann mir denken, daß das Zürcher Winterklima Sie gedrückt hat. Wenn eine Reise, oder noch lieber ein längerer Aufenthalt, Sie wieder in unsre Nähe brächte, wäre es mir und meiner Frau eine große Freude.

Herzlich grüßt Sie und die Ihren Ihr H. Hesse

1 Heinrich Wiegand (1895-1934) Lehrer, Pianist, Kabarettist, Kritiker, Mitarbeiter der »Frankfurter Zeitung«, des »Berliner Tageblatts«, der »Neuen Rundschau«, der »Literarischen Welt« und Herausgeber der sozialistischen Arbeiterzeitung »Kulturwille«. Wiegand starb am 28. 1. 1934 in der Emigration in Lerici (bei Spezia), Italien. In einem Kondolenzbrief an die Witwe nannte Thomas Mann seine Todesursache: »Deutschland«. Wiegand stand seit 1926 mit Hesse in regelmäßiger Korrespondenz. Vgl. Hesses »Brief an einen Kommunisten«, »Politische Betrachtungen«, S. 101 ff. Frankfurt a. Main, 1969, bzw. W. A. Bd. 10 S. 515 ff. Die Edition des umfangreichen Briefwechsels zwischen Hesse und H. Wiegand wird z. Zt. vorbereitet.

2 »Die Väter ohne Söhne«

3 Maximilian Graf Wiser (1870-1939) Augenarzt und langjähriger Freund Hesses.

4 T. M., »Joseph und seine Brüder. Der junge Joseph«, Berlin, 1934.

5 Volkmar Andreä (1879-1962) Komponist und Dirigent, Direktor des Konservatoriums Zürich. Mit Hesse etwa seit 1905 befreundet.

6 »Der Regenmacher« erschien im Mai 1934 in der »Neuen Rundschau«.

29

Arosa den 11. III. 34

Lieber Herr Hesse,

Die Nachricht von Wiegands Tod ist mir sehr nahe gegangen. Gram und Sorge haben da rasche Arbeit getan. Ein Opfer, eines von vielen. Und ein Opfer wofür? – Ich will auch der Witwe schreiben.

Warum haben Sie mir denn die Münchner und Leipziger Scheußlichkeiten geschickt? Ich habe nur scheu hineingeblickt und sah ein Motto, in dem dieser unappetitliche Popanz von Hitler sich gefühlvoll und intim mit Wagner vergleicht. Da hatte ich schon genug und zuviel.

Aber um das schöne, heitere Bayernland ist es mir freilich leid, und ich beneide Sie um Ihre dégagierte Freizügigkeit. Auch hier raten freundlich gesinnte Leute mir zu, ich müsse nach Deutschland zurückkehren, ich gehörte ins Land, die Emigration sei nicht das Rechte für mich, den Machthabern werde es sogar sehr angenehm sein, wenn ich wiederkäme etc. Alles gut, aber wie dort leben und atmen? Ich kann es mir nicht vorstellen. Ich würde eingehen in dieser Atmosphäre von Lüge, Massenrummel, Selbstberäucherung und verheimlichten Verbrechen. Die deutsche Geschichte hat sich von jeher in hohen und tiefen Wellenbergen und -tälern bewegt. Eine der tiefsten Depressionen, vielleicht die tiefste, ist heute erreicht. Daß man sie für eine »Erhebung« hält, ist das Unerträgliche. –

Wir sind seit 14 Tagen hier und haben fast unausgesetzt Föhnwetter gehabt, leider. Aus dem Arbeiten ist unter diesen Umständen nicht viel geworden, und ich hätte es wohl nicht erst versuchen sollen. Das Klima bedeutet in meinem Fall an und für sich und ohne Weiteres eine sportliche Strapaze.

Daß die Rundschau nächstens etwas aus dem Zusammenhange jenes geheimnisvollen und sublimen Planes bringen wird,[1] erzählte Bermann[2] mir schon, und ich bin unendlich neugierig darauf. Auch war es mir eine besondere Freude, in der Zeit-

schrift jenes schöne Gedicht vom Menschen[3] wiederzufinden, das Sie mir eines Tages nach Küsnacht geschickt hatten.
Möge mein zweiter Band[4] Ihnen keine Enttäuschung bereiten! Die Umschlagzeichnung von Walser[5] wenigstens soll noch gelungener sein als die erste.
Herzliche Grüße Ihnen und Ihrer lieben Frau von uns beiden!

Ihr Thomas Mann.

1 Vorabdruck des fiktiven Lebenslaufs »Der Regenmacher« aus dem »Glasperlenspiel« im Mai-Heft der »Neuen Rundschau«.

2 Gottfried Bermann Fischer (* 1897) Chirurg und Verleger, seit 1926 verheiratet mit Brigitte Fischer (* 1905; genannt Tutti). G. B. Fischer begann seine verlegerische Laufbahn 1925 und war 1934, nach S. Fischers Tod dessen Nachfolger geworden.

3 »Besinnung« Vgl. Brief 24.

4 T. M., »Joseph und seine Brüder. Der junge Joseph«, a. a. O.

5 Karl Walser (1877-1943) namhafter Maler, Graphiker und Buchillustrator, Bruder des von Hesse hoch verehrten Dichters Robert Walser. Karl Walser hatte 1922 Hesses Erzählung »Knulp« illustriert.

30

im März 34
[Poststempel 18. 3. 1934]

Lieber Herr Thomas Mann
Danke für Ihren Aroser Brief! Wir haben seither hier im Tessin auch wunderliche Wetterlaunen gehabt, unter andrem gab es neulich ein schönes Gewitter mit prächtigem Donner, während zugleich dicker Schnee fiel.
Daß ich meinem letzten Brief an Sie jene Zeitung mit dem Bericht über die Leipziger Wagner-Orgie beilegte, war zunächst einfach Zufall –, sie war grade am selben Morgen angekommen, an dem ich Ihnen schrieb, und da ich selbst nur sehr selten deutsche Zeitungen zu sehen kriege, vergaß ich für einen Moment, daß Sie ja viel mehr Gelegenheit haben als ich, solche Dokumente der Zeit zu sehen. Aber wenn ich mich genauer prüfe, war leider auch etwas Bosheit oder Schadenfreude dabei: Sie wissen ja, daß ich in dem, was Sie Abschätziges und Kritisches über Wagners Theatralik und Großmannssucht sagen, sehr mit Ihnen übereinstimme, während Ihre Dennoch-Liebe zu Wagner mir zwar ehrwürdig und auch rührend, aber doch nur halb verständlich ist. Ich kann ihn, offen gesagt, nicht ausstehen. Und vermutlich empfand ich beim Blick auf jene Zeitung mit Hitlers Superlativen über Wagner Ihnen gegenüber etwas wie »Da haben Sie Ihren Wagner!« Dieser gerissene und gewissenlose Erfolgmacher ist genau der Götze, der ins jetzige Deutschland paßt, und daß er doch wohl Jude ist, paßt erst recht dazu!« Irgend so etwas war wohl mit im Spiel.
Daß Sie nicht in Deutschland leben könnten, ist auch mir ganz klar. Wenn es auch ganz hübsch ist, daß dort allmählich alles irgendwie Geistige in Konflikt mit der Macht gerät und in die Christenverfolgung mit einbezogen wird (sogar ein recht harmloser Vortrag von Kolbenheyer wurde polizeilich verboten)[1] – so sieht das Ganze doch wohl sehr ernst aus, denn es ist kein Zweifel, daß drüben ganz gewaltig gerüstet wird. Ich

weiß nicht recht, was ich wünschen oder anordnen würde, wenn ich für eine Minute Weltgeschichte machen müßte – ich glaube beinahe, ich würde Frankreich über den Rhein marschieren und Deutschland jetzt einen Krieg verlieren lassen, den es in ein paar Jahren vielleicht gewinnt.
Wir erwarten wie jedes Jahr um Ostern eine Masseninvasion von Fremden in der Gegend, das bringt manchen angenehmen Besuch mit, aber viel zu viel auf einmal, und meistens macht das Wetter sich den Spaß, die Fremden mit ihrem Traum vom sonnigen Süden zu verhöhnen. Denn März bis Mai sind nun einmal hergebrachter Weise hier Regenzeit, und daß Sie es letztes Jahr nicht so getroffen haben, war ein Glücksfall, den vielleicht der Himmel Ihnen zulieb geschehen ließ. Möge er weiter zu Ihnen stehen! Ich denke oft an Sie, je größer die Einsamkeit wird, in der ich zwischen dem reichsdeutschen und dem emigrierten Deutschtum lebe.
Frau Wiegand[2] ist noch bei uns. Meine Frau läßt sehr grüßen.

Herzlich Ihr H. Hesse

1 Erwin Guido Kolbenheyer: »Über den Lebensstandard der geistig Schaffenden und das neue Deutschland«
2 Eleonore Wiegand (* 1896)

31 *Postkarte mit dem Aufdruck einer Zeichnung »Dorf im Tessin« von H. H. von Anfang April 1934 (undatiert, Poststempel wahrscheinlich 2. 4. 34)*

Caro & Stimatissimo! Am Karfreitag haben wir die Lektüre Ihres zweiten Bandes beendet (in dessen 1. Kapitel ich den Gruß an den Steppenwolf entdeckte[1] und mit frohem Schrekken auch dieses Symbol in die Unendlichkeit der Äonen und des Mythos zurückgerückt sah). Ich habe an diesem Band dieselbe reine Freude wie am ersten.
Heut am Ostertag will ich den Vormittag zum Dahlien-Pflanzen verwenden, später werden ohne Zweifel Besuche einbrechen, die Gegend ist um diese Zeit von Fremden voll, die verzückt und unentschlossenen Schrittes am See spazieren.
Ihnen Beiden herzliche Grüße von Ihrem

H. Hesse und Ninon Hesse

1 Band II berichtet von Josephs Lektüre des Gilgamesch-Epos. Er liest da die Geschichte »des Waldmenschen Engidu und wie die Dirne aus Uruk, der Stadt, ihn zur Gesittung bekehrte ... Das zog ihn an, er fand es vorzüglich, wie die Dirne den Steppenwolf zustutzte«. (a. a. O. S. 28)

32 *Postkarte*

Küsnacht den 9. IV. 34

Lieber Herr Hesse,
für Ihre schöne Karte danke ich erst heute, weil ich zwischendurch in Ascona und Locarno war[1]. Ich war herzlich froh zu hören, daß auch der zweite Band vor Ihnen bestanden hat. Ja, der »Steppenwolf« ist eine Huldigung, die Sie hoffentlich wirklich nicht als Übergriff empfunden haben. Ganz unversehens floß das Wort mir aus der Feder, zum Zeichen, daß diese Ihre Prägung in den charakterisierenden Sprachschatz eingegangen; und ich denke, es wird manchem Leser Spaß machen als ein Fingerzeig von meinem Werke hinüber zu Ihrem. – Ich fand das Tessin recht kalt. Wir haben es hier schon sommerlicher gehabt. Jetzt ist freilich ein böser Rückschlag erfolgt. Wir grüßen Sie alle vielmals, Sie und Frau Ninon.

Ihr Thomas Mann.

1 Am 5. und 6. April hatte Thomas Mann an einer internationalen Vortragsreihe in Locarno teilgenommen, wo er seine Wagner-Rede wiederholte.

33 *Postkarte*

16. V. 34

Dies Kartenbild[1], lieber Meister Hesse, hat etwas von der klaren und auch zarten Poesie Ihrer wundervollen Geschichte in der Rundschau[2], darum schicke ich es Ihnen. Wie schön ist die Novelle gearbeitet – das gibt es sonst in Deutschland garnicht mehr. Und auf wie humane Art betreut sie das Primitive, ohne nach modisch albernem Brauch davor auf dem Bauch zu liegen. Es wird ein herrliches Werk, das »viel größere Ganze«, aus dem dies stammt! – Mit einem herzlichen Glückwunsch nehme ich Abschied. Wir sind im Begriffe, nach New York abzureisen, wo ich das Erscheinen der englischen Jaakobsgeschichten begehen helfen soll. Auf Wiedersehn!

Ihr Thomas Mann.

1 Ferdinand Hodler (1853-1918): Genfersee. (Basler Fassg.) Kunstsammlung Basel. Nach der mehrfarbigen Reproduktion des Rascher Verlages, Zürich.
2 »Der Regenmacher« aus dem »Glasperlenspiel«.

34

Pfingsten 1934
[Poststempel 22. 5. 1934]

Lieber Herr Thomas Mann
Danke für Ihre Karte mit dem Hodlerschen Genfersee, den ich in guter Erinnerung habe. Es freut mich, daß meine kleine Erzählung zu Ihnen gesprochen hat. Die heutige deutsche Literatur liebt das Vorzeichen Fortissimo und ebenso die extremen Tempi, da haben wir altmodischen Liebhaber des Piano und der tempi moderati nicht sehr viele Zuhörer.
Seit Sie im Frühling 1933 hier waren, sprachen wir oft davon, wieviel Glück Sie damals mit dem Wetter hatten. Und diesmal also haben Sie in Zürich das selbe Glück gehabt, einen außergewöhnlich hübschen Frühling, während wir hier nicht nur in die normale Tessiner Frühlingsregenzeit zurückgefallen sind, sondern sogar ein übernormal schlechtes, nasses, erst rauhes und dann ewig gewitterschwüles Klima gehabt haben. Erst jetzt scheint es Sommer geworden zu sein. Wir hatten wochenlang beinahe jeden Tag unser Gewitter, und manche davon waren kräftig genug: vor drei Wochen hat der Blitz bei uns eingeschlagen, und vorgestern lief uns bei einem Wolkenbruch der halbe Keller voll Wasser.
Ich war die letzten Monate, soweit mich nicht die Gartenarbeit und die allzuvielen Besuche in Anspruch nahmen, und soweit die Augen es zuließen, mit Bibliotheksstudien zu einem spätern Teil meiner Dichtung beschäftigt, dem Lebenslauf eines schwäbischen Theologen im 18. Jahrhundert[1], zum Glück fand ich das meiste, was ich an Büchern nicht besaß, bei der Zürcher Zentralbibliothek.
Um die amerikanische Reise beneide ich Sie nicht. Aber zum Glück sind Sie ja elastischer und, leider, besser erzogen als ich Einsiedler und werden damit fertig werden.
Meine Frau grüßt mit mir Sie Beide herzlich.

Ihr H. Hesse
Grüße an Mädi

1 »Der vierte Lebenslauf Josef Knechts«. a.a.O. Vgl. auch »Materialien zu Hermann Hesse, Das Glasperlenspiel«, Bd. 1, a.a.O. S. 78 ff.

35

Montagnola 4. August 1934

Lieber Herr Thomas Mann

Seit 14 Tagen liegt das Exemplar dieses Büchleins[1] für Sie bereit, aber ich wollte es nicht ohne einen persönlichen Gruß abschicken, und dazu komme ich erst heute. Wir haben im Sommer immer Gäste, zur Zeit die Schwester meiner Frau[2], und beinah jeden Tag auch Besuche, meist junge Leute aus Deutschland.

Das Gedichtbüchlein ist seit manchen Jahren vorbereitet und immer wieder durchgesiebt worden und brauchte auch sonst von meiner Seite allerlei Geduld. Seit mehr als zwölf Jahren spielt das, daß der Inselverlag für seine kleine Sammlung etwas von mir haben will und gleich beim ersten mal fiel mir ein: in dieser Form möchte ich eine populäre Auswahl meiner Gedichte bringen. Aber der Verlag dachte nicht so, sondern rümpfte die Nase, als er von Gedichten hörte und wollte nur eine Erzählung haben, und so ist das alle die Jahre hin und her gegangen, immer neue Aufforderungen des Verlags, immer neues Beharren auf meinem ersten Vorschlag – und als endlich meine Geduld das Spiel gewann und der Verlag annahm, da ging der Kampf von neuem los, denn sein damaliger literarischer Leiter wollte meine ganze, in Jahrzehnten gesiebte Auswahl umstürzen und sie hübscher, mannigfaltiger und gefälliger machen. Wieder mußte ich sitzen, schweigen und warten, aber auch das verzog sich, jener Leiter verließ seine Stelle, die Nachfolger teilten seinen Ehrgeiz nicht, auf einmal ging alles glatt, und nun bin ich mit dem Büchlein, bei dem auch meine Frau mitgeholfen hat, eigentlich durchaus zufrieden.

Mit der aktuellen Arbeit steht es weniger gut. Ich erzählte Ihnen einst von einem seit Jahren bebrüteten Plan, einem utopischen Buch, zu dem ich damals schon dreimal die Vorrede umgearbeitet hatte, sie war noch vor der Hitlerzeit geschrieben, aber voll von Anspielungen, zum Teil Vorahnungen.[3]

Diese Vorrede ist nun ein viertesmal neu geschrieben, ganz umgearbeitet, vielleicht bringe ich sie einmal in der Rundschau[4].

Sonst aber existiert von dem geplanten Buch nichts als das kleine Stück »Der Regenmacher«.

Sturm und Wolkenbrüche reißen unsern Garten zusammen, es sieht beinah aus, als sei diesem Sommer schon jetzt das Genick gebrochen. Das arme Deutschland wird von seinen Häuptlingen immer tiefer hineingerissen, die Isolierung wächst mit jedem Tag, man hat das Gefühl eines Fiebers, das nicht lange dauern kann[5].

Grüßen Sie Frau und Kinder von uns, und seien Sie selbst herzlich gegrüßt von Ihrem

H. Hesse

1 H. H., »Vom Baum des Lebens. Ausgewählte Gedichte.« Inselbücherei Nr. 454, Leipzig, 1934.

2 Lilly Kehlmann (* 1903)

3 Vgl. Brief Nr. 21, von Mitte Juli 1933, Fußnote 3

4 Die vierte, umgearbeitete Fassung der Vorrede zu Hesses Glasperlenspiel wurde im Dezemberheft 1934 der »Neuen Rundschau« vorabgedruckt. u. d. T. »Das Glasperlenspiel, Versuch einer allgemeinverständlichen Einführung in seine Geschichte von Hermann Hesse.«

5 Am 30. 6. 1934 hatte die berüchtigte »Nacht der langen Messer« stattgefunden, in der viele Menschen wegen Verdachts der Opposition oder zur »Bereinigung alter Rechnungen« getötet wurden. Am 2. 8. 1934 war Hindenburg gestorben und Hitler hatte auch das Amt des Reichspräsidenten übernommen.

36 *Postkarte*

Küsnacht 7. VIII. 34

Lieber Herr Hesse:
von Herzen Dank für Brief und liebes Geschenk! Welch ein Melodienschatz! Welche lautere Kunst! Eine wirkliche Wohltat für das leidende Gemüt. Dies Wort möge allgemein gesagt, soll aber auch persönlich gelten und, nicht zuletzt, die Dürftigkeit dieser Danksagung entschuldigen. Ich bin in einer recht schweren Lebens- und Arbeitskrise. Die deutschen Dinge setzen mir so zu und bilden eine so heftige unaufhörliche Reizung für mein moralisch-kritisches Gewissen, daß ich, wie es scheint, nicht mehr imstande bin, meine laufende künstlerische Arbeit fortzuführen. Vielleicht ist die Stunde reif für eine politische Bekenntnisschrift, die ich, rücksichtslos, schreiben muß, und die natürlich von großer innerer Weitläufigkeit wäre. Auf der anderen Seite thut es mir weh um meinen Roman[1], Zweifel an dem Nutzen solches Einsatzes quälen mich, und ich komme zu keinem Entschluß. Es wäre gut, sich mit Ihnen zu beraten, aber Sie sind eben doch recht weit.

Ihr Thomas Mann.

1 »Joseph und seine Brüder. Joseph in Ägypten«, der 1936 in Wien erschien.

37

Montagnola 3. September 1934

Hochgeschätzter, lieber Herr Mann

Ein geplantes neues Sammelwerk »Deutsche Biographie«, herausgegeben unter andern von W. v. Scholz, fragt an, ob ich einen Bogen über Jean Paul beitragen wolle.[1] Ich habe wenig Neigung und würde es, wenn überhaupt, nur dann tun, wenn auch Sie aufgefordert sind und zusagen. Wenn möglich, erbitte ich ein kurzes Wort darüber.

Und leider muß ich auch noch um Entschuldigung nachsuchen für eine Belästigung, die Sie offenbar meinetwegen erlitten haben. Es lebt in Berlin ein Mann, der eine schwärmerische Liebe zu meinen Büchern hat, es ist der selbe, der schon zweimal von einem meiner Gedichte einen schönen Privatdruck gemacht hat.[2] Auch heute kann ich Ihnen einen solchen Privatdruck, noch Probedruck, mitsenden, das Gedicht stammt aus diesem Sommer.[3] Jener Mann also, Direktor einer Druckerei, hat sich in den Kopf gesetzt, alles zu tun, um mich für den Nobelpreis vorzuschlagen. Ich habe von allem Anfang an mir das verbeten und meine Beteiligung an seinen Schritten strengstens abgelehnt, aber er insistiert und offenbar habe ich ihm einst in unsrem ersten Gespräch, als ich die Gefahr noch nicht ahnte, nebenher erzählt, daß auch Sie mir einmal von dieser Möglichkeit gesprochen hätten. Nun sehe ich aus einem Brief von ihm, daß er sich auch an Bermann gewandt und dieser auch Sie in der Sache bemüht hat. Bitte, rechnen Sie dies also nicht mir an, ich bin unschuldig.

Die letzten 14 Tage hatte ich einen Neffen[4] zu Besuch, der Musiker und ein profunder Kenner der alten Musik ist. Da ich dies für meine literarischen Pläne brauche, habe ich für kurze Zeit ein Klavier gemietet, und er hat mit mir jeden Tag irgend ein charakteristisches Stück alte Musik durchgenommen, von Bach rückwärts bis ins 16. Jahrhundert.

Der Sommer ist auch bei uns vorzeitig zu Ende gegangen, ein merkwürdiger Sommer, er ist uns nicht recht bekommen, war

auch durch allzu viel Gäste, Besuche, Affairen mit Emigranten etc gestört: die letzte war die Ausweisung Holitschers[5], für den wir nun eine Petition einreichen wollen.
Möchte es Ihnen erträglich gehen! Ich fühle einen großen Teil der Beunruhigungen mit, die Sie neulich in Ihrer Karte andeuteten.
Mit herzlichen Grüßen für Sie Beide

Ihr H. Hesse

1 Die beiden ersten Bände des auf vier Bände angelegten Werkes »Die großen Deutschen: Neue deutsche Biographie« (herausgegeben von Willy Andreas und Wilhelm von Scholz) sind 1935 erschienen. Der Romancier und Dramatiker W. v. Scholz (1874-1964) war von 1926-1928 Präsident der preußischen Dichterakademie.
2 Hans Popp (* 1903) Direktor der Berliner Großdruckerei »Erasmusdruck« G.mb.b.H., der in den dreißiger Jahren zahlreiche neue Arbeiten Hesses als Privatdrucke erstmals druckte. In einem Brief vom 18. 5. 1934 hatte er sich an die Nobel-Stiftung gewandt und um Berücksichtigung Hermann Hesses gebeten.
3 Das nachfolgend abgedruckte Gedicht »Leben einer Blume«, entstanden am 14. 8. 1934.
4 Carlo Isenberg (1901-1945) Musiker und Musikhistoriker. Neffe Hermann Hesses. Mitherausgeber mehrerer Bände der Reihe »Merkwürdige Geschichten und Menschen«, S. Fischer Verlag 1925-1927 und Mitarbeiter an Hesses geplanter Buchreihe »Das klassische Jahrhundert deutschen Geistes 1750-1850«, »Carlo Ferromonte« im Glasperlenspiel.
5 Arthur Holitscher (1869-1961) Schriftsteller, mit Thomas Mann gut bekannt.

Leben einer Blume

Aus grünem Blattkreis kinderhaft beklommen
Blickt sie um sich und wagt es kaum zu schauen,
Fühlt sich von Wogen Lichtes aufgenommen,
Spürt Tag und Sommer unbegreiflich blauen.

Es wirbt um sie das Licht, der Wind, der Falter,
Im ersten Lächeln öffnet sie dem Leben
Ihr banges Herz und lernt, sich hinzugeben
Der Träumefolge kurzer Lebensalter.

Jetzt lacht sie voll, und ihre Farben brennen,
An den Gefäßen schwillt der goldne Staub,
Sie lernt den Brand des schwülen Mittags kennen
Und neigt am Abend sich erschöpft ins Laub.

Es gleicht ihr Rand dem reifen Frauenmunde,
Um dessen Linien Altersahnung zittert;
Heiß blüht ihr Lachen auf, an dessen Grunde
Schon Sättigung und bittre Neige wittert.

Nun schrumpfen auch, nun fasern sich und hangen
Die Blättchen müde überm Samenschoße.
Die Farben bleichen geisterhaft: das große
Geheimnis hält die Sterbende umfangen.

38

Küsnacht 5. IX. 34

Lieber Herr Hesse,
mit Ihrem freundlichen Brief haben Sie feurige Kohlen auf mein Haupt gesammelt, denn sehr klar bin ich mir bewußt, auf Ihre letzte schöne Sendung mit meiner Postkarte höchst mangelhaft reagiert zu haben. Das Geringste, was ich tun kann, ist, Ihre Zeilen von vorgestern rasch zu beantworten.
Ad 1: Von der »Deutschen Biographie« bin ich *nicht* aufgefordert worden – wie sollte es auch sein? Scholz ist, soviel ich weiß, ein schwer gleichgeschalteter Schriftsteller, und wäre er's nicht, – mein Name ist so verpönt, und die Leute sind so feige, daß kürzlich die Frankfurter Zeitung von einem Aufsatz Meier-Gräfes über Flaubert die Widmung an mich weggestrichen hat. Bei dieser Gelegenheit eine Anekdote, die ich dem »Bücherwurm«[1] entnahm, und deren Stimmungsgehalt bedeutend ist. In einer Gesellschaft von Schriftstellern, vor dem Umsturz, stellt *Binding*[2] den Satz auf, es gebe keinen echten Dichter, der nicht eines Verses fähig sei. Man ruft ihm, phantasielos genug, meinen Namen zu (statt Jean Paul, Dickens, Dostojewski, Tolstoi, Balzac, Proust, Maupassant oder irgend einen andern zu nennen) und, fährt die Zeitschrift fort, »scheinbar in die Enge getrieben, wirft B. nach kurzen Augenblicken des Besinnens *die damals verwegene Behauptung* hin«, ich sei eben kein echter Dichter. »Es war mehr«, sagt die Zeitschrift, »als ein *Bonmot* oder eine *glänzende Ausflucht*«. – Énorme! pflegte Flaubert in solchen Fällen mit einer gewissen Begeisterung zu rufen.
Ad 2: den Mann mit der schwärmerischen Liebe kenne ich wohl und bin ihm gut ihretwegen. Was seine fixe Idee betrifft, so bin ich früher aufgestanden als er und auch als Bermann[3], der sich in der Tat neulich deswegen an mich wandte. In meiner Korrespondenz mit Fredrik Böök, dem entscheidenden Stockholmer Akademiker habe ich diese Idee wenigstens schon drei-, ich glaube aber: viermal mehr oder weniger ausführlich

entwickelt und begründet. Ich bemerke, daß mehrere dieser Briefe von *vor* dem Fall datieren. Aber Sie werden es mir nachsehen, daß ich *seit* dem Falle dringlicher geworden bin. *Sie* sind das Deutschland, an das der Preis fallen muß, wenn er nach Deutschland fällt.[4] Der Gedanke, daß er ins Innere fallen könnte, an irgend einen Kolbenheyer, Grimm oder Stehr[5], ist zum Verzweifeln. Mein Widersacher aber in diesem Fall (wenn sonst in keinem) ist der deutsche Gesandte in Stockholm. –

Ich habe herzlich aufgehorcht bei dem, was Sie mir von Ihren musikalischen Studien und der Rolle erzählen, die die alte Musik in Ihren »literarischen Plänen« spielt. Ich nehme an, daß es sich bei diesen Plänen immer um dieselbe weitläufige Merkwürdigkeit handelt, bei deren Verwirklichung meine erwartungsvollsten Wünsche Sie begleiten.

Selber treibe ich Allotria, schreibe ein ausgedehntes Feuilleton, »Meerfahrt mit Don Quijote«[6], das die Tagebuch-Beschreibung einer Ozeanreise mit den Bemerkungen über den Roman vermischt. Es ist ein bloßer Zeitvertreib, weil ich mit »Joseph in Ägypten« nicht weiterkam und mich zu etwas anderem, einem »Buch des Unmuts«[7] noch nicht entschließen kann. Aber wäre es nicht ein guter Titel?

Wir haben außergewöhnlich viel Besuch jetzt, vorwiegend aus Deutschland. Auch Figuren des früheren Lebens, die schon ganz versunken waren, finden sich wieder ein: gealtert, leise redend und erschüttert von dem, was sie draußen über ihr Land erfahren.[8]

Recht herzliche Grüße von uns beiden an Sie und Frau Ninon. Es kann sein, daß wir Sie im Oktober einmal besuchen.[9] Wir haben halb und halb vor, mit dem Wägelchen nach Florenz zu fahren.

Ihr Thomas Mann.

1 »Der Bücherwurm«. Zeitschrift für Bücherfreunde, hrsg. von Walter Weichardt, Einhorn Verlag, Dachau.

2 Rudolf G. Bindung (1867-1938), Lyriker u. Erzähler.
3 Vgl. T. M.'s Brief an G. B. Fischer – Schwiegersohn und Nachfolger S. Fischers – vom 20. 8. 1934 in T. M., »Briefwechsel mit seinem Verleger Gottfried Bermann Fischer 1932-1955«, Frankfurt a. Main, 1973, S. 83 f.
4 Die einschlägigen Stellen aus Briefen Thomas Manns an Professor Fredrik Böök, Literarhistoriker und Mitglied der Schwedischen Akademie, welche die Nobelpreise vergibt, siehe Anhang.
5. E. G. Kolbenheyer, Hans Grimm und Hermann Stehr, Autoren, die das Dritte Reich gern als Nobelpreisträger gesehen hätte.
6 »Meerfahrt mit Don Quijote«, enthalten in »Leiden und Größe der Meister«, Berlin, 1935.
7 Siehe Anhang.
8 T. M. am 3. IX. 34 an Ferdinand Lion: »Wir haben lächerlich viel Besuch jetzt, vorwiegend aus Deutschland. Sogar schon ganz fern gerückte Leute, wie heute Emil Preetorius, finden sich wieder ein, gealtert, leise sprechend und erschüttert von dem, was sie draußen über ihr Land erfahren.« (Thomas Mann: Briefe 1, a.a.O., S. 372).
9 Mitte Okt. 1934 trafen sich Hesse und Thomas Mann mehrfach in Baden bei Zürich wo T. M. an drei Nachmittagen Neues aus seinem Josephs-Roman und aus seiner soeben vollendeten Betrachtung »Meerfahrt mit Don Quichote« vorlas.

39 *Postkarte*

Chantarella den 11. II. 35

Liebe Freunde, seit vorgestern sind wir wieder einmal hier oben, und es ist schön, aber nicht ganz das Wahre ohne Hesses. Wir ruhen uns aus nach einer eben zurückgelegten, anstrengenden Reise nach Prag, Wien und Budapest,[1] die aber reich an wohltuenden Eindrücken war.
Herzliche Grüße!

Ihr Thomas Mann.

1 Tournee mit dem Wagnervortrag nach Prag, Brünn, Wien, Budapest vom 19.–28. Januar.

40

[Poststempel 21. 3. 1935]

Lieber Herr Thomas Mann
Ich komme nach mehrstündiger Arbeit vom Garten herein, riechend wie ein Köhler, dreckig und die Finger voll von abgebrochenen Kastanienstacheln und gehe zwar nicht mit schlechtem Gewissen, aber doch mit Hemmungen daran, Sie zu belästigen, d. h. Sie um einen kollegialen Rat zu bitten. Es handelt sich um den Verlag Knaur, dessen Leiter Troemer[1] [sic] bei mir war und mir über den Wert und die Ausnutzungsmöglichkeiten, die meine frühern Bücher für ihn hätten, allerlei Flöhe ins Ohr setzte. Ich habe seit 2 Jahren so geringe Einkünfte, daß ich die Sache immerhin ernstlich überlegen muß. Aber ehe ich daran denke, den Verlag Fischer davon wissen zu lassen (dem ich nicht untreu werden will, von dem ich aber eventuell einige frühere Bücher freizubekommen suchen würde) – vorher also möchte ich doch einige Urteile über Knaur hören, d. h. darüber, ob er fähig ist, seine Versprechungen auch zu halten. Sollten Sie also, der Sie ihn ja kennen, mir ein Wort darüber mitteilen, in wieweit Sie ihn für vertrauenswürdig halten, so wäre ich Ihnen dankbar. Wie es scheint, hat Knaur in der Schweiz so viel Absatz, daß er, falls direkte Geldanweisungen unmöglich werden, mich aus diesem Guthaben honorieren könnte; dieser Punkt seiner Anerbietungen gefiel mir besonders.
Wir hatten einen leidlich ruhigen Winter, aber jetzt mit dem Frühling hat die Reihe der Besuche schon wieder begonnen, und der eine und andre von ihnen sieht wohl auch etwas nach Spitzel aus.
Möchte es Ihnen erträglich gehen! Ich las seinerzeit von Ihrer Prager und Wiener Reise und lese eben auch vom Auftreten der Pfeffermühle in Holland. Wenn Sie mir schreiben, so sagen Sie mir bitte ein kurzes Wort über Ihr Ergehen. Hie und da, wenn die Atmosphäre mir allzu dick wird, und ich mich bedrückt und lebensunlustig fühle, denke ich an Sie und stets mit guten Wünschen.

Meine Frau läßt Sie beide sehr grüßen, sie ist durch einen Gast in Anspruch genommen. Seien Sie beide auch von mir herzlich gegrüßt.

Ihr Hermann Hesse

1 Adalbert Droemer (?-1939), Inhaber der Droemer-Knaurschen Verlagsanstalt, München.

Dem Brief legte Hesse einen Privatdruck seines am 8. 2. 1935 entstandenen Gedichtes »Buchstaben« bei, das ürsprünglich mit dem Titel »Hieroglyphen« überschrieben war:

[Buchstaben]

Gelegentlich ergreifen wir die Feder
Und schreiben Zeichen auf ein weißes Blatt,
Die sagen dies und das: es kennt sie jeder,
Es ist ein Spiel, das seine Regeln hat.

Doch wenn ein Wilder oder Irrer käme,
Und solches Blatt mit seinem Runenfeld
Neugierig forschend vor die Augen nähme,
Ihm starrte draus ein fremdes Bild der Welt,
Vielleicht ein Zauberbildersaal entgegen,
Er sähe A und B als Mensch und Tier,
Als Augen, Haare, Glieder sich bewegen,
Bedächtig dort, gehetzt von Trieben hier,
Er läse wie im Schnee den Krähentritt,
Er liefe, ruhte, litte, flöge mit
Und sähe aller Schöpfung Möglichkeiten
Durch die erstarrten schwarzen Zeichen spuken
Durch die gestabten Ornamente gleiten,
Säh' Liebe glühen, sähe Schmerzen zucken,
Und würde staunen, lachen, weinen, zittern,
Da hinter diesen schriftgestabten Gittern
Die ganze Welt in ihrem blinden Drang
Verkleinert ihm erschiene, in die Zeichen
Verbannt, verzaubert, die in steifem Gang
Gefangen gehn und so einander gleichen,
Daß Lebensdrang und Tod, daß Lust und Leiden
Zu Brüdern werden, kaum zu unterscheiden . . .

Und endlich würde dieser Wilde schreien
Vor unerträglicher Angst und würde Feuer schüren
Und unter Stirnaufschlag und Litaneien
Das weiße Runenblatt den Flammen weihen.
Dann würde er vielleicht einschlummernd spüren,

Wie diese Un-Welt, dieser Zaubertand,
Dies Unerträgliche zurück ins Niegewesen
Geatmet würde und ins Nirgendland,
Und würde seufzen, lächeln und genesen ...

Hermann Hesse.

41

Küsnacht 24. III. 35

Lieber Herr Hesse:
Gern gebe ich Ihnen über Herrn Drömer (so heißt er, nicht Trömer) so viel Auskunft, wie ich zu geben weiß. Er ist ein etwas wilder, aber phantasievoller und tüchtiger Mann, mit dem ich immer mit vielem Vertrauen zusammenarbeiten würde. Er war es, der damals eigentlich auf die Idee der Volksausgabe von »Buddenbrooks« verfallen ist, und es war ihm ein großer Schmerz, den ich ihm nicht ersparen konnte, daß dann Fischer sich den Gedanken aneignete und die Ausgabe selbst veranstaltete. Zu einer wirklichen geschäftlichen Verbindung zwischen Knaur und mir ist es kaum gekommen; ich habe ihm einmal für seine Storm-Ausgabe eine Vorrede geschrieben,[1] die er coulant honoriert hat, seine übrigen Pläne mit mir (denn er hatte im Laufe der Zeit mehrere) sind an Fischers Widerstand gescheitert, der sich des betreffenden Planes immer selbst annahm. Wie aber jetzt die Dinge liegen, darf man wohl glauben, daß Bermann Ihnen mit den älteren Büchern keine Schwierigkeiten machen wird, und ich kann Ihnen unter dem praktischen und, bei Lichte besehen, auch unter dem ideellen Gesichtspunkt nur raten, die Unternehmungslust Drömers nicht zurückzuweisen.[2]
Wir haben uns sehr über Ihren Brief gefreut, seinen Text, seine bildliche Ausstattung und die nachdenkliche poetische Beilage, die mir in anderer Form schon vor Augen gekommen war;[3] ich bin überrascht, daß Sie über unsere kleinen Erlebnisse so genau unterrichtet sind. Die Ostreise war anregend und brachte wohltuende Eindrücke, das will ich nicht leugnen, besonders Wien hat es uns in einem fast gefährlichen Grade angetan, sodaß wir schon mit Übersiedlungsplänen zu liebäugeln begannen. Aber die Vernunft hat uns doch fürs Erste wieder davon abgebracht. Jetzt haben wir eine neue Reise vor, in wenigen Tagen, nach Nizza, zu den Sitzungen des Kultur-Komitees des Völkerbundes, bei denen ich mir mit einer franzö-

sischen Rede den Mund verrenken und wahrscheinlich auch verbrennen werde.[4] Für den Sommer steht weiter ein Sprung nach Amerika in Aussicht.

Heute hatten wir die Cousine Ihrer Frau, Frau Doktor Kreis, mit ihrem Mieter und Freund Dr. Schiefer bei uns zu Tisch. Das ist ja eine liebe angenehme Frau mit schönen Augen. Wir hatten sonderbarer Weise noch garnichts von ihrer Existenz gewußt.

Sie betonen, daß Sie Fischer nicht untreu werden wollen. Aber ob da Treue-halten überhaupt noch lange möglich sein wird, scheint doch immer zweifelhafter. Wie sieht es aus in dem Lande und wird es auch weiter noch vernünftigen Sinn haben, dort zu publizieren? Auch ich war ja bis vor Kurzem entschlossen, mich, so lange es irgend möglich sei, von meinem deutschen Publikum nicht abschneiden zu lassen. Aber ich gestehe, daß mein Wunsch, von diesem schauerlichen Lande ganz und gar loszukommen in den letzten Wochen und Monaten immer lebhafter erstarkt ist, und sogar materiell genommen wäre es ja besser, wenn er sich erfüllte. Ist es denn irgendwie wahrscheinlich, daß Fischer sich wird halten können? Der offizielle Antisemitismus ist ja, statt zurückzugehen, in beständiger Steigerung begriffen; alle »nichtarischen« Mitglieder der Kulturkammer, auch die Übersetzer, haben jetzt die Benachrichtigung bekommen, daß ihnen jede literarische Betätigung in Deutschland fortan verboten ist, und auch an die jüdischen Verleger soll schon vor einigen Wochen eine Mahnung ergangen sein, sie hätten baldmöglichst ihre Unternehmungen zu liquidieren. Warum sollte man gerade Bermann auf die Dauer gestatten, das Volk zu vergiften? Es wäre ja eine Inkonsequenz, die selbst dort unwahrscheinlich ist. Er hat darauf bestanden, meinen Essayband[5] herauszubringen, auf den ich von außen hohe Angebote hatte. Das Buch sollte im Februar erscheinen, dann Mitte dieses Monats, und es ist immer noch nicht da, offenbar, weil Bermann sich aus guten Gründen nicht damit heraustraut. Ich wollte, er gäbe es mir frei; wollte überhaupt, die ganze Sache wäre erst endgültig geklärt. Denn der deutsche Halb-Boykott, dem man unterliegt, und gleichzeitig das ungünstige Verhältnis zu den Buchhandlungen des Auslandes, die ihrerseits deutsche Verleger weitgehend boykottieren, ist das Unersprießlichste, was sich denken läßt. Hoffentlich sieht und spricht man sich bald einmal wieder, spätestens im Herbst, wenn wir wieder ins Tessin kommen! Viele Grüße von uns beiden an Sie beide!

Ihr ergebener Thomas Mann

1 Geschrieben 1930, enthalten in »Leiden und Größe der Meister«, 1935, jetzt GW 1960, XI, S. 246 ff.
2 Hesse hat dann doch – nicht zuletzt aus politischen Gründen – auf dieses Angebot verzichtet.
3 Das Gedicht »Buchstaben« war erstmals am 24. 2. 1935 in der »Neuen Zürcher Zeitung« erschienen.
4 Thomas Mann nahm an der Tagung dann doch nicht teil, doch wurde sein Beitrag »La Formation de l'Homme Moderne« 1935 vom Völkerbund publiziert und erschien 1938 mit anderen Zeit-Aufsätzen unter dem Titel »Achtung Europa« im Bermann-Fischer Verlag, Stockholm.
5 »Leiden und Größe der Meister«, das letzte in Deutschland publizierte Buch Thomas Manns bis 1946. Es wurde am 28. 3. 1935 ausgeliefert.

42

10. 5. 35

Lieber Herr Mann!
Diesmal ist meine Frau daran schuld, daß ein Briefchen Sie belästigt. Ich berichte für ein schwedisches Blatt zweimal im Jahr kurz über wichtigere neue Bücher[1], und da habe ich meinen neuesten Bericht mit Ihrem neuen Buch begonnen, und als meine Frau das Manuskript las, sagte sie, es sei doch schade, daß Sie das nie zu Gesicht bekommen werden, oder höchstens in schwedischer Übersetzung. So habe ich die Zeilen für Sie kopiert und sende sie Ihnen hier.[2]
Diese Bücherberichte für Schweden sind, von mir aus gesehen, der Ast auf den ich meine Tätigkeit retten werde, wenn die Rundschau uns früher oder später weggenommen wird. Allerdings sind sie vielleicht auch das Pulver, das mich einmal in die Luft sprengen wird; da ich dort je und je auch antideutsche Bücher, oder Bücher verbotener und exilierter Autoren anzeige und lobe, ist es wohl möglich, daß das dazu führt mich auf die schwarze Liste zu bringen. Ich habe dabei den Grundsatz, mich weder zu exponieren noch zu schonen, d. h. den Standpunkt einer neutralen Gerechtigkeit, so fiktiv er sein mag, einzuhalten, und weder vor dem Teutonischen Kotao zu machen noch dem Vergnügen eines gelegentlichen Wutausbruches nachzugeben.
Möchte es Ihnen erträglich gehen!
Mit herzlichen Grüßen Ihnen Beiden Ihr

H. Hesse

1 In »Bonniers Litterära Magasin«, das von Georg Svenson im Verlag Albert Bonniers, Stockholm herausgegeben wurde.
2 Aus dem 2. Bericht »Neue deutsche Bücher« von H. Hesse für »Bonniers Litterära Magasin« [erschienen im September 1935]:

Mit Freude begrüße ich den neuen Essay-Band »Leiden und Größe der ›Meister‹« von Thomas Mann (S. Fischer Verlag). Jede Wiederbegegnung mit diesem elastischen, aber energischen Geist läßt uns fühlen, daß er nicht nur ein glänzender Schriftsteller und sehr kluger, geistreicher Mensch, sondern nicht minder ein treuer, fester, sich bewährender Charakter ist, ein Mann, der sich treu bleibt. Nie wollte er das antibürgerliche »Genie« sein, er will sich nicht aufspielen, er will nicht überkommene Wertungen zertrümmern, er ist ein dankbarer und vollwertiger Erbe und Sohn der bürgerlichen deutschen Kultur, einer vormodernen und zur Zeit von einem Teil der Jugend belächelten Kultur also – aber immerhin jener Kultur, aus der nicht bloß Goethe und Humboldt, Schiller und Hölderlin, Keller, Storm und Fontane, sondern auch Nietzsche und Marx hervorgegangen sind. Wir mögen ihn wohl jenen Meistern zurechnen und anreihen, deren »Leiden und Größe« er, ihr jüngerer Bruder, kennt und deutet. Das im schönen und würdigen Sinne »Bürgerliche« bei Thomas Mann kommt wohl in den Essays über Goethe, über Wagner und Storm besonders rein zum Ausdruck. Ein merkwürdig anpackender und wirksamer Aufsatz ist der über August v. Platen, auch er vermutlich nicht aus dem Ärmel geschüttelt, sondern treu erarbeitet, aber er wirkt wie der Blitz eines glücklichen Einfalls. Wegen des Wagner-Aufsatzes ist Thomas Mann seinerzeit in München von seinen vormaligen Kollegen und Freunden, den dortigen »Intellektuellen«, in ebenso häßlicher wie törichter Weise angegriffen und denunziert worden, weil trotz seiner lebenslangen tiefen Liebe zu Wagner sein Verständnis für das Fragwürdige und Pathologische in diesem Genie etwas tiefer reicht als das der Kapellmeister. Ich teile Manns tiefe Liebe zu Wagner nicht, aber ich muß diesen Wagner-Aufsatz ganz besonders rühmen.

Es sei übrigens, um nicht einem Irrtum Vorschub zu leisten, den die Gegner Manns gern verbreiten – es sei noch ein Wort über das »Bürgerliche« bei Thomas Mann gesagt. Er ist ein

Bürger im positiven und edlen Sinne, aber er ist wahrlich kein Spießbürger. Junge Enthusiasten lehnen ihn gelegentlich ab als allzu verständig, allzu intellektuell und ironisch und übersehen dabei ganz und gar, wie sehr dieser Geist auch »Genie« ist, wie sehr individualisiert und gefährdet, wie sehr um das »Leiden« der Meister wissend, wieviel vom Heroismus und auch von der Dämonie des von seinem Werk Besessenen und sich ihm Opfernden er in sich hat. Wer das nicht aus seinen Dichtungen erkannt hat, der könnte es aus vielen herrlichen und verräterischen Sätzen dieser Essays erkennen.

43

Küsnacht den 12. V. 35

Lieber Herr Hesse,
recht herzlichen Dank! Frau Ninon hat dreimal recht getan, Sie anzuhalten, daß Sie mich dies lesen ließen. Meine Rührung und Freude waren groß und bewiesen mir wieder einmal meine tiefe Empfänglichkeit für Güte und Verstehen. Wie sollte ich denn auch nicht stolz sein auf die gute Meinung eines Mannes, dessen Geist und Kunst ich so von ganzem Herzen bejahe!

Man täte wohl gut, für eine Stätte zu sorgen, wohin man sein Haupt betten kann, wenn Fischer und seine Rundschau das Zeitliche segnen. Die Zeichen sind düster. Die antisemitische Propaganda-Welle steigt in Deutschland als Zeichen der wirtschaftlichen Beängstigung und der Abkapselung von Europa; das Monstrum Streicher[1] kommt nach Berlin, und es ist schwer vorstellbar, daß er einen Fremdkörper und Dorn im Fleische wie den Fischer Verlag noch lange dulden wird. Übrigens deutete mir Bermann bei seinem letzten Hiersein an, alles sei vorbereitet für die Auswanderung des Verlages mitsamt dem deutschen Autorenstamm in die Schweiz. Alles käme dann darauf an, daß Sie und ich ihm treu bleiben. Für mein Teil habe ich ihm eine Art von vorläufiger Zusicherung gegeben. Am Ende wäre es gut, wir wären schon so weit. Ich kann kaum noch zu meinem Gelde kommen. Die Zahlungen erfolgen mit den zähesten Verzögerungen unter offenkundigen Schwierigkeiten.

Unsere Reise nach Nizza[2] hat sich infolge von Hausbesuch und zuletzt noch dadurch, daß morgen Bruno Frank und Frau hier ankommen und uns noch sehen wollen, so sehr verzögert, daß wir darauf verzichtet haben, die ganze Fahrt mit dem Wagen zu machen. Die Zeit ist knapp dazu geworden, zumal wir uns Mitte Juni schon wieder nach Amerika aufmachen müssen. So wollen wir also übermorgen nur bis Genf auf eigene Hand fahren und dort in den Schlafwagen steigen.

Wie reizend ist diese Blütenzeit! Es ist dabei schon junimäßig warm und gewittrig, und ich freue mich der Jahreszeit, der ich mich in organischer Sympathie verbunden fühle.
Ihnen beiden alles Liebe und Gute.

Ihr Thomas Mann.

1 Julius Streicher (1885-1946), Herausgeber der berüchtigten antisemitischen Zeitung »Der Stürmer«.
2 Ferienreise zum Besuch von Heinrich Mann und Renée Schickele.

44

3. Juni 1935

Lieber Herr Thomas Mann

Zu Ihrem Geburtstag[1] bekommen Sie Briefe mehr als genug; ich will Ihnen nur zuwinken und sagen, daß ich an Sie denke.

Meines Vaters Vater ist 95 Jahre alt geworden[2], und es wäre schade gewesen um jedes Jahr, das gefehlt hätte. Auch für Sie scheint mir ein Patriarchenalter ganz angemessen, wenn auch unter freundlicheren Sternen als sie uns im Augenblick scheinen.

Immerhin – noch haben wir Friede, und wenn man sich vorstellt wie die Welt und unser Leben aussähe, wenn morgen Krieg käme, dann schätzt man selbst einen so geduckten und verkümmerten Frieden, wie wir ihn heute haben. Wir beide wünschen Ihnen und uns, daß Sie über die Nöte dieser Jahre hinaus Ihr Leben und Ihre köstlichen Gewebe weiter spinnen, und uns freundlich gesinnt bleiben.

Mit herzlichen Grüßen, auch für Ihre Frau

Ihre H. Hesse und Ninon Hesse

1 Thomas Manns 60. Geburtstag am 6. Juni 1935.
2 der baltische Kreisarzt Dr. Carl Hermann Hesse (1802-1896)

Seinem Brief fügte Hesse ein Gratulationsblatt bei, das der damals 24jährige Maler und Illustrator Gunter Böhmer gezeichnet hatte.

45

Küsnacht den 7. VI. 35

Lieber, verehrter Freund,
der Trubel ist groß, und mit dem Danken steht es beinahe aussichtslos[1], Sie aber und Gunter Böhmer sollen gleich ein Wort haben, sei es noch so arm und dürftig, der innigen Dankbarkeit für all Ihre Freundlichkeit, der heiteren Rührung besonders über Böhmers von Ihnen inspiriertes Blatt[2], das der Clou des Gabentisches und das Entzücken der Gäste war, aber das meine zuerst und zuletzt! Es ist eine wahrhaft reizende Arbeit, sinnig humor- und gemütvoll, kunstreich treffsicher und exakt dabei, ein kleines Meisterwerk, unübertrefflich, und wird ein lieber, werter Besitz sein, den noch meine Kinder ehren sollen. Herrn Böhmer meinen herzlichen Beifall und Dank! Ich schicke ihm ein Exemplar der »Meister«, sobald ich wieder welche habe; sie sind mir ausgegangen und, erfreulicherweise, zum zweiten Mal schon auch dem Verlag, sodaß ich fürchte, ich werde dem Künstler dies kleine Zeichen meiner Erkenntlichkeit erst nach unserer Rückkehr von Amerika, Mitte Juli, geben können, denn am 10. müssen wir ja aufs Schiff, und gleichzeitig werden auch die Sechse, die jetzt hier lustig und erfreulich versammelt sind, wieder nach allen Himmelsrichtungen auseinanderstieben.
Leben Sie wohl, Sie und Frau Ninon! Im Herbst besuchen wir Sie.

Ihr Thomas Mann

Ich gestehe, daß die hunderte von Briefen, die aus Deutschland, ja, ja, aus Deutschland, sogar aus Arbeitsdienstlagern, kamen, meinem Herzen wohlgetan haben.

1 An die Schriftstellerkollegen erging noch im Faksimiledruck der Handschrift eine Danksagung, siehe Anhang.

2 Das Blatt trägt die Inschrift: »Aufrichtig und herzlich ergebene Glückwünsche zum sechzigsten Geburts-Tag / sechsten Juni 1935.« Es zeigt oben in einer Art Dichterhimmel u. a. die Gesichtszüge S. Fischers, unten links die

Büste Thomas Manns auf einem hohen Sockel, an den eine Leiter gestellt ist. Über diese steigt ein Mann mit einem Kranz empor. Rechts am Boden kniend die Verehrenden. Am rechten Bildrand, leicht nach der Mitte geneigt, ein Baumstamm, der einen Ast nach links zur Büste hinüberstreckt. Auf diesem Ast, den Hut schwenkend und grüßend, H. Hesse (nach der Beschreibung von Dr. Hans Wysling, Thomas Mann-Archiv, Zürich).

46

Montagnola 24. Januar 1936

Lieber Herr Thomas Mann

Man hat mir aus Paris den Artikel des Herrn Bernhard geschickt, und ich sehe daraus noch deutlicher die Quelle, aus der auch schon jener Angriff auf Bermann kam: den Konkurrenzneid der Autoren und Verleger einer gewissen Schicht.[1]

Es tut mir leid, daß Sie das mit ausfressen müssen. Wenigstens wird um Sie vom Pariser Tageblatt noch heftig geworben, während man so notorische Pazifisten wie die Annette Kolb und mich schon überhaupt nicht ernst nimmt.

Da außerdem Lügen in Bernhards schlechtem Aufsatz stehen, habe ich ihm kurz geantwortet und lege Ihnen eine Copie dieser Antwort bei.

Wir haben jetzt das Schicksal, das ich während des Krieges schon einmal geschmeckt habe: wir wollen Wahrheit und womöglich Frieden, und nicht das Kämpfen um des Kämpfens willen, und so sind wir für alle militanten Parteien, seien es nun die der Generäle und Diktatoren oder die der Emigranten, rotes Tuch, und es wird von beiden Seiten auf uns geschossen.[2]

Meinerseits halte ich es für das Beste, still zu bleiben, im engsten Freundeskreise zwar aufzuklären, aber nicht Gegen-Kampagnen zu führen. Dieser ganze Schmutz veraltet rasch.

Jedenfalls ist diese Sache mir ein Anlaß mehr, Ihnen einmal wieder einen Gruß und die Versicherung meiner Freundschaft und Dankbarkeit zu senden.

Mit herzlichen Grüßen, auch für Frau Mann,

Ihr H. Hesse

1 Am 11. 1. 1936 hatte Leopold Schwarzschild (1891-1950) in der Zeitschrift für die deutschen Emigranten in Frankreich »Das neue Tage-Buch« den Verleger Gottfried Bermann Fischer als »Schutzjuden des nationalsozialistischen Verlagsbuchhandels« bezeichnet und seine Bemühungen mit dem Verlag in die Schweiz bzw. nach Wien zu emigrieren »der stillen Teilhaberschaft des Berliner Propagandaministeriums dringend verdächtigt.« Daraufhin publizierten Thomas Mann, Hesse und Annette Kolb in der NZZ vom

18. 1. 1936 eine Protesterklärung: »[Gottfried Bermann Fischer] ist im Begriffe den S. Fischer Verlag im deutschsprachigen Ausland eine neue Wirkungsstätte zu schaffen. In diese Bemühungen bricht der erwähnte Artikel ein, indem er sie ... als bereits gescheitert hinstellt ... Die Unterzeichneten erklären hiermit, daß nach ihrem besseren Wissen die im Tage-Buch-Artikel ausgesprochenen und angedeuteten Vorwürfe und Unterstellungen ungerechtfertigt sind und dem Betroffenen schweres Unrecht zufügen.« Den vollen Wortlaut dieser Protesterklärung setzte Georg Bernhard (1875-1944) seinem Leitartikel »Der Fall S. Fischer« im »Pariser Tageblatt« vom 19. 1. 1936 voran, worin er behauptete, T. Mann, Hesse und A. Kolb dienten dem Dritten Reich als Aushängeschilder. »Zum Zweck der Auslandtäuschung« würden Hesse und Annette Kolb sogar als angebliche Mitarbeiter der »Frankfurter Zeitung«, dem »Feigenblatt des Dritten Reiches«, Dr. Göbbels unterstützen: »Sie beweisen, durch diese Haltung, daß ihnen die strikte moralische Trennung vom Propaganda-Apparat des Dritten Reiches nicht als Pflicht gilt.« Auch dieser Artikel wurde von Hesse in der NZZ vom 26. 1. 1936 umgehend dementiert.

2 Seit Herbst 1935 war Hesse außerdem das Ziel gehässiger und verleumderischer Behauptungen Will Vespers in seiner Zeitschrift »Die Neue Literatur«. Vesper beanstandete, daß Hesse »in jüdischem Sold« Bücherberichte für die Zeitschrift Bonniers Litterära Magasin schrieb. Vesper selbst war Hesses Vorgänger gewesen, jedoch wegen nationalsozialistischer Propaganda gekündigt worden. Er glossierte ferner, daß Hesse zwar die Bücher von Juden, Protestanten, Katholiken und anderer dem Dritten Reiche mißliebiger Autoren »anpreisend« bespreche, sich jedoch über die »neue deutsche Literatur« des Dritten Reiches sehr kritisch äußere. Vgl. »Materialien zu Hermann Hesse, ›Das Glasperlenspiel‹«. Erster Band, a.a.O. S. 131-138.

Beigelegte Briefcopie an G. Bernhard, Redakteur des Pariser Tageblatt

Montagnola bei Lugano 24. Januar 1936

Sehr geehrter Herr

Sie haben bei Anlaß Ihres Artikels gegen den Verlag Fischer auch über meine Person und Tätigkeit sich geäußert und zwar nicht nur wegwerfend, sondern gehässig und leider mit Entstellung der Tatsachen.

Ich will mich hier nicht auf meine Tätigkeit als Kritiker berufen, die von den deutschen Emigrantenverlagen allerseits anerkannt wird. In der Neuen Rundschau, dem einzigen deutschen Blatt, dessen Mitarbeiter ich noch bin, habe ich, als einziger Kritiker in der ganzen deutschen Presse, stets die Bücher von Juden etc. auf das Freundlichste mitbesprochen.

Ich möchte Sie nur, für den Fall, daß Sie über dem Kämpfen den Dienst an der Wahrheit nicht sollten vergessen haben, darauf aufmerksam machen, daß Ihre Äußerungen über mich den Tatsachen recht sehr widersprechen.

Erstens bin ich nicht Emigrant, sondern bin Schweizer und lebe seit vollen 24 Jahren ununterbrochen in der Schweiz.

Zweitens bin ich, entgegen Ihrer Behauptung, nicht Mitarbeiter der Frankfurter Zeitung. Ich weiß nicht, woher Sie diese Lüge bezogen haben.

Es erscheinen allerdings je und je in deutschen Blättern, meist kleineren, alte Feuilletons oder Gedichte von mir. Das sind Zweitdrucke, und die Redaktionen bekommen sie nicht von mir, sondern von einem Zweitdruckbureau, das seit Jahren die Rechte an diesen alten kleinen Arbeiten erworben hat. Sollte, allen ihren Traditionen entgegen auch die Frankfurter Zeitung einmal einen Zweitdruck von mir gedruckt haben, was ich aber nicht glaube, so geschah dies durchaus ohne mein Wissen.

Das Kämpfen ist eine hübsche Sache, aber es verdirbt leicht den Charakter. Wir wissen es vom Weltkrieg her, daß die Heeresberichte aller Mächte immer gleich sehr gelogen sind. Es wäre der deutschen Emigration unwürdig, wenn sie sich dieser Kampfmethoden auch bedienen würde. Wofür kämpft sie denn dann noch?

Ihre Äußerungen über mich in jenem Artikel enthalten Angaben, die den Tatsachen nicht entsprechen. Darauf wollte ich Sie aufmerksam machen.

Ergebenst H. Hesse

47

Neues Waldhotel Arosa 25. 1. 36

Lieber Herr Hesse,
vielen Dank! Es ist ganz gut, daß Sie dem alten Bernhard das geschrieben haben. Er war von je ein rechter Trottel. Solche Leute wie er, das war leider die deutsche Republik, und darum ist sie so kläglich zu Grunde gegangen.
Schwarzschild ist natürlich begabter, dafür aber auch skrupelloser und gefährlicher. Er hat im Tage-Buch des Langen und Breiten auf unsere Erklärung[1] geantwortet: dialektisch sehr gewandt, aber sachlich völlig falsch, irreführend und in den Mitteln wieder höchst illoyal.[2] Es ist schon eine Ehre, gewiß, ein Opfer dieses Regimes zu sein, aber man muß bekennen, daß sie nicht jedem ganz zu Gesichte steht.
Alles Herzliche Ihnen und Frau Ninon von uns beiden!

Ihr Thomas Mann

1 »Antwort an Thomas Mann«, »Das neue Tage-Buch«, Paris, vom 25. 1. 1936.
2 Vgl. Thomas Mann, »Briefwechsel mit seinem Verleger Gottfried Bermann Fischer«, a.a.O. S. 117 ff.

48

5. Februar 1936

Lieber Herr Thomas Mann

Die Schwarzschild- und Korrodikampagne[1] war eigentlich kein würdiger Anlaß, indessen begreife ich, daß Sie einmal den Schnitt durchs Tafeltuch haben tun müssen. Nun es getan ist und in so würdiger Form, sollte man Ihnen eigentlich nur gratulieren. Ich kann es dennoch nicht tun. Ohne mir, auch nur in Gedanken, die geringste abfällige Kritik an Ihrem Schritt zu erlauben, bedaure ich im Grunde doch, daß Sie ihn taten. Es war ein Bekenntnis – aber wo Sie stehen, war längst jedermann bekannt. Für die Herren in Prag und Paris, die Sie auf so banditenhafte Art bedrängten[2], ist es Genugtuung zu sehen, daß der Druck gewirkt hat.

Wenn ein Lager da wäre, dem man sich zuwenden und anschließen könnte, wäre ja alles gut. Aber daran fehlt es ja. Wir haben aus der Giftgasatmosphäre zwischen den Fronten keine andere Zuflucht als zu unserer Arbeit. Und die, gewissermaßen illegale Wirkung des Trostes und der Stärkung, die Sie auf die reichsdeutschen Leser hatten, wird Ihnen nun wohl verloren gehen – das ist ein Verlust für beide Teile. Auch ich bin mitbetroffen, ich verliere einen Kameraden, und ich beklage das ganz egoistisch. So wie ich während des Weltkriegs einen Kollegen in Romain Rolland hatte[3], so hatte ich ihn seit 1933 in Ihnen. Ich denke Sie zwar keineswegs zu verlieren, ich werde nicht leicht untreu, aber drüben in Deutschland stehe ich, als Autor, nun sehr allein. Ich möchte aber den Posten halten, solang es von mir abhängt.

Nun wünsche ich sehr, Sie möchten, ganz persönlich und privat, die Entspannung wohltätig spüren, die Ihr Schritt bringen sollte. Wenn Sie sich befreit fühlen und erleichtert zu Ihrer Arbeit zurückkehren, dann ist ja alles gut. Herzlich grüßt Sie und Frau Mann

Ihr H. Hesse

1 In seiner Entgegnung auf den am 26. 1. 1936 in der »Neuen Zürcher Zeitung« publizierten Artikel »Deutsche Literatur im Emigrantenspiegel« von Eduard Korrodi hatte sich T. M. in einem offenen Brief »An Eduard Korrodi« (NZZ vom 3. 2. 1936) erstmals vorbehaltlos mit der Emigration solidarisiert. Vgl. T. M., »Briefe 1889-1936«, a.a.O. S. 409 ff. und »Materialien zu H. H.'s Glasperlenspiel« Bd. 1. a.a.O. S. 141 ff. bzw. Anhang zu Brief 52.
2 Die von Wieland Herzfelde (* 1896) in Prag herausgegebene kommunistische Monatszeitschrift »Neue Deutsche Hefte« beteiligte sich an der von L. Schwarzschild angezettelten Kampagne gegen T. M.
3 Vgl. Briefwechsel »Hermann Hesse – Romain Rolland«, Neuedition in Vorbereitung.

49

Küsnacht 9. II. 36

Lieber Freund Hesse,
seien Sie nicht betrübt über den getanen Schritt! Bedenken Sie den großen Unterschied zwischen Ihrer Situation und der meinen, der von Anfang an bestand und Ihnen soviel mehr Freiheit, Distanz, Unberührtheit sicherte. Ich mußte einmal mit klaren Worten Farbe bekennen: um der Welt willen, in der vielfach noch zweideutig-halb-und-halbe Vorstellungen von meinem Verständnis zum dritten Reiche herrschen, und auch um meinetwillen; denn schon lange war mir dergleichen seelisch nötig. Nach Korrodi's häßlichem Verhalten nun gar gegen die Emigration unter Verwendung meines Namens war ich dieser eine Genugtuung, ein Bekenntnis zu ihr schuldig. Vielen Leidenden habe ich wohl getan, das zeigt mir der Briefstrom; vielen Unbeteiligten auch ein Exempel gegeben, daß es doch noch etwas wie Charakter und feste Überzeugung gibt. Manche bedauern meinen Entschluß mit Ihnen und in Ihrem Sinn. Aber ich meine doch, im rechten Augenblick das Rechte getan zu haben »und befinde mich besser seitdem«, wie es im Liede heißt. Auch bin ich noch garnicht mal sicher, daß die regierende Bande zurückschlagen wird. Olympiade[1] und Außenpolitik sprechen dagegen, und ich halte es nicht für ausgeschlossen, daß – außer daß ich natürlich meine Habe nicht wiederbekomme – garnichts geschieht. Sehr möglich sind Ausbürgerung und Bücherverbot gewiß. Aber wenn sie ausgesprochen werden: entweder, darf ich mir sagen, kommt der Krieg oder es müssen sich in einigen Jahren in Deutschland Zustände herstellen, die die Verbreitung meiner Bücher wieder erlauben.

Ich habe meinen Schritt nie als eine Trennung von Ihnen aufgefaßt; ich hätte ihn sonst nicht getan, oder er wäre mir doch bedeutend schwerer geworden. Nach gesprochenem Wort nun bleibt alles in meiner Haltung beim Alten. Ich werde fortfahren, meine Arbeit zu tun und es der Zeit überlassen, meine

Vorhersage (die recht spät erfolgte) zu bestätigen, daß aus dem Nationalsozialismus nichts Gutes kommen kann. Aber mir wäre der Zeit gegenüber nicht wohl im Gewissen, wenn ich es nicht vorhergesagt hätte.

Herzlich und treulich Ihr Thomas Mann.

1 In Berlin fand 1936 die Olympiade statt.

50

Montagnola 13. Februar 1936

Lieber Herr Thomas Mann

Haben Sie schönen Dank für Ihren Brief! Es wird schon gut so sein, wie es nun ist. Mir konnten vorläufig die Schwarzschild und Bernhard nicht viel schaden. Dagegen läuft seit November im Reich drüben eine Attacke gegen mich, deren Eröffner der Literat W. Vesper war, und die ich anfangs kaum ernst nahm, die er jetzt aber unermüdlich fortgesetzt und glücklich bis in viele Tageszeitungen gebracht hat.[1] Er prangert mich als Deutschen an, der sich Schweizer nenne, anno 1914 davongelaufen sei und jetzt für Juden und Emigranten Propaganda mache und will mich absolut unschädlich machen. So spritzt der Dreck, und es ist ja immerhin besser, als wenn es schon Granaten und Gase wären.

Wenn ich es beklagte, Sie als »Kameraden« verloren zu haben, so dachte ich natürlich nur an meine Position in Deutschland, wo ich für die unpolitischen Leser, wenn auch nicht genau für die gleiche Schicht wie Sie, ein Stück noch erhaltenes Deutschtum war. Ich bin nach wie vor nicht der Meinung, daß das ganze Leben und die ganze Menschheit politisiert werden müsse und werde mich bis zum Tod dagegen wehren, mich selber politisieren zu lassen. Es müssen doch auch Leute da sein, die unbewaffnet sind, und die man totschlagen kann. Diesem Bestand der Menschheit gehöre ich an und gebe darum den Schwarzschilden niemals zu, daß die Poesie weniger wichtig und nötig sein könnte, als das Parteiwesen und Kriegführen.

Korrodi schrieb mir gestern[2], es scheint als wisse er, daß Bermanns Zürcher Pläne gescheitert wären. Da ich davon nichts weiß, glaube ich es vorläufig nicht. Korrodi wendet sich an mein Schweizer Gewissen und begreift nicht, daß ich dem Fremden und Juden Bermann in Zürich die Stange halte. Ob meine Antwort ihn wirklich aufgeklärt hat, weiß ich nicht. Übrigens glaube ich, daß seine jetzige Gereiztheit gegen Sie ihre

Kraft aus seiner frühern großen Bewunderung für Sie bezieht, also ein Stiefkind der Liebe ist.
Genug, ich will Ihre Augen nicht länger in Anspruch nehmen. Mit herzlichen Grüßen für Sie und die Ihren

Ihr H. Hesse

1 Vgl. Brief 46, Fußnote 2
2 Siehe Dokumentation im Anhang

51

Küsnacht 16. II. 36

Lieber Herr Hesse,
Korrodi ist eine ganz tückische kleine Madame. Uns hat er dringend geraten, wir möchten doch trachten, daß Sie und Bermann zusammen den Verlag gründeten, denn ein Schweizer müsse dabei sein, sonst ginge es nicht. Und Sie warnt er nun, sich für Fremde und Juden einzusetzen. Rascher[1] macht es ähnlich. Er wollte sich durchaus mit Bermann assoziieren. Jetzt arbeitet er am eifrigsten gegen seine Niederlassung. Daß die Menschen nicht über sich selber lachen müssen.
Zürich soll wirklich so gut wie aussichtslos sein. Auch der Stadtpräsident, den ich neulich bei Oprecht[2] sah, schien unter dem Druck der Verleger umgefallen. In Wien aber soll es nicht besser stehen; wenigstens höre ich, daß die Gegenagitation dort nicht weniger eifrig ist. Bliebe Prag. Oder London selbst, Heinemanns Sitz.[3] Mir sollte auch das recht sein.
Vesper war immer einer der ärgsten nationalistischen Narren. Die Hetze gegen Sie ist schändlich genug und wieder einmal von unglaubwürdiger Dummheit und Niedrigkeit. Aber kann man sich noch wundern? Das sind völlig verdorbene Hirne und Herzen. Man muß hoffen und sieht es auch manchmal, daß daneben ein besseres, seelisch gesunderes Deutschland in Reserve steht. Neulich z. B. war der junge Joachim Maass bei uns, über den Sie so gütig geschrieben haben[4], ein braver Junge, gut hamburgisch, der von dem deutschen Regierungsgesindel und seinen Kostgängern, den Blunck, Vesper, Johst[5] etc. genau so sprach wie irgend ein Emigrant es tun könnte. Ekel und Verachtung sind doch vielfach groß. Die letzte »Corona« brachte manches Labende. Ich liebe Ihren schönen Gesang vom Fischkameraden[6] sehr, und auch Carossa's Prosa[7] hat mir wohlgetan.

Herzlich Ihr Thomas Mann

1 Max Rascher (1883-1962) Verleger in Zürich.
2 Emil Oprecht (1895-1952) Buchhändler und Verleger in Zürich.
3 Der William Heinemann Verlag Ltd., mit dem G. B. Fischer im Jan. 1936 verhandelte. Eine Cooperation kam aber nicht zustande.
4 H. Hesse, »Notizen zu neuen Büchern«. »Die neue Rundschau«, Bd. 1, 1935, S. 664/665: »Für den begabtesten und erfreulichsten unter den jüngeren deutschen Romanciers halte ich den Hamburger Joachim Maass«.
5 Will Vesper, Hans Friedrich Blunck und Hanns Johst nationalsozialistische Autoren. Blunck Präsident der Reichsschrifttumskammer 1933-1935, Johst anschließend 1935-1945.
6 »Der lahme Knabe. Eine Erinnerung aus der Kindheit« (in Hexametern). Enthalten in H. H., »Stunden im Garten. Zwei Idyllen«, Insel Bücherei 999, Frankfurt a. Main, 1975.
7 Ausschnitte aus Hans Carossas späterem Buch, »Geheimnisse des reifen Lebens«, Leipzig, 1936.

52

Küsnacht 7. III. 36

Lieber Herr Hesse, den anliegenden Artikel aus dem »Figaro« schicke ich Ihnen, weil ich für möglich halte, daß Sie ein gewisses Gefallen daran finden werden[1]. Auch ich habe es getan, weil ich andere ganz gerne feststellen höre, daß es verschiedene innere Formen der Emigration gibt. Meine Sache freilich war es, mich grundsätzlich zur Emigration zu bekennen.
Sie sehen, daß die uns gemeinsame »solitude« durch meine Äußerung in der N.Z.Z. nicht als aufgehoben betrachtet wird. Das soll mir recht sein. Auf der anderen Seite ist die Reaktion in Deutschland eher glücklich. Der Brief wird viel eingeführt, herumgetragen, vorgelesen[2]; er ist aus Versehen sogar ein paarmal in extenso dort abgedruckt worden und – weiter nichts. Oder fast nichts. Etwas Rumor in der Partei-Presse: Ich hätte »die Maske fallen lassen« (?) und man werde nun doch wohl gut tun, meine Bücher nicht mehr in den Schrank zu stellen, da mir Deutschland nur »eine Geldquelle« bedeute – und dergleichen Idiotien mehr. Aber nichts Amtliches, keine Ausbürgerung, kein Verbot. Es ist – bis heute – alles beim Alten geblieben. Gut, ich werde mich, nachdem einmal das mir Notwendige gesagt, ganz halten wie bisher und hoffe dabei auf Ihre Nachsicht für meine Gewissenseskapade.
Gestern sprach ich Bermann, der in Betreff seiner Niederlassung hier wieder hoffnungsvoller zu sein schien. Er versicherte mir, daß die in Deutschland gegen Sie gerichteten Angriffe vollständig belanglos seien, garnicht beachtet würden. Niemand kümmert sich um den Vesper, er gilt für eine komische Figur. Was Sie gelten, zeigt sich ja darin, daß man Ihr bisheriges Werk durchaus nicht mit hinauslassen will. Es muß im Lande bleiben und mit gekauft werden! Meins darf hinaus, und es wird sich dann eben nur fragen, ob es von hier aus wird eingeführt werden dürfen.
Wir denken viel an Sie und sprechen viel von Ihnen, zuletzt noch mit dem sympathischen Joachim Maass, der bei Ihnen

war. Unsere herzlichen Wünsche gelten Ihrer Gesundheit, Ihrer hohen Laune, daß das geistigste, kühnste Werk, zu dem Sie innerlich vorgeschritten, in die Welt gesetzt werde.

Ihr Thomas Mann.

1 Maurice Noël, »La solitude de Thomas Mann«, in »Le Figaro« v. 29. 2. 1936.
2 Siehe Anhang.

53

12. März 1936

Lieber Herr Thomas Mann
Danke für Ihren Brief, der hat mich gefreut und mir wohlgetan. Sie haben richtig geahnt, daß ich so etwas brauchen könne; vermutlich hat Ihnen auch J. Maass, mit dem wir gut Freund geworden sind, etwas davon erzählt, daß es mir wenig gut geht.

Die große Enttäuschung, die mir meine dreijährige Tätigkeit als Rezensent gebracht hat, indem ich von beiden Seiten, der deutschen und der Seite der Emigranten, als Antwort auf eine gutgemeinte und schließlich unheimlich anstrengende Arbeit Ohrfeigen geerntet habe, diese Enttäuschung hat mir gezeigt, wie sehr diese Tätigkeit als wohlwollender Referent über deutsche Literatur nebenher auch eine Flucht gewesen war, Flucht vor dem tatenlosen Zusehenmüssen dem Aktuellen gegenüber, und Flucht vor meiner Dichtung, von der mich seit zwei Jahren ein immer zunehmendes Vacuum trennte.

Vorerst werde ich die kritische Tätigkeit abbauen und auf ein Minimum einschränken, werde die Übermüdung und Überstopfung durch das zu viele Lesen abklingen lassen und hoffe, daß schon das mich wieder etwas fester auf die Beine stellen wird. Schwerer wird es gehn, den Rückweg zu meiner Dichtung zu finden, die seit Langem völlig liegen blieb. Die Idee dieser Dichtung ist zwar lebendig geblieben, ich bin mit den Gedanken viel bei ihr, aber es fehlte die Lust am Produzieren, an der Arbeit im Detail, am Sinnlich- und Sichtbarmachen des Spirituellen.

Daß man Sie drüben im Reich in Ruhe läßt, freut mich. Sollten Sie verboten werden, so wäre es mir ein sehr unlieber Gedanke, dort allein meinen kleinen Markt weiter zu haben. Aber das muß sich entwickeln, es ist noch immer möglich, daß wir eines Tages beide zusammen verboten werden, und das würde mich freuen, obwohl ich es nicht provozieren darf. Unsre Ar-

beit ist heut eine illegale, sie dient Tendenzen, die allen Fronten und Parteien lästig sind.
Ich denke nicht selten an Sie und freue mich, Sie jeden Tag eine Weile in Ägypten zu wissen. Auch ich hoffe wieder auf Morgenlandfahrt. Es wäre ja sonst wirklich in dieser geistlosen Welt schwer auszuhalten.
Herzlich grüßt Sie und die Ihren

Ihr H. Hesse

54 *Telegramm*

Küsnacht 11. IV. 1936

Freudige Glückwünsche[1] Ihre Katia und Thomas Mann

1 Hesse hatte den Gottfried-Keller-Preis der Martin Bodmerstiftung, den höchsten schweizerischen Literaturpreis, erhalten. Die Preissumme betrug 6000 Franken.

55

Küsnacht 19. IV. 36

Lieber Herr Hesse, schönsten Dank für die hübsche Lübecker Übersicht! Es sind gewisse Empfindungen, mit denen man auf die Vaterstadt blickt, komische, peinliche, gerührte. – Wir haben uns herzlich gefreut über Ihre Auszeichnung. Die Summe ist heutzutage auch nicht zu verachten. Die Schweizer Presse hat sehr herzlich teilgenommen, und auch in Deutschland wird's Eindruck machen. – Daß Bermann in Wien installiert[1] ist, wissen Sie wohl. Im Augenblick ist er in Berlin und kommt nächstens auch einmal hierher. Er erklärt, authentisch erfahren zu haben, daß man gegen meine Bücher nichts vorhat. Er wird sie in Deutschland einführen können. – Ich habe mich schmerzlicher Weise dicht vor Torschluß noch einmal in meinem 3. Bande unterbrechen müssen, um einen Vortrag auszuarbeiten, den ich Anfang Mai zu S. Freuds 80. Geburtstag in Wien halten soll. Ein Trost ist, daß ich mich dabei garnicht weit von dem Roman entferne.[2] – Gesundheit und Heiterkeit Ihnen und Frau Ninon!

Ihr Thomas Mann

1 Am 1. 5. 1936 gründete Gottfried Bermann Fischer in Wien seinen Verlag für die im Reich verfemten ehemaligen S. Fischer-Autoren, während in Berlin Peter Suhrkamp treuhänderisch den im Reich verbliebenen Teil des S. Fischer Verlages übernahm.

2 Der Vortrag »Freud und die Zukunft« erschien 1936 im Bermann-Fischer Verlag, Wien. Auch der Roman (»Joseph in Ägypten«) bezieht für seine Behandlung des biblischen Stoffes, insbesondere der Potiphargeschichte, die tiefenpsychologische Deutung ein.

56

Küsnacht 17. X. 36

Lieber Herr Hesse,
recht herzlichen Dank für das wundersame Traum-Poem[1], so reizend tiefsinnig! Ich denke es mir eingeschaltet in ein großes Ganzes, das einmal in Prosa und Vers funkeln und prangen wird, ein phantastischer Geistesbau. Die Wünsche, welche die geheimnisvolle Arbeit daran begleiten, nehmen unwillkürlich eine alt-fromme Gestalt an, und man ist versucht zu sagen: Gott gebe Ihnen Kraft und hohe Laune, das Werk zu vollenden.

Ich suche mich zu revangieren mit einer kleinen Schrift über mein persönliches Verhältnis zur Psychoanalyse, die allenfalls, um Ihrer eigenen willen[2], Ihr Interesse finden könnte, und von der ich nicht weiß, ob der Verlag sie Ihnen schon hat zukommen lassen. Weiter zu gehen und Ihnen auch den Joseph III[3] ins Haus zu schicken, entschließe ich mich nicht. Ich bin zu unsicher, ob Sie Muße und Sinn für diese Scherze[4] haben, um Sie von mir aus mit dem Buch zu belasten. Am liebsten, offen gestanden, hätte ich's überhaupt für mich behalten. Es war meine Art den letzten 3 Jahren die Stirn zu bieten, beziehungsweise: ihnen ein Schnippchen zu schlagen, – eine Privatangelegenheit im Grunde, für die ich nur auf höchst vereinzelte Anteilnahme rechnen darf.

Auf mich ist ein ganzer Hagel körperlicher Mißgeschicke niedergegangen in letzter Zeit. Wir waren in Süd-Frankreich, zum Zusammensein mit meinem Bruder, und bekamen alle Angina, wovon mir eine quälende Neuralgie in der linken Schultergegend zurück blieb. Kaum sah ich mich hier wieder geborgen, als eine Gesichtsrose bei mir zum Ausbruch kam, an die sich ein wochenlanger Behandlung bedürftiges Haut-Ekzem an ärgerlichster Stelle schloß, und zu dem allen kam noch ein Panaritium am Mittelfinger der rechten Hand, das geöffnet werden mußte und mir noch heute zu schaffen macht. Es war etwas viel auf einmal, eine Pechsträhne, und ich kann mich aus der nervösen Niedergeschlagenheit noch garnicht recht erheben.

Desto besseres hoffe ich für Ihre Gesundheit. Kommen Sie nach Baden diesen Herbst? Auch mein Arzt hat es mir angeraten, oder etwas Ähnliches. Überhaupt erklärt er, ich sei nun so weit, daß ich gut täte, Erholungsreisen den Charakter der *Badereisen* zu geben. So kann ich mit dem alten Herrn von Stechlin sagen: »Ja, Engelke, nu geht es los«.[5]

Ihnen und Frau Ninon alles Herzliche.

Ihr Thomas Mann.

1 Das Gedicht »Ein Traum« (entstanden im Juli 1936) aus dem Gedichtzyklus in »Josef Knechts hinterlassenen Schriften«. Vgl. »Das Glasperlenspiel«.

2 Spätestens während des Ersten Weltkriegs, wo Hesse in einer schweren persönlichen Krisensituation mit dem C. G. Jung-Schüler Dr. J. B. Lang (1883-1945) über 60 psychoanalytische Gespräche führte, hat seine intensive Beschäftigung mit der Psychoanalyse eingesetzt. Spuren davon finden sich im »Demian« (geschrieben 1916/17) und im »Siddhartha«. Im Mai 1921, am Ende der langen, unproduktiven Phase nach Beendigung des ersten Teils des »Siddhartha« begab sich Hesse direkt zu C. G. Jung in psychoanalytische Behandlung. 1918 hatte er seine Betrachtung »Künstler und Psychoanalyse« geschrieben (Vgl. W. A. Bd. 10, S. 47 ff.), 1919 und 1925 zwei Werke von Sigmund Freud »Einführung in die Psychoanalyse« und »Über Psychoanalyse. 5 Vorlesungen in Worcester« rezensiert. (Vgl. W. A., Bd. 12 bzw. H. H., »Eine Literaturgeschichte in Rezensionen und Aufsätzen«, Frankfurt a. Main, 1970 S. 365 ff.)

3 T. M., »Joseph und seine Brüder. Joseph in Ägypten«, Wien, 1936.

4 Eine von Goethe (letzter Brief an Humboldt, 17. März 1832) übernommene, von Th. M. für die eigenen Arbeiten häufig verwandte Kennzeichnung. Goethe schreibt dort über Faust II: »Ganz ohne Frage würd es mir unendliche Freude machen, meinen werten ... Freunden auch bei Lebzeiten diese sehr ernsten Scherze zu widmen« ... (Goethe: Briefe und Tagebücher, Bd. 2, Insel Verlag, Leipzig o. J. S. 562)

5 Im 36. Kapitel des Romans »Der Stechlin« von Th. Fontane – einem Lieblingsbuch von T. M. – beginnt der alte Major von Stechlin zu kränkeln. Er bekommt Tropfen verordnet, nimmt sie, »wie wenn ein Kenner eine neue Weinsorte probt«, nickt seinem alten treuen Faktotum zu und sagt: »Ja, Engelke, nu geht es los.«

57

Küsnacht 23. II. 37

Lieber und verehrter Hermann Hesse:

Lassen Sie sich folgende Neuigkeit vertrauen, – wem sollte man sie zuerst erzählen, wenn nicht Ihnen? Die vielersehnte freie deutsche Zeitschrift scheint Wirklichkeit werden zu sollen, vielmehr sie ist eine beschlossene Sache. Eine reiche und literaturfreundliche Dame, die übrigens ganz im Hintergrund zu bleiben wünscht,[1] hat die nötigen Mittel bereit gestellt, und die Verhandlungen, die sie und ihr Pariser Vertrauensmann letzthin mit mir, der den Herausgeber machen soll, ferner mit Oprecht als Verleger und mit dem als Redacteur in Aussicht genommenen Ferdinand Lion[2] hier geführt haben, sind positiv verlaufen. Es ist zunächst an eine Zweimonats-Schrift gedacht, die den Titel »Maß und Wert« haben soll. Der Name sagt Einiges aus über den Geist, in dem die Zeitschrift geführt werden soll, den Sinn und die Haltung, die wir ihr zu geben versuchen werden. Sie soll nicht polemisch, sondern aufbauend, produktiv, zugleich wiederherstellend und zukunftsfreundlich zu wirken suchen und darauf angelegt sein, Vertrauen und Autorität zu gewinnen als Refugium der höchsten zeitgenössischen deutschen Kultur für die Dauer des innerdeutschen Interregnums.[3] Die Wünschbarkeit, ja Notwendigkeit eines solchen Organes deutschen Geistes außerhalb des Reiches ist wohl unbestreitbar und wird allgemein lebhaft empfunden. Ich muß sagen, ich freue mich über den Beschluß, freue mich auf das, was da werden kann und bin mit meinem Herzen und meinen Gedanken bei der Sache.

Wie wichtig und schön wäre es, wenn Sie es auch sein könnten! Ich weiß nicht, wie Sie jetzt zu Deutschland und in Deutschland stehen, welche Rücksichten Sie noch zu nehmen haben, aber ich brauche nicht zu sagen, daß Ihre Mitwirkung bei diesem, wie mir scheint, wohlgedachten Unternehmen von höchster symbolischer und praktischer Bedeutung wäre, und ich wollte keinesfalls versäumen, dem Schritt, den der zukünftige

Redactor bei Ihnen unternehmen wird, mit diesen Zeilen ein wenig vorauszuarbeiten. Lion wird Sie genauer ins Bild setzen und Ihnen, so denke ich mir, präzisere Wünsche äußern, es sei denn, Sie erklärten mir gleich, Sie könnten an keine Mitarbeit denken. Ich fürchte mich ein wenig vor dieser Antwort, aber hoffentlich können Sie mir gleich ein Wort allgemeiner und grundsätzlicher Zustimmung geben.
Mit herzlichen Grüßen an Sie und Frau Ninon von mir und meinem Haus

Ihr Thomas Mann.

1 Madame Aline Mayrisch de St. Hubert, Witwe des Luxemburger Stahlmagnaten Emile Mayrisch.
2 Der Kritiker und Essayist Ferdinand Lion (1883-1965)
3 Weiteres zur Lage der Emigrantenzeitschriften siehe Anhang.

58

25. Februar 1937

Lieber Herr Thomas Mann

Ihr Brief hat mich sehr gefreut; daß eine Zeitschrift dieser Art entsteht, ist ganz gewiß ein Bedürfnis, und daß sie gewillt sei, nicht dem momentanen Entladungsbedürfnis sondern der Zukunft zu dienen und der Wiedervereinigung der deutschen Literatur und Geistigkeit, die jetzt in zwei Lager gespalten ist, das ist wohl nicht nur mein Wunsch, sondern der vieler.

Was meine etwaige Mitarbeit betrifft, so gebe ich Ihnen in aller Offenheit darüber gerne Auskunft. Prinzipiell Nein zu sagen, fällt mir nicht ein. Andrerseits ist mein Ja ein eingeschränktes durch verschiedene Umstände. Zunächst dadurch, daß ich sehr wenig mehr produziere und grundsätzlich nicht auf Anregung schreibe. Und dann durch die Rücksicht auf meine Stellung im Reich. Damit steht es so: ich bin fest gewillt, meinem Verlagsvertrag und meinen deutschen Lesern treu zu bleiben, solang nicht eine force majeur es verunmöglicht, keineswegs werde ich einen Bruch provozieren. Ich halte es, wenn nicht politische Änderungen kommen, für wahrscheinlich, daß materiell mein Weiterarbeiten im Reich ziemlich bald ein Ende finden wird: entweder durch Verbot meiner Bücher oder sonstige Verfemung, für die schon viele Zeichen da sind, oder aber ganz mechanisch dadurch, daß ich die Tantièmen nicht mehr erhalte. Schon jetzt erfolgen die Auszahlungen im Clearingverkehr immer langsamer, wahrscheinlich wird bald das Guthaben, das ein Schweizer im Reich stehen hat, ebenso entwertet sein, wie es deutsche Obligationen etc sind.

Aber auch noch im Fall, daß ich materiell gezwungen würde, im Ausland zu verlegen u.s.w., würden manche Rücksichten fortbestehen, die ich zu nehmen habe. Ich habe meine beiden Schwestern in Deutschland leben, die eine als Frau eines Pfarrers der Bekenntniskirche, der es ohnehin sehr schwer hat, und ähnliche Bindungen sind noch viele da. Z. B. sitzt einer meiner ältesten und treusten Freunde[1] seit einigen Wochen in Würzburg in der selben politischen Abteilung des Gefängnisses, in der Ihr Bekannter Fiedler[2] saß, und es ist so gut wie sicher, daß mein Briefwechsel mit ihm seit Jahren in Händen der Gestapo ist. Im Augenblick, wo mein Name drüben Wut erregt, kann es dem Freund Mißhandlungen und andre Bußen einbringen. Das ist ein höchst zarter Apparat, dessen Drähte man kaum berühren darf. Sie wissen ja.

Nun halte ich es trotzdem für möglich, daß ich gelegentlich zu Ihrer Zeitschrift beitrage, der ich von Herzen Gutes wünsche und im Voraus wohlwill, doch möchte ich immerhin erst sehen, wie weit Ihre Absicht, auf aktuelle Polemik zu verzichten, sich wird realisieren lassen. Das wird ja das erste und zweite Heft zeigen, denke ich, oder schon durch Herrn Lion mir beruhigend erklärt werden können.

Erlauben Sie mir eine Bitte anzufügen: ich bitte um die jetzige Adresse von Fiedler, oder falls er in Zürich ist, bitte ich ihm zu sagen; mein Freund Schall (einst in Altenburg) ist Gefangener in Würzburg, und ich wüßte gern, ob für mich eine Möglichkeit besteht, irgend etwas für ihn zu tun.

Wir haben hier seit Oktober fast ohne jede Unterbrechung eine Mischung aus Herbst und Frühling, die Wiesen stehen voll Blumen.

Mit herzlichen Grüßen, auch für Ihre Frau und auch von der meinen

Ihr H. Hesse

P. S. Die Nachricht über meinen verhafteten Freund bitte *nicht* weiterzugeben.

1 Franz Schall (1877-1943), Altphilologe und Lehrer, Schulfreund Hesses seit Maulbronn (1891). Er übersetzte das Motto zum »Glasperlenspiel« ins Lateinische.
2 Siehe Brief 13, Fußnote 8.

59

19. Mai [1937]

Lieber Herr Thomas Mann
Vor etwa drei Monaten schrieben Sie mir wegen der geplanten Zeitschrift, und ich gab Ihnen sofort eingehende Antwort. Einige Wochen später schickte ich Ihnen meine »Neuen Gedichte«.[1] Da ich auf beides ganz ohne Quittung geblieben bin, habe ich das Gefühl, es könnte zwischen uns ein Brief verloren gegangen sein. Es ist ja sehr wohl möglich, daß Sie über Arbeit und Reisen (hoffentlich nicht Krankheit) nicht zu Briefen gekommen sind. Doch möchte ich nicht, daß etwa infolge eines dummen Postfehlers eine wirkliche Lücke in unsrem Austausch entstehe.
Meine Frau, die ich morgen zurückerwarte, war einige Wochen in Griechenland, das war seit manchen Jahren ihr sehnlichster Wunsch, sie war so ins Griechische versunken, daß ich mich beinahe verpflichtet fühlte, Aoriste zu repetieren. Sie scheint von Griechenland ganz beglückt zu sein.
Herzlich grüßt Sie

Ihr H. Hesse

1 H. H., »Neue Gedichte«, Berlin, 1937.

60

Küsnacht 21. v. 37

Lieber Herr Hesse:

Heute kam Ihr Brief mit dem schönen Briefkopf und der reizenden lyrisch-graphischen Beilage[1]. Haben Sie Dank für beides! Ich bin wahrhaft bestürzt, gewahr zu werden, daß ich es Ihnen gegenüber habe fehlen lassen. Es ist nichts verloren gegangen; ich habe Ihren Brief, die Zeitschrift betreffend, erhalten, gelesen und gewürdigt, vorderhand war nichts darauf zu erwidern. Auch bin ich im Besitze Ihrer Neuen Gedichte, eines wahren Schatzkästchens, das ich nie ohne Zärtlichkeit in Händen halte. Die Sendung wies kein Merkmal auf, daß sie direkt von Ihnen kam. Wie hätte ich es sonst unterlassen, Ihnen persönlich dafür zu danken? Ich hätte das getan, obgleich Ihre Vermutungen über mein Leben in der letzten Zeit nur allzu richtig sind. Nicht nur war ich auf Reisen, was notwendig fast immer einen Korrespondenz-Bankerott mit sich bringt, sondern ich kam von meiner dritten Amerika-Fahrt[2] auch stark übermüdet und behaftet mit einer Ischias-Neuralgie zurück, mit der ich schon ausgezogen war, und die sich durch Anstrengungen und die Feuchtigkeit des Klimas arg verschlimmert hat. Sie hat mir recht zugesetzt und tut es noch. Eine Kurzwellen-Behandlung hat eine leichte Besserung herbeigeführt, aber es wird wahrscheinlich noch eine Badekur – wir denken in Ragaz – notwendig sein, um das Übel wirklich auszurotten. Es ist von ungeahnter Unannehmlichkeit, auch psychisch, da es über Gebühr alt und krumm macht.

Sie haben Ihre liebe Frau nun wieder bei sich. Grüßen Sie sie herzlich von uns beiden. Es ist allzu lange her, daß wir zusammen waren und Boccia spielten. Hoffentlich kommt es im Laufe dieses Sommers einmal wieder dazu.

Die Zeitschrift macht manches Kopfzerbrechen. Ich habe jetzt eine umfangreichere programmatische Einleitung für das erste Heft geschrieben[3], welches auch das Anfangskapitel meiner Goethe-Erzählung[4] bringen soll. Daß Sie mit der Zeit doch

auch einmal dort zu Gast sein mögen, ist der dringliche Wunsch von Herausgeber, Redactor und Verleger.
Mit herzlichen Grüßen immer

Ihr Thomas Mann.

1 Nicht erhalten.
2 Vom 6.-29. April auf Einladung der New School of Social Research, New York.
3 Die Ziele der neuen Zeitschrift kennzeichnet vor allem ein Satz dieser Einleitung: »Künstler wollen wir sein und Anti-Barbaren, das Maß verehren, den Wert verteidigen, das Freie und Kühne lieben und das Spießige, den Gesinnungsschund verachten – ihn am besten und tiefsten verachten, wo er sich in pöbelhafter Verlogenheit als Revolution gebärdet.« (»Maß und Wert«, Einleitung zum 1. Heft September 1937)
4 »Lotte in Weimar«.

61 *Postkarte*

Küsnacht 29. V. 37

Lieber Herr Hesse, recht herzlichen Dank! Die Photographie lasse ich als Titelbild in dem Buche liegen. Sie sehen recht aus wie ein weiser, merkwürdiger alter Gärtner und Frau Ninon zugleich fesch und klug. – Einen so wundervollen Mai gab es seit langem nicht mehr. Ich genieße die Jahreszeit trotz meiner Schmerzen unendlich.

Ihr ergebener Thomas Mann.

62 *Postkarte*

Ragaz, Hotel Lattmann 16. VI. 37

Lieber Herr Hesse, von Herzen Dank für Ihr schönes, trauliches Geschenk, das mir hilft, die erste Schmerzensreaktion auf die Kur zu ertragen[1]. Beschwerliche Tage sind das und arge Nächte. Ich war noch nie krank und habe große Mühe, nicht allzu beleidigt zu sein.

Ihr T. M.

1 Vom 10.-30. 6. 1937 unterzog sich T. M. einer Bäderkur in Ragaz zur Behandlung einer schmerzhaften Ischias.

63

Dem sechzigjährigen Hermann Hesse[1]
von Thomas Mann

Heute, am 2. Juli, wird Hermann Hesse sechzig Jahre alt. Ein schöner, lieber, großer Tag! Innig wird er begangen werden in deutschen Landen in abertausend Herzen, – desto inniger und nachdrücklicher, denke ich mir, je finsterer die Teilnahmslosigkeit derer sein wird, die heute herrschen in Deutschland. In solchen Gefühlslizenzen, solchen trotzigen Freiheiten der Liebe rettet man heutzutage dort seine Seele ...

Auch wir retten die unsrige, gewissermaßen, im frohen Begängnis dieses Tages, – vor geistiger Expatriierung nämlich und Vaterlandsentfremdung: So recht von Herzen können wir wieder einmal Deutsche sein bei dieser Gelegenheit, Ja sagen zum Deutschtum und uns in tiefem verschlagenem und kompliziertem Stolze als Deutsche fühlen. Denn Deutscheres gibt es nicht als diesen Dichter und das Werk seines Lebens, – nichts, das deutscher wäre in dem alten, frohen, freien und geistigen Sinn, dem der deutsche Name seinen besten Ruhm, dem er die Sympathie der Menschheit verdankt.

Dies keusche und kühne, verträumte und dabei hoch intellektuelle Werk ist voller Überlieferung, Verbundenheit, Erinnerung, Heimlichkeit, – ohne im mindesten epigonenhaft zu sein. Es hebt das Trauliche auf eine neue, geistige, ja revolutionäre Stufe – revolutionär in keinem direkten politischen oder sozialen, aber in einem seelischen, dichterischen Sinn –; auf echte und treue Art ist es zukunftssichtig, zukunftsempfindlich. Ich wüßte nicht, wie ich den besonderen, doppelsinnigen und unverwechselbaren Reiz, den es auf mich ausübt, anders bezeichnen sollte. Es hat den romantischen Timbre, die Versponnenheit, den krausen und hypochondrischen Humor deutsch-seelenhafter Art, – organisch-persönlich verbunden mit Elementen sehr anderer, viel weniger gemüthafter Natur, europäisch-kritizistischen, psychoanalytischen. Das Verhältnis dieses schwäbischen Lyrikers und Idyllikers zur Sphäre der Wiener erotologischen »Tiefenpsychologie«, wie es sich etwa in »Narziß und Goldmund«, einer in ihrer Reinheit und Interessantheit durchaus einzigartigen Romandichtung, offenbart, ist ein geistiges Paradoxon der anziehendsten Art. Es ist nicht weniger merkwürdig und charakteristisch als seine Hingezogenheit zu dem pragerisch-jüdischen Genie Franz Kafkas, den er früh einen »heimlichen König der deutschen Prosa« genannt hat und dem er bei jeder kritischen Gelegenheit eine Bewunderung zollt wie sonst kaum einem zeitgenössischen Dichtergeist.[2] Wäre es möglich, daß ein gewisses Literatentum ihn hausbacken fände? O nein, er ist es nicht. Unvergeßlich ist die elektrisierende, die hoch sensationelle Wirkung, welche vor zwanzig Jahren der »Demian« eines gewissen Sinclair übte, eine Dichtung, die mit geheimnisvoller Genauigkeit den Nerv der Zeit traf und eine ganze Jugend, die wähnte, aus ihrer Mitte sei ihr ein Künder ihres tiefsten Lebens erstanden, zu dankbarem Entzücken hinriß. Und ist es nötig, zu sagen, daß der »Steppenwolf« ein Romanwerk ist, das an experimenteller Kühnheit dem »Ulysses«, den »Faux-Monnayeurs«[3] nicht nachsteht?

Zu tief fühle ich, daß dies im Heimatlich-Deutsch-Romantischen wurzelnde Lebenswerk bei all seiner manchmal kauzigen Einzelgängerei, seiner bald humoristisch-verdrießlichen, bald mystisch-sehnsüchtigen Abgewandtheit von Zeit und Welt zu den höchsten und reinsten geistigen Versuchen und Bemühungen unserer Epoche gehört, als daß ich mich der Ehre und Freude begeben möchte, seinem Meister zu diesem Festtage auch öffentlich meine herzlich bewundernden Glückwünsche darzubringen. Unter der literarischen Generation, die mit mir angetreten, habe ich ihn früh als den mir Nächsten und Liebsten erwählt und sein Wachstum mit einer Sympathie begleitet, die aus Verschiedenheiten so gut ihre Nahrung zog wie aus Ähnlichkeiten. Diese aber haben mich zuweilen erstaunt. Es gibt Dinge von ihm – warum sollte ich es nicht aussprechen?

– wie der »Badegast«[4] und selbst das in Fischers Rundschau erschienene Vorspiel zu seinem mysteriösen Spätwerk vom »Glasperlenspiel«, die ich lese und empfinde, »als wär's ein Stück von mir[5]«.
Ich liebe auch den Mann und den Menschen, seine heiter-bedächtige, gütig-schelmische Art, den tiefen, schönen Blick der leider kranken Augen, deren Blau das hager und scharf geschnittene Gesicht eines alten schwäbischen Bauern erhellt. Recht nahe kam ich ihm persönlich erst vor vier Jahren, als ich, unter dem ersten Choc des Verlustes von Heimat, Haus und Herd stehend, oft in seinem schönen Tessiner Haus und Garten bei ihm war. Wie beneidete ich ihn damals! – nicht nur um seine Geborgenheit im Freien, sondern vornehmlich um das, was er an zeitig gewonnener seelischer Freiheit vor mir voraus hatte, seine absolut philosophische Distanziertheit von aller deutschen Politik ... Es gab nichts Wohltuenderes, Heilsameres in jenen verworrenen Tagen als sein Gespräch.
Und so denn noch einmal: Dank und Glückwunsch! Daß der Vergeistigung seiner höheren Jahre die plastischen Kräfte treu bleiben werden, deren ein offenbar so gewagt-spiritueller Traum-Entwurf wie das »Glasperlenspiel« zu seiner Verwirklichung bedarf, dafür scheint mir Hesses Humor zu bürgen, sein gerade in den sichtbaren Bruchstücken des Spätwerkes hervortretender sprachlicher Übermut, seine innerste Künstlerlustigkeit. Wir wünschen ihm Gelingen und Vollendung. Auch wünschen wir – indem wir uns über seinen eigenen Mangel an Ehrgeiz billig hinwegsetzen – daß sein Ansehen immer tiefer in die Welt hineinwachsen, sich immer weiter darin verbreiten und ihm die Ehrung erwirken möge, die längst fällig gewesen wäre, heute aber einer besonders sinn- und ausdrucksvollen Kundgebung, auch einer witzigen Auskunft übrigens, gleichkäme: die Krönung mit dem schwedischen Weltpreis für Literatur.

1 »Neue Zürcher Zeitung«, Freitag, 2. Juli 1937, Morgenausgabe, Nr. 1192
2 Hesse schreibt schon 1925 an den Verleger Kurt Wolff: »Ich bin ein großer Verehrer von Kafka« und bittet um seine bei K. W. erschienenen »kleineren Sachen«. Vgl. auch Hesses Kafka-Rezensionen W. A. Bd. 12 bzw. »Eine Literaturgeschichte in Rezensionen und Aufsätzen« a. a. O. S. 477 ff.
3 »Ulysses« von James Joyce, die »Falschmünzer« von André Gide.
4 Gemeint ist: »Kurgast. Aufzeichnungen von einer Badener Kur«, Berlin 1925. Die kleine Abwandlung ist sehr charakteristisch. Wie einst Jean Paul: Dr. Katzenbergers Badereise, sprach Th. M. von Badereisen und Badekuren. In seinem – solchen »Entstellten Zitaten« gewidmeten – Aufsatz bemerkt Emil Staiger von diesen: »Sie werden ... in einen anderen Stil übersetzt. Wer zitiert, nimmt etwas auf, das ihm gemäß ist, das ihm gefällt ... Das Zitat verwandelt sich unmerklich ... Es wird in Wahrheit *angeeignet.*« (E. Staiger: »Dichtung und Interpretation«, Zürich 1955 S. 162)
5 T. M. zitiert hier die letzte Zeile der zweiten Strophe von Ludwig Uhlands bekanntem Gedicht »Der gute Kamerad«.

64

7. Juli 1937

Lieber Thomas Mann

Nachdem ich nun zweimal Geburtstag gefeiert habe, am 2. in Schloß Brestenberg am Hallwiler See mit Ninon, meinen Söhnen und drei alten Freunden[1] und gestern hier zuhause, ganz ohne alles Offizielle, möchte ich Ihnen, wie ich es in Kürze schon tat, nochmals sagen, daß Sie mir mit Ihrem schönen, lieben, gescheiten und gutgelaunten Aufsatz eine der größten Freuden dieser Tage gemacht haben, und Ihnen dafür danken. Außerdem bekam ich Ihren telegraphischen Glückwunsch und bekam aus Ihrem Hotel, also vermutlich durch Ihre gütige Vermittlung, die Geschenke von Freund Bermann und Tutti[2] (entzückende Geschenke übrigens) zugesandt.

Es ging mir in letzter Zeit nicht gut, und eine lächerliche kleine Halsentzündung mit ganz geringem Fieber hat mich unverhältnismäßig geschwächt, darum machte der Geburtstag immerhin Mühe, namentlich die Tage in Brestenberg. Indessen war viel Schönes dabei, oft fühlte ich mich eher beschämt oder auch mißverständlich gefeiert, aber schließlich schluckte ich den ganzen süßen Trank mit recht angenehmen Gefühlen hinunter, es kommt ja selten vor, daß man Anerkennung und Liebe erfährt, ohne daß zugleich entweder lästige Forderungen gestellt oder häßliche Nebengefühle mit abreagiert werden. Diesmal war, soweit ich bis jetzt sehe, nichts dergleichen dabei, ich schwamm wie eine Forelle in Butter und kam mir einen Moment vor wie einer, der träumt er sei ein Würdenträger.

Sie kennen das und kennen auch die andre Seite: die vielen hunderte von Briefen etc, die man lesen soll, und von denen ich noch etwa drei Viertel ungeöffnet liegen habe.

Ehe diese Arbeit mir das Fest wieder entleidet, wollte ich Ihnen nochmals von Herzen danken für Ihre Gesinnung. Man kann leicht Freunde erwerben, ich habe es damit selten schwer gehabt, aber Freunde, von denen man nicht einseitig, sondern

quasi rundherum gekannt und verstanden wird, sind kaum zu finden, darum auch ist Ihr Aufsatz mir so lieb.
Möchte es doch mit Ihrem Leiden vorwärts gehen, vielmehr mit dessen Heilung! Es verdrießt mich recht sehr, Sie krank zu wissen.
Sollte vielleicht Bermann mit Tutti bei Ihnen sein, so grüßen Sie sie bitte vielmal und sagen Sie ihnen, daß wir beide an ihren wundervollen Gaben die größte Freude haben, und daß ich bald schreiben werde.

Herzlich Ihr Hermann Hesse

1 Alice u. Fritz Leuthold, Louis Moilliet, Margit u. Max Wassmer.
2 Vgl. Brief 29, Fußnote 2.

65

Küsnacht 10. VII. 37

Lieber Herr Hesse,

ich bin froh, daß mein Zeitungsgruß vor Ihnen bestanden hat. Aber Sie hätten sich nicht gleich mit Danksagungen beschweren sollen. Ich finde, an solchem Tage darf man es ruhig den anderen überlassen, sich ein bischen anzustrengen. Der Briefschreibe-Bankrott ist ohnedies unvermeidlich. Und für eine so schöne, rührende Gegengabe habe ich nun wieder zu danken![1] – Mögen die Feststrapazen und all die Zutunlichkeit Sie doch erquickt und erheitert haben. – Sie sehen mich zurück in Küsnacht, – nicht ledig meiner Schmerzen; aber in Ragaz war nichts weiter zu holen, und ich muß nun in Geduld die verheißene Nachwirkung abwarten.

Ihr Thomas Mann

1 Vermutlich der Privatdruck von Hesses im Mai 1937 geschriebenem Gedicht »Orgelspiel«.

66

[Poststempel 29. 10. 1937]

Lieber Herr Thomas Mann

Ich bekam die neue Ausgabe des »Krull« zugesandt und nehme an, daß ich das Ihnen verdanke.[1] Es freut, ja entzückt mich, daß dieses wundervolle Fragment wieder erscheint, und daß mir der Genuß bevorsteht, sogar einen neuen Teil der Dichtung zu lesen. Haben Sie vielen Dank!

Wir haben einen anstrengenden, hübschen aber arg überfüllten Sommer gehabt, Lugano war beständig voll von Fremden, und so bekamen auch wir eine unheimlich vermehrte Zahl von Besuchen. Auch R. Binding erschien eines Tages. Ich hoffe sehr, Sie seien von dem Übel, das Sie nach Ragaz führte, befreit. Von meiner Frau soll ich Sie beide sehr grüßen.

Herzlich Ihr

Hermann Hesse

1 Erweiterte Neuauflage des Fragments der »Bekenntnisse des Hochstaplers Felix Krull«, Amsterdam, 1937.

2 R. G. Binding (1867-1938) und sein Sohn Karl besuchten Hesse am 9. 10. 1937.

67 Postkarte

Küsnacht 1. XI. 37

Lieber Herr Hesse, Dank für Ihre Worte unter dem reizenden Aquarell! Es ist nicht mehr als recht und billig, daß Querido[1] Ihnen den Krull geschickt hat. Haben Sie Spaß an den neu hinzugefügten Scherzen! Mir geht es besser und ich kann thätig sein. Anfang nächsten Jahres muß ich wieder nach Amerika. Herzliche Grüße von Haus zu Haus!

Ihr Thomas Mann

1 Emanuel Querido (1871-1943) holländischer Verleger, der seinem Verlag 1933 deutsche Abteilungen angliederte, die sich der in Deutschland verfemten Literatur annahmen.

68 MASS UND WERT
Zweimonatsschrift für freie deutsche Kultur
Herausgegeben von Thomas Mann und Konrad Falke
Redaktion Ferdinand Lion
Verlag Oprecht Zürich
Rämistr. 5, Tel. 46.262 u. 42.795

Dr. Thomas Mann, Küsnacht bei Zürich 16. XII. 37

Lieber Herr Hesse,
Das ist ja großartig! Vielen herzlichen Dank! Ihre wunderschönen Gedichte werden der Zeitschrift eine große Zierde und Hilfe sein.[1] Sie sollen so bald wie möglich, also im vierten Heft erscheinen.
Alles Gute Ihnen und Ihrer lieben Frau.

Ihr Thomas Mann

1 Drei Gedichte Hermann Hesses: In einem alten Tessiner Park. 1. Gartensaal, 2. Durchblick ins Seetal, 3. Roter Pavillon. Vgl. W. A. Bd. 1, S. 111 ff.

69

Küsnacht 8. IX. 38

Lieber Herr Hesse, herzlich habe ich mich gefreut, von Ihnen zu hören. Dank für Ihre Zeilen und meine bewundernde Hochachtung für Ihre helfende Thätigkeit in dieser greuelvollen Zeit.[1] In der Schweiz können Sie mehr thun als ich, aber ein paar mal konnte ich doch auch erleichternd eingreifen; so konnten wir Rob. Musil[2] wenigstens für die ersten Monate im Ausland leidlich versehen.

Der arme Amann.[3] Viel Glauben habe ich nicht, daß ich für sein Manuskript etwas erreichen kann. Das Beste scheint mir im Augenblick, Ihrem Hinweis zu folgen und es an Welti[4] weiterzugeben, da er sich ja dafür interessiert. Ich werde ihm anheimstellen, es mir nach Princeton wieder zukommen zu lassen, wohin wir schon in den nächsten Tagen übersiedeln. Es ist mir schmerzlich, Sie und Ihre liebe Frau vorher nicht mehr zu sehen. Aber wenn die große Abrechnung nicht kommt, werde ich sicher nächsten Mai für einige Monate wieder hier sein.

Ihr Thomas Mann.

1 Im Juli 1938 schrieb Hesse an Peter Weiss: »Ich habe jetzt seit Monaten jeden Tag ... mit den Nöten der Flüchtlinge etc. zu tun, es ist schon beinah wie einst im Krieg, wo ich mehr als drei Jahre lang Fürsorgearbeit für die Kriegsgefangenen tat«. Und im August an Ernst Morgenthaler: »Die Emigranten geben viel Arbeit, man muß für sie mit der Fremdenpolizei kämpfen, muß sie unterbringen, muß für sie Einreisemöglichkeiten in andre Länder suchen helfen, wir hatten mit Bureaus der halben Welt zu tun, dazu kamen die vielen Abschriften von Einreisegesuchen, von Zeugnissen, Lebensläufen etc.« Vgl. »Materialien zu H. H.'s ›Das Glasperlenspiel‹ Bd. 1« a.a.O.

2 Robert Musil (1880-1942) emigrierte 1933 von Berlin nach Wien, 1938 in die Schweiz. Hesse setzte sich im November 1938 bei der Schweizerischen Fremdenpolizei für ihn ein und hat dazu beigetragen, daß Musil sich die letzten Jahre seines Lebens in Genf niederlassen konnte. Ende Dez. 1938 bedankte er sich dafür in einem Brief an Hesse. Bereits 1931 und 1933 hatte H. H. in Rezensionen auf Musils Roman »Der Mann ohne Eigenschaften« aufmerksam gemacht. Vgl. H. H., »Eine Literaturgeschichte in Rezensionen und Aufsätzen« a. a. O. bzw. W. A. Bd. 12 S. 470 f. Thomas Mann rezensierte das Werk 1932 gleichfalls, vgl. G. W., 1960, Bd. XI, S. 782 ff.

3 Paul Amann (1884-1958), österreichischer Philologe und Kulturhistoriker, korrespondierte ausgedehnt mit Th. M. (Thomas Mann: Briefe an Paul Amann, Lübeck, 1960). Emigrierte 1939 nach Frankreich, 1941 in die USA.
4 Jakob Rudolf Welti (* 1893), der derzeitige Feuilletonredakteur der Neuen Zürcher Zeitung.

70

Poststempel 15. XI. 38

Lieber Herr Thomas Mann! Ich muß Ihnen einen Gruß senden, ich habe eine *große Freude* an Ihrem Schopenhauer[1] gehabt. Bei mir wird, nach einem unerquicklichen und höchst anstrengenden Jahr, die Kur in Baden wieder fällig.
Es grüßt Sie und die Ihren herzlichst Ihr

H. Hesse

1 Der Essay »Schopenhauer« erschien in der Schriftenreihe »Ausblicke« des Bermann-Fischer Verlages, Stockholm, 1938. Später englisch als Vorwort der Auswahl »The Living Thoughts of Schopenhauer«.

71

Princeton, N. J. 6. XII. 38

Lieber Herr Hesse,
das ist nun wieder mir eine große Freude und Genugtuung, daß Ihnen der »Schopenhauer« gefallen hat. Ich sollte 20 Seiten schreiben für eine amerikanische Kurz-Ausgabe, und dann wurde es dies Büchlein. Der ersten Hälfte merkt man, fürchte ich, den ursprünglichen Zweck etwas an: die Vorlegung des Systems ist etwas dürftig. Nachher geht es wärmer zu.
Von Herzen wünsche ich, daß die Kur in Baden, die nun wohl schon zurückliegt, Ihnen recht wohl gethan hat. Wir sind hier zur Zufriedenheit installiert. Ich schreibe an meinem Goethe-Roman[1] und halte manchmal Vorlesungen. Zu Weihnachten werden wohl alle Kinder bei uns sein.
Möchte es uns vergönnt sein, im Sommer die Schweiz zu besuchen und vielleicht auch Sie zu sehen. – »Unerquicklich« und »anstrengend« sind freundliche Worte für dieses Jahr. Ob diese englischen Staatsmänner wußten, was sie thaten?[2] Ich fürchte, sie wußten es.
Freundschaftlich, mit vielen Grüßen an Frau Ninon,

Ihr Thomas Mann.

1 »Lotte in Weimar«
2 Am 29. 9. 38 war das Münchner Abkommen zwischen Hitler, Mussolini, Chamberlain und Daladier. Die Tschechoslowakei mußte das Sudetenland an Deutschland abtreten. Ihm voraus ging der Besuch des englischen Premierministers Sir Neville Chamberlain und des Außenministers Lord Halifax bei Hitler in Deutschland, um den Frieden zu erhalten. Vgl. T. M., »Dieser Friede«, Stockholm, 1938, bzw. G. W. 1960, Bd. XII, S. 829 ff.

72 *Postkarte*

Grand Hotel »Huis Ter Duin«
Noordwijk aan Zee
7. VII. 39

Lieber Herr Hesse, Dank für das schöne, schöne Gedicht! Ich habe es aus Princeton erhalten. Wir sind Ihnen näher als Sie dachten und hoffen immer noch, etwas zaghaft nachgerade, diesen Sommer auch noch in die Schweiz zu gelangen. Wie gern sähen wir Sie wieder! Aber vielleicht werden wir gut thun, uns schleunig wieder aus diesem Erdteil davon zu machen, um nicht von unserer Basis abgeschnitten zu werden.
Pfarrer Fiedler[1] schrieb mir entzückt von seinem Besuch bei Ihnen.
Unsere Grüße an Frau Ninon!

Ihr Thomas Mann.

1 Kuno Fiedler hatte Hesse am 8. oder 9. Mai 1939 in Montagnola besucht.

73

Princeton. N. J. Weihnachtstag 1939

Lieber Herr Hesse,
welches Vergnügen haben Sie mir mit Ihren freundlichen Worten über »Lotte«[1] gemacht! Daß Ihre Frau und Sie Freude an dem Buch hatten, beweist mir, daß eben doch einige Freude darin gebunden ist und frei wird beim Kontakt mit den rechten Lesern.
Besonders danke ich Ihnen, daß Sie Ihren Gruß auf einen Abzug der Verse schrieben, die ich ja schon in »Maß und Wert« mit solcher Genugtuung und Bewunderung begrüßt hatte. Es ist eine echt dichterisch große und gütige Art, das Zeitalter so mit den Augen der verschiedenen Welt- und Lebenstypen zu sehen, in jede geistige Form freundlich einzutreten, aber am tiefsten und sympathievollsten in die der Kinder![2]
Herzlich-weihnachtliche Grüße und Wünsche!

Ihr Thomas Mann

1 T. M., »Lotte in Weimar«, Stockholm 1939
2 H. H., »Kriegerisches Zeitalter«, 1939 (1. Zeile: Müßt ihr denn schon wieder kriegen?) mit den Stimmen: Der alte Mann, Der Patriot, Der Krieger, Der Jüngling, Die Kinder. In »Maß und Wert« III, 1 (Nov./Dez. 1939)

74

13. II. 40

Lieber Herr Mann

Dieser Tage fahre ich einmal wieder, diesmal nach mehrjähriger Pause, zur Kur und zu meinem Arzt nach Baden, und daß ich dorthin eine neue Dichtung von Ihnen mitnehmen kann[1], ist mir eine große Freude. Das Büchlein reist in guter Gesellschaft nach Baden, mit einem Bande Swift, einem Band Unamuno, der Ilias und der schönen neuen Aufsatzsammlung von Karl Voßler in zwei Bändchen[2].

Gedacht habe ich viel an Sie, schon im Zusammenhang mit Ihrer Aktion für Emigranten, bei der sich hier A. Ehrenstein[3] besonders herzlich und selbstlos bemüht hat.

Lieb wäre es mir, wenn Sie unsern Freund Bermann[4] grüßen wollten, ich habe seine Adresse nicht, ich danke Ihm für die beiden neuen Bücher und wünsche ihm von Herzen Gutes drüben. Für Frau Fischer[5] kann ich je und je etwas besorgen, namentlich ihre Korrespondenz mit ihrem Bruder, der nach Amerika strebt, zur Zeit aber nach der Flucht aus Paris noch in der franz. Pyrenäen sitzt.

Bei uns sieht es nicht hübsch aus. Meine Frau erliegt beinahe, innerhalb ihrer Familie und Freundschaft ist so viel Gräßliches geschehen, und das hat sich seit der Besetzung Polens und dem russischen Einmarsch in Bessarabien noch gehäuft: die einen sind von den Rumänen umgebracht, die andern von den russischen Befreiern »ins Innere« verschickt worden etc.

Mir schiene nichts so wünschenswert, als die Augen schließen und der entstellten Welt den Rücken wenden zu dürfen. Doch lasse ich nicht nach und hoffe trotz allem, namentlich auch trotz der zunehmenden physischen Schwäche, noch den langen Faden meiner Arbeit zu Ende zu spinnen. Einst lasen Sie, bei Ihrem ersten Besuch in Montagnola, die ersten Seiten dieser Arbeit, jetzt sind, der Quantität nach, wohl etwa drei Viertel davon fertig.

Seien Sie Beide herzlich gegrüßt, solang noch eine Post zu Ihnen hinüber geht!

Ihr H. Hesse

1 T. M., »Die vertauschten Köpfe«. Eine indische Legende. Stockholm, 1940.
2 Karl Vossler, »Aus der romanischen Welt«, Leipzig 1940.
3 Albert Ehrenstein (1886-1950) österr. Dichter und Essayist, lebte von 1932-1941 in der Schweiz, emigrierte sodann in die USA, starb 1950 in New York.
4 Nach 2 1/2-monatiger »Schutzhaft« wegen antinationalsozialistischer Betätigung war G. Bermann Fischer aus Schweden ausgewiesen worden. Er emigrierte in die USA, wo er 1941 mit Fritz Landshoff die L. B. Fischer Corp., New York, gründete.
5 Hedwig Fischer (1871-1952), die Witwe Samuel Fischers.

75

Hotels Windermere Chicago 2. Jan. 1941

Lieber Hermann Hesse,

Ihren Brief mit der schönen Kopf-Zeichnung, die die häusliche Atmosphäre des Schreibers bringt, habe ich richtig erhalten und große Freude daran gehabt. Er war nicht datiert und »opened by Examiner«, wahrscheinlich auf Bermuda, und ich weiß nicht, wie lange er gebraucht hat, den Weg zu mir zu finden. Möchten zu irgend einer Frist auch diese Dankeszeilen noch richtig in Ihre Hände gelangen, um Ihnen zu sagen, wie oft unsere Gedanken zu Ihnen und überhaupt in das Schweizerland gehen, dem fünf Lebensjahre uns so herzlich verbunden haben.

Ich vergesse nie, wie wir zuerst, nach dem Umsturz, der Nicht-Heimkehr, der Entwurzelung, bei Ihnen waren, und wie neiderregend, aber auch wie stärkend und beruhigend Ihre Existenz damals auf mich wirkte. Das ist lange her, man hat die Episode als Epoche zu nehmen gelernt, hat trotz allem gelebt, geleistet und sich behauptet, aber mit der Frage nach der Schweiz ist natürlich immer auch die verbunden, ob man sie und Europa je noch einmal wiedersehen wird. Gott weiß, ob die Lebenskraft und Dauerhaftigkeit dazu reicht. Ich fürchte – wenn fürchten das rechte Wort ist –, daß es ein lang hinrollender Prozeß sein wird, der jetzt im Gange ist, und daß, wenn die Wasser sich verlaufen, ein so bis zur Unkenntlichkeit verändertes Europa da sein wird, daß von Heimkehr, selbst wenn sie physisch möglich ist, kaum die Rede wird sein können. Übrigens ist so gut wie gewiß, daß auch dieser Erdteil hier, der zum Teil noch von Isolierung und Bewahrung seines »way of life« träumt, sehr bald in die Veränderungen und Umwälzungen hineingezogen werden wird. Wie könnte es anders sein? Wir gehören alle zusammen und sind nicht so weit von einander, wie es scheint, was ja auch wieder ein Trost und eine Stärkung ist.

Schmerzlich war es mir von den Sorgen und Leiden Ihrer lieben Frau um ihre Angehörigen und Freunde zu hören. Das Menschenelend, das diese unseligen Geschichtemacher rings herum anrichten, schreit zum Himmel und ist längst unsühnbar geworden, so daß man auf wirkliche und klare Genugtuungen nicht mehr zu hoffen wagt. Soviel aber glaube ich: daß all dies Elend noch schwer auf das verbrecherisch abenteuernde Deutschland zurückfallen wird.

So oder so trifft es jeden. Unsere zweite Tochter, Monika, hat bei dem Untergang der »City of Benares« ihren Mann[1] verloren, während sie selbst, da sie sich 20 Stunden lang in den Wellen – es ist ganz unverständlich – an den Rand eines lecken Bootes zu klammern vermochte, gerettet wurde. Sie ist jetzt bei uns in Princeton, eine gebrochene kleine Seele. Auch mein Bruder Heinrich und unser Golo sind glücklich herüber gelangt. Dagegen ist es uns noch nicht gelungen, einen Bruder meiner Frau,[2] der Professor in Brüssel war, aus Frankreich zu befreien. Frau Fischer und ihre Tochter haben das Visum und warten nur auf Reisegelegenheit. Bermanns, mit denen wir im Sommer in Californien zusammen waren, haben sich in Old Greenwich, Conn. (die Adresse genügt) nicht weit von New York niedergelassen, und der Mann erweist sich weiter als unternehmend und thätig. Er gefällt den Amerikanern und wird sich durchsetzen.

Eine große und schöne Nachricht Ihres Briefes war, daß Sie an der Arbeit festhalten, und daß Ihr wundersames Romanwerk im letzten Viertel steht. Davon gilt, wenn von irgend etwas: »Das möcht' ich noch erleben«.[3] Am Ende ist's wichtiger, als der »Ausgang« des Krieges, der vielleicht gar keinen hat, sodaß eben nur alles weiter ins Unabsehbare rollt. Ich darf sagen, ich mache es wie Sie, halte und unterhalte mich unterdessen, so gut ich kann. Mit dem metaphysischen Spaß[4], der Sie nach Baden begleitete, werden Sie lächelnd vorlieb genommen haben. Immerhin, er zeigt, wie man sich frei und im Innersten bei Laune zu halten weiß. Die Geschichte bildete gewissermaßen den Rückweg von der »Lotte« zum »Joseph«, an dem ich nun wieder schreibe. Aber viele Unterbrechungen durch broadcast, lectures, Reisen, Ansprüche des Tages und der »Welt« sind in Kauf zu nehmen.

Hier sind wir für einige Tage zum Besuch unseres zweiten Enkelkindes, der vier Wochen alten Angelica Borgese[5]. Das erste, ein Knabe,[6] Sohn unseres Jüngsten, Michael und seiner kleinen Zürcherin[7], ist in Carmel, Californien, einer Landschaft, die uns im Sommer sehr für sich gewonnen hat, und wohin wir im Frühjahr wohl unseren Wohnsitz verlegen werden. Wir haben bei Santa Monica, nahe dem Ozean, ein schön gelegenes Grundstück mit sieben Palmen und einer Menge Citronenbäumen erworben und möchten dort bauen – wenn nicht der Krieg, dem wir wohl nahe sind, die Preise zu sehr in die Höhe treibt.

Leben Sie wohl, lieber Herr Hesse, und lassen Sie uns auf ein Wiedersehen hoffen! Sie werden hierher nicht kommen, warum sollten Sie. Aber vielleicht gibt uns die Weltgeschichte doch noch einmal den Weg zu Ihnen frei.

Ihr Thomas Mann.

1 Jenö Lanyi (1902-1940) ungarischer Kunsthistoriker, mit Monika Mann seit 1939 verheiratet.

2 Peter Pringsheim (1881-1963) Professor für Physik in Berlin, nach 1933 in Brüssel, 1941 in Chicago, nach Kriegsende wieder in Deutschland.

3 Fontanes Gedicht: »Ja, das möcht' ich noch erleben« – hier die letzten Zeilen:
»Doch wie tief herabgestimmt / Auch das Wünschen Abschied nimmt / Immer klingt es noch daneben: / Ja, das möcht' ich noch erleben.«

4 »Die vertauschten Köpfe«.

5 (* am 30. 11. 1940)

6 Fridolin Mann (* 31. 7. 1940)

7 Gret Mann (geb. Moser)

76

Montagnola Ende März 41

Lieber Herr Thomas Mann

Ihr Brief vom 2. Januar, der am 3. Februar hier eintraf, war mir eine große Freude. Aber das Erlebnis Ihrer Tochter Monika hat uns sehr entsetzt! Und inzwischen haben sich, nur in unserem privaten Kreis, neue Greuel, Verluste, Teufeleien gehäuft, man schämt sich Zeitgenosse dieser kalt und böse betriebenen Hölle zu sein, und mein im Grunde christliches Gemüt, anima christiana, hegt den Verdacht, es sei das Ganze der materiellen Weltgeschichte, genauer besehen, auch nur so ein widerliches Blutgerinnsel, mit welchem zusammenzuhängen für den Einzelnen lediglich beschämend sei. Die indische Mythologie, kindlicher zugleich und tapferer, läßt die Welt immer wieder von Zeitalter zu Zeitalter verkommen, verderben und ausgelaugt werden, bis Shiwa sie in Splitter tanzt, und Vishnu, irgendwo auf der Wiese liegend oder auf den blauen Wogen, lächelnd aus seinen Träumen eine junge, schöne, unschuldige und selige Welt werden läßt.

Übrigens, Ihre indische Legende hat mir, wie Sie ja denken können, sehr viel Freude gemacht, ihr Spiel zwischen Ernst und Mutwille ist einzigartig, einigemal geht es aus der urbanen Sphäre so munter ins nahezu Rabelaisische hinüber.

Daß Mädi geheiratet hat und Mutter ist, war uns eine Überraschung, für mich ist sie, als Bild, noch das Skiläuferkind von 1930. Ist ihr Mann der einstige Mailänder Literat[1] oder schon dessen Sohn?

Die arme Annette Kolb[2] sitzt seit vielen Wochen in Lissabon, auf Überfahrt wartend, hat dort ihr bisschen Geld und Kraft nahezu verzehrt. Endlich hatte sie Platz in einem Clipper bekommen, und schließlich teilt man ihr, zwei Stunden vor Abfahrt, mit, der Clipper nehme überhaupt keine Privatpersonen mehr mit, und sie möge sich nach einem Schiffsplatz umsehen. Wie lange das wieder dauern wird?

Dieser Tage kam ein merkwürdiger Besuch: Momme Nissen,

einst der Schüler, Freund und Prophet Langbehns, des Rembrandtdeutschen[3]. Ich wußte nur vom Hörensagen, daß einst sowohl Langbehn wie Nissen katholisch geworden sei. Nun erschien ein schöner, groß und gut gewachsener Dominikanerpater. Er war Jahrzehnte lang Pater und Priester in Deutschland und ist seit etwa 1935 in der Schweiz, nicht nur Gast übrigens, sondern beschäftigt, er ist der Beichtvater eines Frauenklösterchens in Ilanz.

Mit der Gicht geht es mir wieder schlecht, schon der Winter war häßlich, und jetzt im Frühling ist es oft schwer erträglich. Die Feder halten kann ich nicht, die rechte Hand ist seit Wochen besonders stark mitgenommen; an der Maschine kann ich täglich ein klein wenig schreiben, nachdem die Wirkung von zwei bis drei Dosen Salizyl sich akkumuliert hat, sie hält nicht lange an und hinterläßt einen mehr als dummen Kopf mit Ohrensausen. Man schämt sich seiner selbst. Zum Glück besteht Hoffnung auf Besserung, ich war schon einigemal in ähnlicher, wenn auch nicht ganz so übler Lage, und es verlor sich dann doch so ziemlich wieder.

Falls H. Meisel[4] noch bei Ihnen ist, bitte ich ihn zu grüßen. Ihnen und Ihrer lieben Frau die herzlichsten Grüße von uns beiden!

Ihr H. Hesse

1 Giuseppe Antonio Borgese (1882-1952), ursprünglich Professor für deutsche Literatur in Rom und Mailand. 1931 Emigration in die USA. 1941 Ordinarius für italienische Literatur an der Universität Chicago.

2 Die Schriftstellerin Annette Kolb (1875-1967) mit T. M. u. H. H. befreundet, mit H. H. seit 1915 in Briefwechsel.

3 Julius Langbehn (1851-1907), Verfasser des 1890 anonym erschienenen Werkes »Rembrandt als Erzieher«. Vgl. Momme Nissen, »Der Rembrandtdeutsche J. L.«, 1926.

4 Hans Meisel, Schriftsteller und Übersetzer, geb. 1900, damals Thomas Manns Sekretär in Princeton.

77

Pacific Palisades, California 13. Juli 41

Lieber Herr Hesse,

Ein Brief aus der Schweiz und einer von Ihnen, das ist viel Freude. Sie glauben nicht, mit welcher Angelegentlichkeit ich so ein Post-Stück mit der Helvetia-Marke unter den dummen amerikanischen Lang-Couverts hervorziehe und ihm den Vorzug gebe vor allem andern. Merkwürdig genug, die Schwyzer haben sich gegen uns Vaterlandslose, die wir mit unserer Regierung auf schlechtem Fuße standen, doch garnicht so besonders nett benommen. Dennoch haben mich die fünf dort verbrachten Lebensjahre dem Lande so herzlich attachiert, daß das Gedenken daran dem Heimweh zum Verwechseln ähnlich sieht. Es ist ein Trost, daß die von Ihnen so zutreffend gekennzeichnete Weltgeschichte den Kontakt mit der Schweiz und den dortigen Freunden noch hat bestehen lassen, und der wichtigste und würdigste dieser Kontakte ist der mit Ihnen.

Ihr Brief, von Ende März, ist alt genug, daß ich hoffen darf, Ihre gichtischen Beschwerden, die damals eine wirkliche Beeinträchtigung gewesen sein müssen, möchten sich unter dem Einfluß der guten Jahreszeit längst wieder gebessert haben. Sie werden sich noch manchmal verschlimmern und wieder bessern, und Sie werden aushalten – vor allem einmal, um das heiter-geheimnisvolle Buch von Glasperlenspiel fertig zu stellen, das für die Späteren gewiß zu den zwei, drei rechtfertigenden Hervorbringungen dieser hundsföttischen Epoche gehören wird. Ich freue mich dauernd darauf.

Meinerseits muß ich wohl sehr dankbar sein, daß die Jahre mich mit körperlichen Quälereien und merklichen Herabsetzungen vorläufig so gut wie ganz verschont haben. Neigung zu Müdigkeit, Empfindlichkeit gegen Unregelmäßigkeiten des Lebens, das war eigentlich immer da und machte sich nicht wesentlich stärker bemerkbar; ich bin im Alter so ziemlich der Alte geblieben. Das Klima des amerikanischen Ostens freilich, mit seiner feuchten Hitze im Sommer (die gerade dieses Jahr

unausstehlich sein soll) und seinen Polar-Winden im Winter, hatte ich satt; und da man als Europäer nur die Wahl hat zwischen New York und Umgebung und diesem zweiten kulturellen Centrum im Westen, Los Angeles und Zubehör, so haben wir in Princeton unsere Zelte abgebrochen und uns hier niedergelassen, – vorläufig in einem hübsch ländlich gelegenen und bequemen Mietshäuschen, nahe dem Meer, 25 Minuten Wagenfahrt von Hollywood. Sogar aber sind wir im Begriffe, uns nahe von hier auf einem schon vorigen Sommer erstandenen Grundstück ein eigenes Häuschen zu bauen. Das geht schnell hier; aus Holz und Beton ist in 3 Monaten etwas sehr Wohnliches, mit allem Comfort der Neuzeit Ausgestattetes erstellt. Der Platz ist auf einem Hügel mit Blick auf den Pacific und die Berge sehr schön gelegen, mit einer Menge Citronenbäumen und sieben Palmen bestanden, weshalb denn auch der Name »Seven Palms House« in Aussicht genommen ist.
Moni, die arme kleine Witib, ist bei uns und führt ein leises, resigniertes Leben. Golo erwarten wir. Wir hoffen, ihn an einem College irgendwo in der Nähe als Lehrer der Geschichte, des Deutschen, des Französischen, oder worin immer man will, unterzubringen. Klaus muß in dem dampfenden New York bleiben im Interesse seiner literarischen Zeitschrift »Decision«[1], die ihm viel Mühe, Sorge und Freude macht. Er schreibt nur noch englisch, short stories, essays, was Sie wollen, und zwar mit erstaunlicher Natürlichkeit und Beherrschung des Wortschatzes. Ich kann da nicht mehr so mit. Amerikaner fragen mich oft, ob ich denn nun nicht den »Joseph« auf englisch zu Ende schreibe. Es ist sehr schwer, ihnen begreiflich zu machen, warum das nicht so recht angeht.
Erika, unsere Älteste, das tapfere Kind, ist wieder in London. Wir haben sie schweren Herzens den gefährlichen Weg nach Lissabon und von da, wie es scheint, zu Schiff nach England ziehen lassen, aber es litt sie nicht in satten Friedenslanden, deren Bewohner noch immer hoffen, ihren »way of life« nach Gewohnheit fortsetzen zu können (was ihnen kaum gewährt

sein wird), und sie wollte aufs neue, wenigstens für einige Monate, die Leiden und Entbehrungen des großartigen Volkes teilen, dem sie ja der Nationalität nach angehört,[2] und das, nach vielen verhängnisvollen Sünden seiner Mächtigen, jetzt so bewunderungswürdig dem Übel widersteht. Sie arbeitet für das britische Informations-Ministerium, das große Stücke auf sie hält. –

Wann sieht man sich wieder, lieber Herr Hesse? Die Frage müßte wohl lauten: *ob* man sich wiedersieht. Es wird ein langer, schrecklicher Prozeß, fürchte ich, und vielleicht muß er lang sein, wenn er die Völker auf eine höhere Stufe ihrer sozialen Bildung bringen soll. Wenn der deutsche Nationalismus und Rassismus, der seit mindestens anderthalb Jahrhunderten die deutsche Intelliganz vergiftet, dabei gründlich ausbrennt, so war es der Mühe wert. Ich bin im Grunde gutgläubig, den Ausgang dieses Welt-Bürgerkrieges betreffend. Schließlich steht der Großteil der Menschheit auf der besseren Seite. Rußland, China, das empire und Amerika, das *ist* ja beinahe die Menschheit, und es müßte doch mit dem Teufel zugehen, wenn all dies Gewicht nicht die Schale senken sollte. Aber vielleicht *geht* es mit dem Teufel zu.

Leben Sie recht wohl! Halten wir uns heiter und tätig!

Ihr Thomas Mann.

1 »Decision. A Review of Free Culture«, herausgegeben von Klaus Mann. Die Zeitschrift erschien von Januar 1941 bis Februar 1942 in 12 Folgen.

2 Im Juni 1935 hatte Erika Mann ihre deutsche Staatsbürgerschaft verloren. Durch ihre Heirat mit Wystan H. Auden (1907-1973) erhielt sie die britische Staatsbürgerschaft.

78

Pacific Palisades, California, 15. März 42

Lieber Herr Hesse,
da meine Bibliothek, soweit noch vorhanden und soweit wieder aufgebaut, nach langer Entbehrung wieder übersichtlich um mich versammelt ist, nämlich in dem neuen eigenen Heim, das wir vor einigen Wochen bezogen haben, fiel mir ein kleines Buch in die Hände, als dessen Herausgeber Sie vor 16 Jahren zeichneten: Schubarts Leben und Gesinnungen[1], und diese köstliche Lektüre, durch Ihr Nachwort eingeleitet, drückt mir, wie Schubart wohl sagen würde, den Kiel in die Hand, i. e. die landesübliche Desk-Fountain-pen, und soll mir der unmittelbare Anlaß sein, Ihnen wieder einmal ein Wort des Gedenkens und eine freundschaftliche Frage nach Ihrem Ergehen zu senden. Ich muß jetzt soviel englisch lesen (tue es übrigens nachgerade mit Vergnügen), daß ich das exuberante Deutsch, in dem der Mann sein rappelköpfiges und zerknirschtes Künstlerleben erzählt, unbeschreiblich genossen habe. Gestern Abend las ich sogar den Meinen daraus vor und habe Thränen dabei gelacht – obgleich es ja keineswegs so gemeint ist. Aber wie charakteristisch und lehrreich sind diese Bekenntnisse doch auch, wie machen sie die Epoche lebendig, und welchen Blick gewähren sie in das städtische und höfische Leben des Deutschland von damals, das wissenschaftliche Treiben, das halbwelsche Kunstwesen, über dem doch Klopstock (»ein Engel, der sich so nennt«) und »der deutsche Arion« Joh. Seb. Bach schweben. Kurzum, Sie haben mich noch nachträglich durch die Gabe von damals zu Dank verpflichtet.
Grund zum Dank und Anlaß zum Schreiben hätte es schon früher gegeben, denn Sie haben mir ja das allerliebste, für Ihre Freunde gedruckte Heftchen mit Briefen und kleiner Prosa[2] geschickt und sollen doch wissen, daß es richtig zu mir gelangt ist und daß ich es mit Freuden in Empfang genommen und gelesen habe. Von diesem Deutsch, noch am Klassisch-Romantischen geschult, sind nun wohl die letzten Reste im Aussterben

begriffen, und der Sinn dafür – übrigens wohl auch schon ein halbironischer Sinn – wird sich in sehr intime Bezirke der äußeren und inneren Emigration zurückziehen. – Trifft es zu, daß nun auch Ihre Bücher im Reiche verboten sind?[3] Man hörte es hier. Es mag bloßer Emigrantentrost sein, aber wundern würd es mich nicht, wenn es wahr wäre und trotz aller Zurückhaltung eine gewisse Unstimmigkeit zwischen Ihrem Wesen und dem da auf die Dauer nicht zu verdecken gewesen und der Totalität unerträglich geworden wäre. Des sehr temporären Charakters dieser »Ausmerzungen aus dem nationalen Leben« sind sich die blutigen Käuze ja wohl selber bewußt, und persönlich werden Sie's aushalten können; die Schweiz wird Sie nicht darben lassen – soweit sie nicht eben selber darbt.

Für den vierten »Joseph«, an dem ich gegen das Ende hin mit geradezu wachsendem Vergnügen arbeite, bin ich entschlossen, auch auf die Reste des europäischen »Marktes« vorläufig zu verzichten. Es ist beim gegenwärtigen Stand der Communication ganz unmöglich, ein irgendwie delikates Buch noch drüben drucken zu lassen. Das hat sich bei Werfels neuem Roman, der Lourdes-Geschichte[4], gezeigt, für deren snobischen Katholizismus und unappetitlichen Wunderglauben ich ihn übrigens derb ausgescholten habe. Das Buch ist von Druckfehlern über und über entstellt – natürlich, da er keine Korrektur lesen konnte. Ich erlaube Bermann das nicht mit dem Joseph. Es wird hier davon neben der englischen eine deutsche Ausgabe hergestellt werden, damit das Original doch vorhanden ist – und damit gut.[5] Es soll nur gerade nicht dahin kommen, daß die Deutschen sich das alles eines Tages aus dem Englischen übersetzen müssen. –

Ob wir einander wiedersehen, lieber Hermann Hesse? Quaeritur. Ob ich Europa wiedersehe? Dubito. Und in welchem Zustande *würde* man es wiedersehen – nach diesem Kriege, dessen Ende für mich ganz unabsehbar, irrational und unrealisierbar ist. Sprechen wir nicht darüber von Continent zu Continent! Man führt unterdessen mit wunderlicher Beharrlichkeit das Seine zu Ende, nichtwahr? – auf die Wahrscheinlichkeit hin, daß das Hergestellte »an den Strand getrieben, wie ein Wrack in Trümmern daliegen und von dem Dünenschutt der Stunden zunächst überschüttet werden« mag. (Letzter Brief an Humboldt.[6]) Ich treibe es so unter äußeren Umständen, für deren Gunst ich nicht dankbar genug sein kann – in dem schönsten Arbeitszimmer meines Lebens. Die Landschaft um unser Haus herum, mit dem Blick auf den Ozean, sollten Sie sehen; den Garten mit seinen Palmen, Öl-Pfeffer-Citronen- und Eukalyptus-Bäumen, den wuchernden Blumen, dem Rasen, der wenige Tage nach der Saat geschoren werden konnte. Heitere Sinneseindrücke sind nicht wenig in solchen Zeiten, und der Himmel ist hier fast das ganze Jahr heiter und sendet ein unvergleichliches, alles verschönendes Licht. Golo und die arme Moni sind bei uns, aber wir erwarten auch Erika, die immer Leben bringt, ein sehr liebes Kind, amüsant auf dem ernstesten Hintergrund; und die Jüngsten werden die Enkelkinder aus Chicago und San Francisco bringen. Von Fridolin,[7] Sohn Bibi's und der kleinen Schweizerin, lege ich ein Bildchen bei.

Lassen Sie mich Gutes hören über Ihre Gesundheit und sagen Sie Frau Ninon von uns beiden herzliche Grüße!

Ihr Thomas Mann.

1 »Schubart. Dokumente seines Lebens«. Hrsg. von Hermann Hesse und Karl Isenberg. Berlin, 1926.

2 Vermutlich den Sonderdruck H. H., »Kleine Betrachtungen« der Büchergilde Gutenberg (Frühjahr 1942).

3 Während des NS-Regimes durften folgende Bücher Hesses nicht nachgedruckt werden: »Der Steppenwolf«, »Betrachtungen« (mit einigen der während und nach dem Ersten Weltkrieg entstandenen politischen Aufsätze) und »Narziß und Goldmund« (wegen eines in der Erzählung vorkommenden Pogroms). Insgesamt waren während der Jahre 1933-1945 in Deutschland 20 Hesse-Titel (einschließlich der Nachdrucke) erhältlich, die im Verlauf der 12 Jahre eine Gesamtauflage von 481 Tsd. Exemplaren erreichten (eine Auflage, die etwa der 1974 im deutschen Sprachraum verkauften Zahl der Hesse-Ausgaben entspricht), wobei allerdings 250 Tsd. auf das 1943 erschienene Reclam-Bändchen »In der alten Sonne« und 70 Tsd. auf die kleine, 1934 in

der Insel-Bücherei erschienene Gedichtauswahl »Vom Baum des Lebens«, entfielen.

4 Franz Werfel, »Das Lied von Bernadette«, Stockholm, 1941

5 Der vierte Band, »Joseph der Ernährer«, erschien 1943 in Stockholm.

6 Dieser letzte Brief Goethes vom 17. März 1832 mit seinem vermächtnisartigen Charakter wird von T. M. oft zur Kennzeichnung eigener Konstellationen zitiert. So erhält sich die »unio mystica« (an Ferdinand Lion 15. XII. 38. Briefe II, a. a. O. S. 72) der Zeit, da er »Lotte in Weimar« schrieb.

7 Vgl. Brief 75, Fußnote 6

79

Montagnola 26. April 42

Lieber Herr Mann! Vor drei Tagen kam Ihr lieber Brief vom 15. März, also verhältnismäßig rasch. Sie haben mir damit eine Freude gemacht, das ist heutzutage etwas wert. Auch freut es mich zu erfahren, daß mein letzter Privatdruck Sie erreicht hat; es sind, namentlich in Deutschland, unheimlich viele Exemplare davon abhanden gekommen. Großes Vergnügen machte uns Beiden auch das ausgezeichnete Bild von Ihnen mit Fridolin, dessen Gesicht so sehr nach dem Ihrer Frau geschnitten ist. Ich habe grade eines von meinem Zürcher Sohn Heiner[1] mit dessen Tochter,[2] das lege ich Ihnen bei.

Wie gut, daß Sie endlich wieder ein Haus und richtiges Arbeitszimmer samt Bibliothek haben und in einem bekömmlichen Klima leben! Dies, und die Nachricht, daß Sie mit Lust am vierten Band des Joseph arbeiten, hat mir richtig wohlgetan.

Sie fragen so freundlich nach meiner Gesundheit, daß ich darauf nicht schweigen kann, doch ist nichts Gutes zu erzählen. Die Gelenkrheumatismen, mir seit vielen Jahren wohlbekannt, haben mich seit beinahe zwei Jahren nicht mehr verlassen, ich habe seit anderthalb Jahren keine Faust mehr gemacht und keinen Gegenstand mehr fest in der Hand halten können, zeitweise konnte ich sogar die Feder nicht mehr halten, das ist aber wieder behoben. So habe ich mich drein ergeben und versuche nur von Zeit zu Zeit, teils durch medizinische Behandlungen und Masseur, teils durch Kuren in Baden die Sache immer wieder ein wenig zu lindern. Dabei ist meine Arbeit nicht sehr gediehen, aber die Geschichte von Jos. Knecht ist nun doch nahezu fertig geworden, etwa elf Jahre nach ihrem Beginn.

Meine Bücher sind in Deutschland nicht verboten, waren aber mehrmals dicht davor und können es jeden Tag von neuem sein, auch waren Zahlungen an mich mehrmals verboten. Über meinen schweizerischen und europäischen Standpunkt weiß man dort natürlich Bescheid, begnügt sich aber im Ganzen damit, mich als »unerwünscht« zu rubrizieren. Zur Zeit ist die Mehrzahl meiner Bücher vergriffen, und die meisten werden natürlich nicht neu gedruckt werden können. Doch dauern ja schließlich Kriege nicht ewig, und wenn ich mir auch die Welt am Ende dieses Krieges nicht vorzustellen vermag, so nehme ich doch naiv an, man werde dann doch unsere Sachen wieder drucken. Zur Zeit hat ein Zürcher Verlag, Fretz, sich in den Kopf gesetzt, eine Gesamtausgabe meiner Gedichte zu machen;[3] bei den Vorbereitungen wurde festgestellt, daß ich etwa elftausend Verszeilen geschrieben habe. Ich erschrak nicht wenig über diese Zahl.

Die Welt bemüht sich, uns alten Leuten den Abschied von ihr recht leicht zu machen. Die Summe von Vernunft, Methode, Organisation, mit der das Unsinnige getan wird, macht einen immer wieder staunen, nicht minder die Summe von Unvernunft und Treuherzigkeit, mit der die Völker aus der Not die Tugend und aus dem Gemetzel ihre Ideologien machen. So bestialisch und so treuherzig ist der Mensch.

Hier spürt man den Krieg längst überall. Meine drei Söhne[4] sind seit drei Jahren Soldat, mit Unterbrechungen und Urlauben, aber überall ist das civile, menschliche, natürliche Leben eingeschüchtert vom Staatlichen. Zuweilen kommt die ganze Kriegerei seit 1914 mir vor wie ein gigantischer Versuch der Menschheit, die überorganisierten Panzer ihrer Staatsmaschinen zu zertrümmern, was ihnen doch durchaus nicht glücken will.

Grüßen Sie die Ihren, vor allem Ihre liebe Frau, recht sehr von uns beiden! Mit allen guten Wünschen

Ihr H. Hesse

1 Heiner Hesse (* 1909), Dekorateur in Küsnacht.

2 Seine Tochter Hellen, gen. Bimba (* 1929), Schauspielerin.

3 H. H., »Die Gedichte«, Zürich, 1942, die erste Sammelausgabe mit 608 chronologisch geordneten Gedichten.

4 Die drei Söhne H. H.'s (aus erster Ehe mit Maria Bernoulli) sind Bruno (* 1905), Maler, Heiner (siehe oben) und Martin (1911-1968), Photograph.

80

Pacific Palisades 8. April 1945

Lieber Herr Hesse,

lange haben Sie nichts von dem nach Wildwest verschlagenen Bruder – oder doch Cousin – im Geiste gehört und hatten doch soviel Recht zu der Erwartung, etwas von ihm zu hören, nach dem erstaunlichen Geschenk, das Sie der geistigen Welt und auch ihm, auch mir, mit Ihrem köstlich reifen und reichen Roman-Monument vom »Glasperlenspiel«[1] gemacht. Aber, Sie wissen, der Verkehr mit der Schweiz war Monate lang abgeschnitten – wenigstens so, daß auf unserer Seite keine Post angenommen wurde –, und dazu, noch während die Sperre dauerte, geriet ich in eine Krankheitsperiode, einsetzend vorigen Herbst mit einer Intestinal-Grippe, die an sich kaum eine Woche dauerte, von der ich mich aber, wie das wohl in unseren Jahren geht, nur sehr langsam erholte und tatsächlich bis zum heutigen Tage nur so leidlich erholt habe. Dazu verhalf auch eine anschließende Zahnkrise, – was wollen Sie, eine finale Regime-Änderung, die den Wiedergewinn der verlorenen 10 Pfund Körpergewicht verhinderte. Kurzum, es handelte sich offenbar um einen, gleichgültig, wie, eingekleideten Altersschub, gegen den garnichts zu sagen ist, und nach welchem mir nun bis zum gottseligen Einnicken die Hosen um den Leib herum zu weit bleiben sollen. Dabei sehe ich aus wie 55, besonders wenn frisch rasiert, und mein Doktor, der von der modernen Idee des völligen Unterschieds zwischen rein zahlenmäßigem und biologischem »Alter« ergriffen ist, rät mir bei jedem Besuch, mir keine Schwachheiten einzubilden. Nun, man muß nur, leicht neugierig, zusehen, wie es mit einem gemeint ist. The readines is all.[2]

Mit Ihnen ist es großartig und wundervoll gemeint. Zu einer Zeit, wo andere ermüden, (und auch die »Wanderjahre«[3], die sich zum Vergleich so nahe legen, sind doch ein hoch-müde, würdevoll sklerotisches Sammelsurium) haben Sie Ihr Lebenswerk übergipfelt und gekrönt mit einer geistigen Dichtung, –

zwar romantisch verwuchert und arabeskenreich, aber doch völlig zusammengehalten, ein in sich ruhendes, kugelrundes Meisterwerk, worin Sie mit eigener Hand die hoch aufgelaufene »Summe Ihrer Existenz[4] ziehen«.
Das Buch kam damals ganz unverhofft, ich hatte nicht gedacht, es so bald nach seinem Erscheinen in Händen zu haben. Wie ich neugierig war! Es gab verschiedene Beschäftigungen damit, rasche und langsame. Ich liebe die ernste Verspieltheit, in der es lebt, sie ist mir heimatlich vertraut. Zweifellos hat es ja selbst sehr viel von einer Glasperlenspiel-Partie und zwar einer sehr ruhmwürdigen – auf »sämtlichen Inhalten und Werten unserer Kultur«, auf der Entwicklungsstufe des Spiels, wo die »Fähigkeit zur Universalität, das Schweben über den Fakultäten«[5] erreicht ist. Ein solches Schweben kommt natürlich der Ironie gleich, die das feierlich gedankenschwere Ganze doch zu einem Kunstspaß voller Verschmitztheit macht und die Quelle seiner Komik als Parodie des Biographischen und der gravitätischen Forscher-Attitüde ist.[6] Die Leute werden nicht zu lachen wagen, und Sie werden sich heimlich ärgern über ihren stockernsten Respekt. Ich kenne das.
Bestürzung war auch unter den Gefühlen, mit denen ich das Werk[7] las, – über eine Nähe und Verwandtschaft, die mich nicht zum ersten Mal beeindruckt, diesmal aber auf besonders präzise und gegenständliche Weise. Ist es nicht sonderbar, daß ich seit Jahr und Tag, seit dem Abschluß meiner »orientalischen« Periode schon, an einem Roman schreibe, einem rechten »Büchlein«[8], das sowohl die Form der Biographie hat wie auch von Musik handelt? Der Titel lautet:

Doktor Faustus
Das Leben des deutschen Tonsetzers Adrian Leverkühn
erzählt von einem Freunde.

Es ist die Geschichte einer Teufelsverschreibung. Der »Held« teilt das Schicksal Nietzsches und Hugo Wolfs, und sein Leben, von einer reinen, liebenden, humanischen Seele berichtet, ist etwas sehr Anti-Humanistisches, Rausch und Collaps. Sapienti sat. Man kann sich nichts Verschiedeneres denken, und dabei ist die Ähnlichkeit frappant – wie das unter Brüdern so vorkommt. –

Zum Schluß: Es ist kein Wunder, daß ein so »schwebendes« Werk wie das Ihre sich gegen die »Politisierung des Geistes«[9] stellt. Nun gut, man muß sich nur über die Meinung verständigen. Wir haben alle, unter argem Druck, eine Art Vereinfachung erfahren. Wir haben das Böse in seiner ganzen Scheußlichkeit erlebt und dabei – es ist ein verschämtes Geständnis – unsere Liebe zum Guten entdeckt. Ist »Geist« das Prinzip, die Macht, die das *Gute* will, die sorgende Achtsamkeit auf Veränderungen im Bilde der Wahrheit, »Gottessorge« mit einem Wort, die auf die Annäherung an das zeitlich Rechte, Befohlene, Fällige dringt, dann ist er politisch, ob er den Titel nun hübsch findet oder nicht. Ich glaube, nichts Lebendes kommt heute ums Politische herum.[10] Die Weigerung ist auch Politik, man treibt damit die Politik der bösen Sache.

Verlangt es uns nicht alle, aus dem Leben zu scheiden mit der Erfahrung, daß zwar auf dem Stern, dessen flüchtige Bekanntschaft wir machten, allerlei literarisch nicht Einwandfreies möglich ist, daß aber Eines, Dieses, das äußerst Schändliche und Verteufelte, das durch und durch Dreckhafte, *denn doch nicht* darauf möglich war, sondern mit vereinten Kräften hinweggefegt wurde? Für mein Teil möchte ich zu diesem Ausgang sogar etwas beigetragen haben, – wenn es das ist, was Sie »Politisierung des Geistes« nennen.

Leben Sie recht wohl, lieber Herr Hesse! Halten Sie sich gut, wie ich versuchen will, es zu tun, damit wir uns wiedersehen!

Ihr Thomas von der Trave[11]

1 Am 29. 4. 1942 hatte Hesse die Arbeit am »Glasperlenspiel«-Manuskript abgeschlossen und den letzten Teil des Manuskripts im Mai an Peter Suhrkamp, den damaligen Leiter des S. Fischer Verlags, Berlin, abgesandt. Doch ist es Peter Suhrkamp nicht gelungen, beim NS-Propagandaministerium die

Publikationserlaubnis zu erreichen, so daß das zweibändige Werk erst im November 1943 bei Fretz & Wasmuth, Zürich, erscheinen konnte.

2 Zitat aus Shakespeares »Hamlet«.

3 Goethe, »Wilhelm Meisters Wanderjahre«. Der erste Teil erschien 1821, das weitere 1829.

4 Goethes Antwort vom 27. August 1794 auf Schillers großen Brief an G. vom 25. August 1794: »Zu meinem Geburtstag ... hätte mir kein angenehmer Geschenk werden können als Ihr Brief, in welchem Sie mit freundschaftlicher Hand die Summe meiner Existenz ziehen.«

5 Hier wird auf die »Einführung« zu Beginn des »Glasperlenspieles« Bezug genommen.

6 Der Höhepunkt der »Verschmitztheit« ist dann noch einmal, daß die Fiktion sich der Parodie als eines Kunstmittels bedient, um das Fingierte »dem Sein und der Möglichkeit des Geborenwerdens um einen Schritt näher« zu führen. Vgl. das Motto des »Glasperlenspieles«.

7 Siehe Anhang.

8 Vgl. auch Thomas Manns Brief vom 4. 1. 1949. Siehe Anhang.

9 Siehe Anhang.

10 Siehe Anhang.

11 Als Glasperlenspielmeister Thomas von der Trave wird der aus Lübeck an der Trave gebürtige Thomas Mann eine mythische Figur des Ordenskapitels – eine Huldigung Hesses an T. M. Siehe Anhang.

81

Montagnola, an Pfingsten 1945
[8. Mai 1945]

Lieber Herr Thomas Mann
Vor einigen Tagen kam Ihr Brief, der mir von Ihnen erzählte und mir von Ihrer Glasperlenspiel-Lektüre erzählte. Das hat mir viel Freude gemacht, besonders auch Ihre Notizen zur spaßhaften Seite des Buches. Und mit besonderer Freude und Spannung las ich natürlich den Titel des »Büchleins«, das Sie beschäftigt. Bei Ihnen scheint die Produktivität länger anzuhalten als bei mir, ich habe seit 4 Jahren nichts mehr geschrieben als ein paar Verse, aber ich bin zufrieden, daß ich das Leben Jos. Knechts noch vor dem Nachlassen der Kräfte zu Ende gebracht habe. Es lag übrigens damals auch ein halbes Jahr in Berlin, da ich durchaus gesonnen war, meine Verpflichtungen gegen den treuen Suhrkamp[1] einzuhalten (der lang in Gestapogefängnissen saß, schließlich völlig erschöpft in ein Potsdamer Spital kam, das bald darauf bombardiert wurde, ich weiß nicht ob der Treue noch am Leben ist). Doch fanden die Berliner Ministerien das Erscheinen meines Buches »unerwünscht«, und so ist es denn bis heute der Öffentlichkeit entzogen geblieben, wenn man von den paar Dutzend Lesern in der Schweiz absehen will.

Über die »Politisierung des Geistes« denken wir vermutlich nicht sehr verschieden. Wenn der Geistige sich zur Teilnahme am Politischen verpflichtet fühlt, wenn die Weltgeschichte ihn dahin beruft, so hat er nach Knechts und meiner Meinung unbedingt zu folgen. Sich zu sträuben hat er, sobald er von außen her, vom Staat, von den Generälen, von den Inhabern der Macht berufen oder gepreßt wird, etwa so wie anno 1914 die Elite der deutschen Intellektuellen törichte und unwahre Aufrufe zu unterzeichnen mehr oder weniger genötigt wurde.

Wir haben es seit Anfang März, mit Ausnahme ganz weniger Tage, ungewöhnlich warm, vor Ende April begann schon der

Sommer, und jetzt ist es so heiß, wie ich es hier sonst nur im Hochsommer erlebt habe. Aus Frankreich und England kommt je und je ein Brief, sonsthin nichts aus allen Nachbarländern.
Wenn ich an Sie denke, wird es künftig auch ein Denken an den Doktor Faustus sein. Viel gedachte ich Ihrer während der Lektüre des letzten Josefbandes, und an Mädi dachten wir des öftern, während wir den »Marsch des Fascismus«[2] lasen, wozu ich erst diesen Winter gekommen bin.
Herzlich erwidere ich Ihre Wünsche. Es grüßt Sie in alter Treue

Ihr H. Hesse

1 Peter Suhrkamp (1891-1959), Pädagoge, Publizist, seit 1933 Redakteur der »Neuen Rundschau«, seit G. Bermann-Fischers Emigration Geschäftsführer und Leiter des S. Fischer Verlags, der 1943 zwangsweise in Suhrkamp Verlag umbenannt werden mußte.
2 Geschrieben von G. A. Borgese, dem Schwiegersohn Thomas Manns

Montagnola 5. Nov. 45

Lieber Herr Thomas Mann
Verzeihen Sie eine kleine Belästigung. Ich bekam neulich den Brief aus Nauheim, dessen Copie ich Ihnen beilege. Ich konnte den ebenso törichten wie anmaßenden Brief nicht beantworten, um so weniger als ich erfuhr, dieser Herr »Habe«[1], der aber Bekessy heißt, sei der Sohn jenes Bekessy, der vor Jahrzehnten der größte Pressepirat und Revolverjournalist seiner Zeit war, und von dem Wiener Don Quichote Karl Kraus zur Strecke gebracht wurde.

Ob Sie irgend etwas tun, jemand informieren, jemand einen Wink geben wollen, sei Ihnen überlassen. Ich dränge mich keineswegs zur Teilnahme am Wiederaufbau der deutschen Presse, mögen das die ahnungslosen amerikanischen Offiziere besorgen. Nur ist es komisch, daß ich die dummen Beleidigungen dieses Briefes schlucken soll, ich, der mit Deutschland zehn Jahre früher als die Emigration reinen Tisch gemacht, ich, dessen Haus viele Jahre Zuflucht für Emigranten jeder Art war, und der eine Frau hat, deren letzte Angehörige in Auschwitz etc. umgebracht wurden.

Die Deutschen denken darüber auch anders als Bekessy. Es kommen Briefe über Briefe, die meisten aus Gefangenenlagern, in denen steht, man erinnere sich meiner Mahnrufe aus den Jahren 1918-1919, und man bereue tief, sie damals nicht völlig ernst genommen und befolgt zu haben. Sogar der 78jährige Landesbischof Wurm[2] schrieb mir in diesem Sinn. Na, genug davon! Ich wollte, daß Sie davon wissen und bitte um Nachsicht für die Mitteilung.

Es geht mir nicht gut, die Luft ist hier drüben unbekömmlich geworden, ich denke ans Abschiednehmen. Herzlich Ihr

H. Hesse

P. S. Als ich diesen Brief expedieren wollte, brachte mir die Post das Heft der Neuen Schweizer Rundschau mit Ihrem

Brief an Molo. Es freut mich, daß Sie sich jener bangen Tage im Jahr 33 so freundlich erinnern.[3] Von meiner Seite wissen Sie ja, wie ich zu Ihnen stehe: so wie der Name des Pater Jakobus eine späte Huldigung an Jakob Burckhardt ist, so ist ja der Vorgänger Josef Knechts im Amt des Magister Ludi zu Ihren Ehren getauft.

Ich habe mich besonnen, ob ich, nach Lesen Ihrer freundlichen Worte im Molobrief, Sie noch mit diesem Bekessy behelligen solle. Ich tue es nun doch, es ist am Ende immer gut, wenn Einige um solche Angelegenheiten wissen.

Herzlich Ihr HH

1 Der Schriftsteller Hans Habe (* 1911), damals Chief Editor der in der amerikanisch besetzten Zone erscheinenden deutschen Zeitungen, hatte Hesse in einem Brief vom 8. 10. 1945 vorgeworfen, nicht wie Thomas Mann, Stefan Zweig u. Franz Werfel, Anklagen gegen das NS-Regime »in den Äther hinausgeschrien«, sondern stattdessen in »vornehmer Zurückgezogenheit im Tessin gesessen« zu haben. Anlaß zu dieser Behauptung war Hesses Verweis, daß sein Gedicht »Dem Frieden entgegen« in Habes Zeitungen ohne Rückfrage und ohne die beiden letzten, die Quintessenz des Gedichtes enthaltenden Zeilen, abgedruckt worden war. Hesse bezeichnete diese Verstümmelung als »Barbarei«, Anlaß für Hans Habe, Hesse über die Barbarei der jüngsten Vergangenheit zu belehren mit dem Schluß: »An eine Berechtigung Hermann Hesses noch jemals in Deutschland zu sprechen, glauben wir jedoch nicht.« In späteren Stellungnahmen hat Habe die Zusammenhänge immer anders und widersprüchlich kommentiert. (Vgl. dazu Hans Habe, »Die deutsche Presse im Jahre Null«, »Die Weltwoche« v. 19. 11. 1965; »Hermann Hesse und das Hitler-Reich«, »Aufbau«, New York v. 2. 8. 1968 und »Erfahrungen« 1973, Walter Verlag S. 149 ff. Doch ist sein Brief vom 8. 10. 1945 erhalten und somit eine unmißverständliche Rekonstruktion des Falles möglich.

2 Theophil Wurm (1868-1953) von 1929-1948 ev. Landesbischof von Württemberg.

3 Am 4. 8. 1945 hatte in der »Münchener Zeitung«, Nr. 9, der Schriftsteller Walter von Molo einen offenen Brief an Thomas Mann gerichtet, in dem er ihn zur Rückkehr nach Deutschland aufforderte. Thomas Mann antwortete in einem offenen »Brief nach Deutschland«, den die Deutsche Allgemeine Nachrichtenagentur übermittelte (gekürzt in »Süddeutsche Zeitung« Nr. 2 vom 9. 10. 1945, ungekürzt in T. M.: Briefe II 1937-1947, a.a.O. S. 441 ff). Er gedenkt in diesem Brief auch des Austausches mit Hesse 1933. Siehe Anhang.

83

Pacific Palisades 25. Nov. 1945

Lieber Herr Hesse,

gerade las ich mit reinstem Vergnügen Ihre kleine Prosa, gesammelt in dem Bändchen »Traumfährte«[1], das glücklicherweise zu mir gelangte, – als Ihr Brief kam, ein Brief von Ihnen und also eine Freude, aber eine durch diese dumme, unwürdige Geschichte, diesen Zusammenstoß mit der deutschen Presse getrübte Freude. Es hat etwas Verhängnisvolles, daß die ersten Wiederberührungen mit Deutschland und dem »neuen deutschen Geistesleben« so überaus entmutigend sind, – schon hat man wieder genug und wünschte, der Deckel wäre auf dem Topf geblieben. Ich könnte auch ein Lied singen – von dem werten Kollegen Thieß, der in den kontrollierten Zeitungen seine talentlosen Unverschämtheiten auskramen durfte›[2] von dem treuen Dulder Ebermayer[3]; von einem heimgekehrten Volksmann, dem man erlaubte, über meinen schonenden Absage-Brief an Molo öffentlich die Schale seiner patriotischen Empörung auszuleeren. Lassen wir's, es kommt einem nichts Gutes von da, auch heute nicht. Alles spricht dafür, daß sich in keiner Beziehung etwas geändert hat, und ich bin nachgerade zu der Überzeugung gelangt, daß ich mich – auch politisch – heute dort um nichts wohler fühlen würde, als um 1930. Was Ihr unöffentliches Ärgernis betrifft, den Brief aus Nauheim, so vermute ich, daß Ihre Weisheit (denn ein Weiser sind Sie, spätestens seit dem »Glasperlenspiel«, wenn auch außerdem natürlich ein irritabler Künstler) daß also Ihre Weisheit jetzt, 3 Wochen post festum, wo ich Ihnen darüber schreibe, längst über den Quark hinaus ist und garnichts mehr davon hören mag. Auch erübrigt es sich fast, zu sagen (aber ich sage es doch), daß der Brief des Chief Editor von einem verwunderlichen Mangel an Distanzgefühl und einer wirklich anstößigen Ahnungslosigkeit zeugt, mit wem er es denn schließlich doch, after all, und alles wohl erwogen, zu tun hat. Es ist ein malheur, daß Sie ihm das Stichwort »Barbarei« gegeben haben, auf das aller

Amerikanismus, auch der neuschaffene, wie es scheint, empfindlich reagiert, und für das ja wirklich heute allerlei andere Verwendung sich anbietet. Darauf reitet er nun polemisch herum, vergleicht Belsen und Auschwitz mit dem, was Ihrem Gedicht geschehen ist und macht Ihnen zum Vorwurf, daß Sie keine Donnerkeile gegen Hitler geschleudert haben. Wie Sie das als Schweizer, in der neutralen Schweiz, wo ich auch 5 Jahre lang so gut wie gänzlich den Mund halten mußte, hätten machen sollen, sagt er nicht. Loslegen, mein Herz waschen konnte ich auch erst in Amerika – wohin Sie nun einmal keinesfalls gehören. Daß Sie für den deutschen Teufelsdreck nichts übrig hatten, wußte jedes Kind in Europa, und pantomimisch haben Sie es hinlänglich zu verstehen gegeben. Ich bin recht froh, daß ich in dem Offenen Brief nicht nur der guten, tröstlichen Stunden gedacht habe, die ich anfangs bei Ihnen verbrachte, sondern auch Ihrer frühen Loslösung vom politischen Deutschland, die Ihnen, dem Schweizer Bürger, neidenswerter Weise ein viel freieres, distanzierteres, viel weniger »pathologisches« Verhältnis zu den deutschen Dingen gab, als etwa ich es hatte. Deutscher Machtbesessenheit haben Sie schon aufs artikulierteste widerstanden, als ich noch in romantisch-protestantischer Verteidigung des gegen-revolutionären und anti-civilisatorischen Deutschtums befangen war. Ich verleugne diese Phase nicht. Aber ich habe so wenig Recht wie Neigung, an dem Brief Capt. Habe's etwas gutzuheißen.

Er »glaubt nicht an Ihre Berechtigung, je wieder in Deutschland zu sprechen«. Aber was heißt »sprechen«? Zum Volksredner und Bannerträger sind Sie ohnedies nicht geboren, womöglich noch weniger als ich; und wenn Sie sagen, Sie drängten sich nicht dazu, die deutsche Presse wiederaufbauen zu helfen, so ergänze ich das dahin, daß Sie sich auch wohl nicht dazu drängen, am Wiederaufbau des deutschen Staates teilzunehmen. Es wird ja, wenn nicht alle Zeichen trügen, wieder ein recht schiefer Bau werden, für den man besser keinerlei Verantwortung übernimmt. »Zerstreut und verpflanzt in alle

Welt, wie die Juden, müßten die Deutschen werden ...« (Nun, hier bin ich!) Aber daß Sie als großer Dichter deutscher Zunge allezeit in Deutschland und für Deutschland »sprechen« werden, daran wird keine Press and Publication Section keiner amerikanischen Armee-Gruppe etwas ändern können.

Wer mag die chilenische Dame sein, die dieses Jahr den Nobel-Preis für Literatur bekommen hat?[4] Das nenne ich in die Ferne schweifen, wo das Gute viel näher gelegen hätte. Ich fange an, mit der Absicht umzugehen, mich nun bald *gekränkt* zu fühlen, weil man so wenig auf meine Ratschläge hört.

Leben Sie recht wohl! Begehen Sie ein heiteres Weihnachtsfest im wärmenden Bewußtsein des Vollbrachten! – Ob ich schon nächstes Frühjahr das Abenteuer der Europa-Reise wage? Ich zweifle oft, ob die Umstände schon reif dafür sein werden, habe auch nachgerade eine natürliche Scheu vor Strapazen und möchte vor allem gern erst den Roman, oder was es ist, fertig haben, der mir aber noch immer als une mer à boire erscheint. Nun, wir werden sehen.

Herzlich der Ihre Thomas Mann.

1 Hermann Hesse, »Traumfährte«. Neue Erzählungen und Märchen. Zürich, 1945.

2 Frank Thieß, »Die innere Emigration«. »Münchener Zeitung«, Nr. 11 vom 18. 8. 1945.

In Briefen auf Frank Thieß angesprochen, erinnert Hesse meist an den Begriff »Innere Emigration«: »Ich hasse den ebenso dummen, wie sprachlich scheußlichen Ausdruck »Innere Emigration«, den er erfunden hat« oder: »Er war es, der das mißgeborene, dumme Wort »Innere Emigration« zustande gebracht hat.« Siehe Anhang.

3 Der Schriftsteller Erich Ebermayer. »Der treue Dulder« ist ironisch gemeint. Ebermayer, ein Jugendfreund Klaus Manns, gab sich gleich nach dem Krieg als strikten Gegner des Nationalsozialismus. Im Novemberheft der Berliner Monatsschrift »Aufbau«, 1945 S. 310 war ein Brief Ebermayers vom 6. 5. 42, abgedruckt, der einem unbotmäßigen Rezensenten auf die ungünstige Beurteilung eines Ebermayerschen Buches hin mit Goebbels und Göring drohte, zu denen E. sich bester Verbindungen rühmte – und also das Gegenteil bewies. T. Mann hatte diesen Abdruck zweifellos gerade gelesen, da dasselbe Heft der Zeitschrift einen Beitrag auch von T. M. brachte.

4 Die chilenische Lyrikerin Gabriela Mistral (1889-1957)

84

Baden bei Zürich, 15. Dezember 1945

Lieber Herr Thomas Mann,

Am Ende einer Badener Kur, wenige Tage vor der Heimkehr, bekam ich Ihren Brief, in dem Sie zu der kleinen Affäre mit dem Captain Habe-Bekessy Stellung nehmen, und der mir schon durch seine gute Laune und die liebenswerten Capricen seines Tonfalls wohlgetan und Spaß und Freude gemacht hat. Es geht in der Welt so undifferenziert, so brutal simpel und nackt her, daß ein wirklicher Brief, von einem wirklichen Menschen in einer wirklichen Sprache geschrieben, eine Seltenheit und Kostbarkeit ist. Und lieb war es mir auch zu erfahren, daß mein Buch, die Traumfährte, Sie richtig erreicht hat, auch das ist ein Glücksfall.

Zu dem unartigen Brief jenes Presse-Offiziers bestand meine Stellungnahme in Schweigen, nur kam leider durch eine Indiskretion die Sache in die Schweizer Presse und ich hatte Mühe, die redlichen Bemühungen der Presse, die Amerikaner aufzuklären und mich reinzuwaschen, wieder abzublasen, denn natürlich war es keineswegs mein Wunsch, mich vor Pseudoautoritäten zu rechtfertigen und um Rehabilitierung zu bitten. Nun, das ist vorüber.

An den deutschen Reaktionen auf Ihren Brief an Molo hatte ich auch ein wenig Teil, einige Redaktionen und manche Private teilten mir mit, sie wüßten nun, woran sie mit diesem Th. Mann und mir seien, und wenn es eine kleine Weile so ausgesehen hatte, als riefe man uns allzu rasch und happig wieder als Brüder und Kollegen an, so hat sich das aufs Beste korrigiert, was mir sehr sympathisch ist. Eine Ausnahme machte die Stadt Konstanz. Dort wurde vor bald 20 Jahren, zu meinem 50. Geburtstag, ein Sträßchen nach mir benannt, das Schild wurde aber nach einigen Jahren eilig wieder abgenommen und der Name durch einen andern ersetzt, und jetzt hat der Stadtrat im Verlauf einer wohlfeilen Säuberungsaktion sich wieder gewesener Zeiten erinnert, und das alte Straßenschild wieder aufgehängt. Man könnte darüber lachen, was für Sorgen die Leute zu haben scheinen, aber leider kommt es zum Lachen doch nicht, denn hinter all diesen Dummheiten und Verlegenheiten steht eine so ungeheure, animalische, elementare Not, ein so gehäuftes Elend, daß jeder, der in Deutschland noch Verwandte und Freunde hat, zuweilen nachts am Alpdruck aufwacht.

Politisch hat dort niemand etwas gelernt, doch ist eine sehr kleine, durch Hitler und Himmler auf ein Minimum reduzierte Schicht vorhanden, die genau Bescheid weiß, und zu der ich manche Beziehungen habe. Doch reicht diese Schicht Humus längst nicht aus als Boden für eine neue Republik. Vorerst muß man damit zufrieden sein, daß wenigstens keine Machtmittel mehr vorhanden sind, die mißbraucht werden können.

Hier in Helvetien haben wir ja eine wundervolle, eine vorbildliche Verfassung. Würden ihre Möglichkeiten ausgenutzt, so wäre das Leben hier nicht so grämlich und ängstlich wie es ist. Aber wenigstens hat je und je ein Winkelried[1] die Courage, einen gestohlen habenden hohen Militär einen Dieb zu heißen, und zuweilen hat das sogar lästige Folgen für den Offizier. Dessen freut sich das Volk, und blickt im übrigen mit ängstlicher Hoffnung auf das mächtige Amerika, von dem man sich zwar unverstanden fühlt, das aber doch hübsch fern liegt und darum weniger Furcht erweckt als das ganz nahe gerückte Rußland.

Leben Sie wohl, und eilen Sie nicht mit dem Europabesuch. Seien Sie mit Ihrer Frau herzlich gegrüßt von uns beiden (meine Frau ist in Zürich, besucht mich des öftern und war entzückt von Ihrem Brief).

Ihr H. Hesse

1 Arnold von Winkelried, legendärer schweizer Held, soll in der Schlacht bei Sempach (1386), indem er eine große Anzahl feindlicher Speere auf einmal ergriff, seinen Kameraden eine Bresche geschlagen haben. Durch seinen Opfertod entschied er den Sieg der Eidgenossen.

85

Pacific Palisades 12. Okt. 1946

Lieber Herr Hesse, neulich hörte ich aus dem Aargau,[1] es gehe Ihnen nicht gut, so wenig gut, daß Sie ein Sanatorium aufsuchen wollten, und was Sie sonst noch Melancholisches hinzugefügt hätten. Nicht doch, nicht doch! Ich wollte Ihnen damals gleich schreiben, eins der Briefzettelchen wenigstens, die ich mich jetzt gewöhnt habe, hinausgehen zu lassen. Und doch war noch Ihre gemessene Danksagung für den Preis der guten Stadt Frankfurt,[2] – dies willkommene Gegenstück zu Ihrem »Brief nach Deutschland«[3], – nötig, um mich zu bestimmen alles andere beiseite zu schieben und erst einmal Ihnen zu gratulieren zu der Ehrung, die immerhin eine ausdrucksvolle Kundgebung ist, und Ihnen zu danken für die Genugtuung, mit der ich jene beiden entschiedenen Dokumente mit ihrem unbestechlichen Blick für das Wahre gelesen habe.[4]

Dieser Wahrheitssinn ist es natürlich, den Ihnen die Deutschen nicht verzeihen. Wem hätten sie ihn je verziehen? Sie lieben die Wahrheit nicht, wollen sie nicht wissen, kennen nicht ihren Reiz und ihre reinigende Kraft. Sie lieben Dunst und Dusel, das faule, wehleidige, brutale »Gemüt«, und möchten noch heute, nachdem sie sich damit »zu Kot und Unflat gemacht unter den Völkern«, am liebsten jeden morden, der ihnen den Seelenfusel verleiden will. Hören Sie die deutschen Dichter? Aber Sie hören sie ja aus größerer Nähe, als ich. Sie tun wahrhaftig nicht viel anders, als wäre Deutschland eine Art Jesus Christ, der der Welt Sünde trägt.

»O Teufel über das Gequack!« war ein bevorzugter Ausruf Nietzsches. Er kannte seine Deutschen. Wäre er ihnen auch nur ein besserer, besonnenerer Pädagog gewesen! – Lieber Herr Hesse, ich hoffe, das mit dem malaise und der Pflegeanstalt war eine flüchtige Anwandlung und ich darf Sie mir, nach einer guten Kur in Baden natürlich, rüstig tätig in Ihrem Garten denken – alter, nobler schwäbischer Bauer, der Sie mit den Jahren mehr und mehr geworden sind.

Haben Sie gehört, welcher späten und unerwarteten Bewährungsprobe ich mich kürzlich habe unterziehen müssen? Ein infektiöser Lungenabszeß, der mir Wochen lang Fieber gemacht hatte, war schleunigst auszuräumen, wobei eine Rippe mit draufging. Die Incision ist sooh-lang, reicht von der Brust zum Rücken.[5] Aber dank einem kräftigen Herzen bin ich laut ärztlichem Urteil durch die Affaire hindurchgegangen wie ein Dreißigjähriger. Immerhin, ein Choc für das Gesamtsystem bleibt so ein Eingriff immer, und einige Schonung ist immer noch geboten, sodaß es mit dem letzten Viertel eines reichlich übertragenen Romans, meines »Glasperlenspiels« sozusagen, nicht so vorwärts geht, wie es sollte. Aber es geht vorwärts, und im zweiten bis dritten Monat nächsten Jahres hoffe ich fertig zu werden.
Ob dann die längst erwogene, innerlich oft versuchte Europa-Reise Wirklichkeit wird? Europa! Ich sträube mich ein wenig gegen das Bild, das Sie von seiner Zukunft entwerfen[6] und zwar als besten Fall. Hat es wirklich, indem es die Macht verspielte, auch auf jede Führung und Aktivität verzichtet und taugte nur noch zum frommen Erinnerungsschrein? Ich weiß doch nicht. Neulich besuchte mich Alvarez del Vayo, der Minister der spanischen Republik[7], der von drüben kam. »Europe«, sagte er, »is miserable, but very much alive«. – Mehr »alive« vielleicht als dieses mächtige Land hier, wo blinde, überholte Mächte sich mit böser Hartnäckigkeit gegen die neuen Notwendigkeiten wehren und wahrscheinlich das Land alle Erfahrungen Europas, auch den Fascismus werden nachholen lassen, gegen den wir angeblich zu Felde gezogen sind. Der dritte Weltkrieg zögert zu kommen, aber er muß wohl kommen – nach uns, nach uns, so wollen wir hoffen.

Ihr T. v. d. Tr.

1 Aus Burg im schweizerischen Kanton Aargau von Otto Basler (* 1902), Lehrer und Essayist, einem gemeinsamen Freund Hesses und Thomas Manns.
2 H. H., »Danksagung und moralisierende Betrachtung« (1946). Vgl. W. A. Bd. 10, S. 103 ff. Hesse hatte gerade den Goethepreis der Stadt Frankfurt a. Main erhalten.

3 H. H., »Ein Brief nach Deutschland«, Erstdruck in »National-Zeitung«, Basel, vom 26. 4. 1946. Vgl. W. A. Bd. 10, S. 548 ff.
4 Siehe Anhang
5 Die Operation war am 24. 4. 1946 vorgenommen worden. Anfang Juni setzte T. M. seine Arbeit am »Doktor Faustus« fort und hat noch im selben Monat das Kapitel XXXV begonnen. Zum Zeitpunkt dieses Briefes war er bis zum Kapitel XLI vorgeschritten.
6 »Und unser todkrankes Europa wird, nachdem es auf seine führende und aktive Rolle vollends verzichtet hat, vielleicht wieder ein mit hohem Wert beladener Begriff, ein stilles Sammelbecken, ein Schatz edelster Erinnerungen, eine Zuflucht der Seelen werden.« (H. H., »Danksagung und moralisierende Betrachtung« a. a. O.)
7 Julio Alvarez del Vayo (*1891), Außenminister Spaniens während des span. Bürgerkriegs.

86

25. Okt. 46

Lieber Herr Thomas Mann
Nun hat das große Malaise, das den geistigen Teil von Europa und mich unter Druck hält, auch etwas Erfreuliches hervorgebracht und mir einen Brief von Ihnen eingetragen, mit dem Sie mich sehr erfreut haben. Haben Sie für dies Gedenken im Augenblick einer ernsten Krise in meinem Leben herzlichen Dank.

In wenigen Tagen werde ich Montagnola verlassen (das als Briefadresse auch weiter dient) und den Versuch machen, ob ich es im Sanatorium eines befreundeten Arztes aushalte.[1] Das Haus in Montagnola wird, mindestens für diesen Winter, geschlossen. Es zu halten, war in den letzten Jahren für die Hausfrau so schwer und lästig geworden, daß diese Last eigentlich alles andere auffraß oder doch sehr beschattete. Hier der wichtigste von den äußeren Anlässen für meinen schlechten Zustand. Hinzu kommt die physische Schwäche: es macht eben Mühe zu leben, wenn man Jahre lang buchstäblich niemals einen Tag ohne Schmerzen ist, und zwar Schmerzen nicht in den Knieen oder Zehen oder im Rücken (mit Gicht, Rheuma etc bin ich stets ohne viel Murren fertig geworden) sondern in den Augen und im Kopf.[2]

Aber natürlich sind die innern Indispositionen wichtiger, und entziehen sich mehr der Kontrolle.

Nun, ich probiere es also mit der Eremitage im Sanatorium, wo man übrigens nicht irgendeine Kur mit mir vorhat, sondern lediglich ein Ausruhen durch Ausschalten von einigen der lästigsten Tagesplagen. Vielleicht glückt es, und vielleicht kann ich mit der Zeit auch wieder einen Teil meiner Kräfte für eine hübsche Arbeit frei bekommen.[3] Ich habe mit Hilfe der Konzentration aufs Glasp. Spiel die ganzen Hitlerjahre ohne Schiffbruch überstanden, aber als die Arbeit fertig war und mir die Zuflucht in sie nicht mehr offen stand, mußte ich dem Nervenkrieg, den die ganze Welt gegen das Menschliche führt, sehr

exponiert standhalten, und das habe ich zwar einige Jahre ertragen, aber nun zeigt es sich, daß ich dabei doch sehr gelitten und verloren habe.
Noch Eins: was ich in der »Danksagung«[4] über Europa sagte, bedeutet mir sehr viel mehr, d. h. sehr viel Positiveres als Ihnen. Das Europa, das ich meine, wird nicht ein »Erinnerungsschrein« sein, sondern eine Idee, ein Symbol, ein geistiges Kraftzentrum, so wie für mich die Ideen China, Indien, Buddha, Kung Fu nicht hübsche Erinnerungen, sondern das denkbar Realste, Konzentrierteste, Substanziellste sind was es gibt.
Daß in Deutschland die Gewalttäter und Schieber, die Sadisten und Gangster jetzt nicht mehr Nazi sind und Deutsch reden, sondern Amerikaner, ist mir zwar praktisch häufig ärgerlich, prinzipiell aber durchaus entlastend. An der deutschen Schweinerei mußten wir alle uns irgendwie mitschuldig fühlen, an dieser neuen tue ich es nicht, und entdecke, zum erstenmal wieder seit Jahrzehnten, Regungen von Nationalismus in meinem Busen, freilich ist es kein deutscher, sondern ein europäischer.
Herzlich froh bin ich von Ihrer eigenen Hand bestätigt zu sehen, daß Sie die scheußliche Lungenattacke so brav überstanden haben und wieder so arbeitsfähig sind. Damit und mit Ihrem Freundes-Zuruf haben Sie mir eine wahre Freude gemacht.
Meine Frau, die zunächst wohl für eine Weile nach Zürich gehen, dann vielleicht zu mir ins Kurhaus kommen wird, hat sich nicht weniger als ich über Ihren Brief gefreut, und sendet mit mir die herzlichsten Grüße.

Stets Ihr H. Hesse

1 Dr. Otto Riggenbach in Préfagier am Neuenburger See, französische Schweiz.
2 An den Augen litt Hesse seit seiner Jugend. Durch eine operative Schlitzung der Tränenkanäle während seiner Gaienhofener Jahre (vor 1910) hatte sich dieses Übel noch verschlimmert. Im Alter gelang es Hesse nur schwer, seine Augen »ohne Krämpfe auf nah einzustellen.«
3 Hesse schrieb dort eines seiner schönsten Prosastücke, die »Beschreibung einer Landschaft«. Vgl. »Späte Prosa«, bzw. W. A. Bd. 8, S. 425 ff.
4 Vgl. Fußnote 2 des vorigen Briefes.

87

Marin près Neuchâtel 19. Nov. 46

Lieber Herr Thomas Mann

Für Ihren Glückwunsch sowohl wie für Ihre Verdienste um das Zustandekommen des Stockholmer Entschlusses[1] sage ich Ihnen den herzlichsten Dank, und wollte, ich könnte es in einem Briefe tun, der Ihrer und des Anlasses würdiger wäre. Aber ich habe nun einmal seit einer Weile mein Flämmlein nur noch ganz klein brennen, oft scheint es ganz erloschen zu sein, und so müssen Sie vorlieb nehmen. Dies Jahr hat mir mehrere an sich gute und erwünschte Gaben gebracht; im Sommer konnte ich meine beiden Schwestern[2] einige Wochen bei mir zu Gast haben, füttern, kleiden und trösten, bis sie wieder ins finstere Germanien zurück mußten. Dann gab man mir den Goethepreis. Dann hat man den grimmigsten und bösesten Feind, den ich je gehabt habe, er hieß Rosenberg, in Nürnberg aufgehängt. Und nun hat der November den Nobelpreis gebracht. Das erste dieser Ereignisse, das mit den Schwestern, war schön und war das einzige, das wirklich Realität für mich hatte. Die andern haben mich vorläufig noch nicht so recht erreicht, ich habe Verluste immer schneller percipiert und verdaut als Erfolge, und daß ich während einer Woche von schwedischen und anderen Journalisten regelrecht auf Detektivfahrten umstellt und belagert wurde, denn man hatte ihnen meine Adresse nicht gegeben, war schon beinah ein Chock. Aber freilich sprechen die positiven Seiten des Glücksfalles nun doch mehr und mehr zu mir, und meine Freunde und vor allem meine Frau haben eine richtige Kinderfreude gehabt und sie mit Champagner begossen. Freund Basler[3] ist auch entzückt, und viele alte Leser von mir freuen sich, daß nun offenbar die Schwäche, die sie für mich hatten, nicht nur ein Laster war. Sollte es mir mit der Zeit wieder besser gehen, so wird das alles mir noch mancherlei Spaß machen.

Ich drücke Ihnen die Hand und denke des Tages, an dem ich

Sie einst in München kennen lernte, im Hotel, wo Fischers wohnten, so etwa 1904.[4]
Ich hoffe, Sie haben das Büchlein mit meinen Aufsätzen[5] bekommen, sie sind harmlos genug, aber wenigstens waren Standpunkt und Gesinnung stets dieselben.
Viele herzliche Grüße und gute Wünsche Ihnen und den Ihren von Ihrem

H. Hesse

1 Anfang Nov. war Hesse der Nobelpreis für Literatur zugesprochen worden.
2 Adele Gundert geb. Hesse (1875-1949) und Marulla Hesse (1880-1953)
3 Otto Basler. Vgl. Brief 85, Fußnote 1
4 Diese erste Begegnung fand im April 1904 statt.
5 Hermann Hesse, »Krieg und Frieden«. Betrachtungen zu Krieg und Politik seit dem Jahre 1914. Zürich, 1946.

Pacific Palisades den 8. Febr. 47

Lieber Herr Hesse, längst habe ich zu danken für »Krieg und Frieden« und seine heitere Zueignung, das schöne, weise, reine Buch, worin, irgendwo in der Mitte, Zarathustra wiederkehrt,[1] – in angenehmerer Gestalt und mit liebenswürdigerem Tonfall, als der Alte, der mir immer etwas gräßlich war. – Und nun ist noch »Dank an Goethe«[2] hinzugekommen, mit dem wunderschönen Aufsatz über »Wilhelm Meister«[3], der wohl das Wärmste und Gescheiteste ist, was seit Friedrich Schlegel über den Roman geschrieben worden. Es ist eine Freude zu sehen, wie nun, unter Ehrungen, für die ganz natürlich die Stunde reif geworden, Ihr Werk aus den zeitlichen Nebeln so klar, überzeugend, überall sich selber treu und mit den Zeichen der Dauer geprägt hervortritt – Sie selbst müssen Ihre Freude daran haben, und hinter Ihrem charakteristischen Raunzen, Schelten und Sich beklagen muß sich viel stille Genugtuung und Dankbarkeit verbergen für ein gelungenes, gesegnetes und aus den Greueln der Zeit vom Schicksal auch immer schonend ausgespartes Leben. Jetzt, natürlich, nach dem Stockholmer success-Trompetenstoß – es ist zum Lachen und wird Ihnen halb zuwider sein – fängt es an, hier aufzuleben, und ich höre, daß bald »Demian« oder der »Steppenwolf« oder auch beides auf englisch erscheinen soll, wobei, wie es scheint, auf meine Dienste als Interpret und introducer gerechnet wird – »I want you to meet Mr. Hesse«. An mir soll es gewiß nicht fehlen. Aber fehlen wird es wohl anderswo.

»Die Gesinnung wenigstens«, schrieben Sie mir zu Ihren politischen Aufsätzen, »hat sich nie geändert«. Nun, das hat sie auch bei mir nicht getan, wenn man zwischen Gesinnung und Meinung unterscheidet nach Goethe's Wort: »Er hat wiederholt seine Meinungen gewechselt, aber nie seine Gesinnungen«. Was ich jetzt bei *Ihnen* über den ersten Weltkrieg gesagt finde, hätte oder vielmehr *habe* ich auch damals herzlich gut und richtig geheißen, aber der Pazifismus der politischen Literaten,[4] Expressionisten, Aktivisten von damals ging mir ebenso auf die Nerven, wie die jakobinisch-puritanische Tugendpropaganda der Ententemächte, und ich verteidigte dagegen ein protestantisch-romantisches, un- und antipolitisches Deutschtum, das ich als meine Lebensgrundlage empfand. Seitdem habe ich, in 30 Jahren, meine Meinungen recht gründlich geändert, ohne eigentlich einen Bruch, eine Diskontinuität in meiner Existenz zu empfinden. Mit dem Pazifismus aber bleibt es eine sonderbare Sache. Nicht unter allen Umständen scheint er die Wahrheit zu sein. Zeitweise war er in aller Welt die Maske faschistischer Sympathien, »München« anno 1938, war die Verzweiflung aller Friedensfreunde, und den Krieg gegen Hitler habe ich glühend ersehnt und zu ihm »gehetzt«, bewahre auch Roosevelt eine unsterbliche Dankbarkeit dafür, daß er sein entscheidendes Land mit größter Kunst hineinschaukelte, er, der geborene und bewußte Gegenspieler des Infâme. Als ich zum ersten Mal das Weiße Haus verließ,[5] wußte ich, daß Hitler verloren sei.

Wahr bleibt, daß jeder Krieg, auch der für die Menschheit geführte, eine Menge Verschmutzung, Demoralisation, Verrohung, Verdummung zurückläßt. Notwendig und verderblich – das gehört zu den »Antinomien« dieses Jammertals. Trotzdem glaube ich, daß, mögen noch soviele Anzeichen dagegen sprechen, die Menschheit im letzten Jahrzehnt einen Schritt vorwärts getan hat – oder vorwärts gestoßen worden ist – auf dem Wege zu ihrer sozialen Reife. Das wird sich noch zeigen, denke ich, und dann wird Deutschland wohl oder übel sich eingestehen müssen, daß es doch auch den Schritt mitgetan hat. –

Nun, viel länger darf dies Billet nicht werden. – Vor ein paar Tagen habe ich die Schlußworte jenes Faustus-Romans geschrieben[6], von dem ich Ihnen wohl erzählte. Mehr als 800 Seiten – eine gewisse moralische Leistung bedeutet es immer, so etwas durchzuhalten. Ob sonst noch etwas Anerkennenswertes daran ist, muß die Zukunft lehren. Ich bin blind für die Frage zur Zeit. Etwas provokant Deutsches ist es jedenfalls, die Geschichte einer Teufelsverschreibung, modern, aber immer mit einem Fuß im 16. Jahrhundert stehend. Die Heiterkeit der Josephsgeschichten hat es nicht, ist vielmehr recht traurig und ungespäßig. Aber was verlangt man! – Die deutsche Ausgabe wird diesmal in der Schweiz gedruckt, von deutschsprachigen Setzern endlich wieder, und ich kann Korrektur lesen. Melancholie mit 120 Druckfehlern wäre eine zu arge Zumutung.

Ob wir Sie und Ihre liebe Frau sehen werden dieses Jahr? Wir dachten und denken, im Mai hinüberzufahren, aber aus verschiedenen Gründen ist es für die sehr umständliche Organisation der Reise recht spät geworden.

Alle guten Wünsche für Ihre Gesundheit, Ihre lächelnde Standhaftigkeit, wenn es »losgeht« zu Ihrem Siebzigsten!

Ihr Thomas Mann.

1 Das Buch mit der Widmung: »Für Thomas von der Trave von Jos. Knecht, Waldzell im Okt. 46« enthält auch »Zarathustras Wiederkehr. Ein Wort an die deutsche Jugend«, eine von Hesse im Januar 1919 anonym: »Von einem Deutschen« publizierte politische Flugschrift. Vgl. W. A., Bd. 10, S. 466 ff.

2 H. H., »Dank an Goethe«, Zürich 1946, bzw. insel taschenbuch 129, 1975.

3 »Wilhelm Meisters Lehrjahre« (Essay, geschrieben um 1911), a. a. O. bzw. W. A. Bd. 12, 159 ff. und in H. H., »Eine Literaturgeschichte in Rezensionen und Aufsätzen«.

4 Vgl. Hesses, am 7. 11. 1915 in der Wiener Tageszeitung »Die Zeit« publizierten Aufsatz »Den Pazifisten« und seinen offenen Brief »An die Pazifisten« vom 3. 12. 1915, in H. H., »Gesammelte Briefe, Bd. 1, 1895-1921« S. 548 ff u. S. 308 f, Frankfurt a. Main, 1973.

5 Thomas und Katia Mann waren am 30. Juni 1935 das erstemal die privaten Gäste von Mr. und Mrs. Roosevelt im Weißen Haus in Washington.

6. Am 29. 1. 1947.

89

Baden bei Zürich 10. März 47

Lieber Herr Thomas Mann

Sie erfreuten mich mit einem lieben Brief, der mich auch ein wenig beschämt, da Sie von Ansprüchen dortiger Verleger etc berichten, denen Sie über mich Auskunft geben sollen. Ich hoffe sehr, Sie nehmen das nicht allzu ernst und lassen sich keineswegs mehr dadurch belästigen als Ihnen wirklich Spaß macht.

Ich kam aus Marin mit einer Ischias nach Baden, die hier behandelt wird und beinah geheilt ist. Der übrige Zustand aber, die große Erschöpfung und Unlust, will sich nicht mehr bessern, es dauert nun genau zweieinhalb Jahre, und schließt momentane Freuden und gute Stimmungen nicht aus, nur ermüden sie alle unheimlich rasch. Den Ort, wo ich diesen Winter hingebracht habe, werden Sie im nächsten Heft der Bermannschen Rundschau porträtiert finden.[1]

Freude machte mir ein Gruß von André Gide, er ist mir unter den Franzosen der liebste Zeitgenosse. Er liebt, wie ich selber, von meinen Büchern besonders die Morgenlandfahrt, und will sich für eine gute franz. Übersetzung bemühen.[2]

Hoffentlich gelingt Ihnen die geplante Reise, und hoffentlich sehen wir uns dann wieder.

Sie und Ihr Haus grüßt herzlich Ihr

H. Hesse

1 Préfagier bei Marin am Neuenburger See, vgl. »Beschreibung einer Landschaft«, Brief 86, Fußnote 3.
1941 war die von Peter Suhrkamp im deutschen S. Fischer Verlag weitergeführte »Neue Rundschau« verboten worden. Seit Juni 1945 wurde sie – beginnend mit einem Heft zu Thomas Manns 70. Geburtstag – von Gottfried Bermann Fischer weitergeführt. Hesses »Beschreibung einer Landschaft« erschien dort in der 6. Folge, im Frühjahr 1947.

2 Spätestens seit 1905, seit seiner Lektüre von A. Gides »Der Immoralist«, hat Hesse alle Neuerscheinungen Gides nicht nur mit Interesse verfolgt, sondern sich auch von 1905-1957 in über 15 Rezensionen für die Verbreitung der Werke Gides in Deutschland eingesetzt. Siehe Anhang.
Ins Französische übersetzt wurde »Die Morgenlandfahrt« von Gides Schwiegersohn Jean Lambert. Sie erschien 1948 im Verlag Calman & Lévy, Paris, mit einem Vorwort von André Gide.

90

[Anfang Juni 1947]

Lieber Herr Thomas Mann
Den beiliegenden Privatdruck wollte ich Ihnen zu Ihrem Geburtstag schicken, er wurde aber ein paar Tage zu spät fertig. Nehmen Sie ihn mit unsern Glückwünschen freundlich auf.
Ich lege einige Ausschnitte bei, die man mir kürzlich gesandt hat, sie stehen zu Ihrer Verfügung. Der Einsender schrieb dazu, ich möge Ihnen sagen:
1. Ihr Urteil über Deutschland sei genau das selbe, das er, der ein Jahr lang als britischer Censor amtiert hat, aus dem Lesen von etwa hunterttausend Briefen gewonnen habe.
2. Sie möchten ja nicht nach Deutschland gehen, schon wegen der Möglichkeit eines Attentates nicht.
Genug. Sie werden andres zu lesen haben. Ich füge für den Fall, daß Sie um den 2. Juli in der Nähe von Bern wären, noch hinzu: Mein Geburtstag wird im kleinsten Kreise, ohne offizielle Gäste, am 2. Juli im Schlößchen Bremgarten gefeiert, das Sie aus der Morgenlandfahrt kennen. Außer uns und dem Ehepaar von Bremgarten werden nur meine nächsten Angehörigen da sein und 3 bis 4 Freunde. Die Feier besteht im Mittagessen, eventuell noch in einer kleinen Musik im sehr schönen Saal, am späteren Nachmittag fährt jeder wieder nachhaus.
Sollten Sie dann nicht weit weg sein und Lust haben zu kommen, so bitte ich um eine Zeile an mich oder direkt an
Max Wassmer, Schloß Bremgarten bei Bern (nicht zu verwechseln mit dem aargauer Bremgarten).

Herzlich Ihr H. Hesse

Skizzenblatt

Kalt knistert Herbstwind im dürren Rohr,
Das im Abend ergraut ist;
Krähen flattern vom Weidenbaume landeinwärts.

Einsam steht und rastet am Strande ein alter Mann,
Spürt den Wind im Haar, die Nacht und nahenden Schnee,
Blickt vom Schattenufer ins Lichte hinüber,
Wo zwischen Wolke und See ein Streifen
Fernsten Strandes noch warm im Lichte lächelt:
Goldenes Jenseits, selig wie Traum und Dichtung.

Fest im Auge hält er das leuchtende Bild,
Denkt der Heimat, denkt seiner guten Jahre,
Sieht das Gold erbleichen, sieht es erlöschen,
Wendet sich ab und wandert
Langsam vom Weidenbaume landeinwärts.

Geschrieben am
5. Dezember 46. Gruß von H. Hesse

91

Baur au Lac, Zürich 14. Juni 1947

Lieber Herr Hesse,

tausend Dank für Ihren Brief, auch für den vorigen noch und das bestrickende Stück Prosa[1], das seine delikate Ausstattung verdient! Die Beilagen waren ja auch nicht übel. Denk ich an Deutschland in der Nacht, so beeile ich mich, wieder einzuschlafen.[2] Daß ich nicht hingehe, ist längst beschlossene Sache. Ich habe den Herren in München geantwortet, innere und äußere Gründe hinderten mich. Die Furtwängler-Geschichte allein schon würde genügen, mich fern zu halten.[3]

Am Montag habe ich noch einen Vortrag in Basel.[4] Am 20. gehen wir für 4 Wochen zur Erholung nach Flims. Ich bin recht müde von Festen und Leistungen. Ein Aufenthalt in Holland soll noch folgen, bevor wir gegen Ende August nach Hause fahren. Zwischenein aber soll bestimmt noch ein Besuch im Tessin und in Montagnola fallen, wo wir Sie gesund und erwärmt von der Ihnen zu Ihrem Geburtstag bekundeten Liebe anzutreffen hoffen. Gern wären wir auf Schloß Bremgarten dabei gewesen. Aber Sie sehen, es geht nicht recht.

Freundlichste Grüße an Frau Ninon.

Ihr Thomas Mann.

1 »Beschreibung einer Landschaft«

2 T. M.'s Variante zu Heinrich Heines Gedicht »Nachtgedanken« (1843) mit den Zeilen: »Denk ich an Deutschland in der Nacht / Dann bin ich um den Schlaf gebracht.«

3 T. M. hatte Furtwänglers Haltung während des Dritten Reiches getadelt, und dieser hatte in seiner Verteidigungsschrift T. M. stark angegriffen. Vgl. auch T. M.'s Brief an Manfred George in T. M., »Briefe, 1937-1947«, Frankfurt a. Main, 1963, S. 529 f.

4 Seinen Vortrag »Nietzsches Philosophie im Lichte unserer Erfahrung« (vgl. G. W. Bd. IX, S. 675 ff.) hielt T. M. am 16. 6. 1947 in Basel.

Hermann Hesse zum siebzigsten Geburtstag[1]

Sind es also wirklich schon zehn Jahre, daß ich unserem Hermann Hesse zu seinem sechzigsten Geburtstag gratulierte? O doch, es ist wohl möglich, es könnte sogar noch länger her sein – so viel wie unterdessen geschehen ist, geschehen in der geschichtlichen Welt, geschehen im Drang und Lärm dieser Erschütterungen auch von unserer ungestört arbeitsamen Hand. Das äußere Geschehen, das unvermeidliche Verderben des armen Deutschland zumal, haben wir zusammen vorausgesehen und zusammen erlebt – in weiter räumlicher Entfernung voneinander, die zeitweise gar keinen Austausch zuließ, aber doch immer zusammen, doch immer in gegenseitigem Gedenken. Unsere Wege überhaupt laufen wohl deutlich getrennt, in gemessener Entfernung voneinander durchs geistige Land und laufen doch irgendwie gleich – irgendwie sind wir doch Weggenossen und Brüder, – oder confrères, wie ich mit weniger zutunlicher Nuance sagen sollte; denn ich sehe unser Verhältnis gern im Bilde der Begegnung seines Joseph Knecht mit dem Benediktinerpater Jakobus im »Glasperlenspiel«, wo es denn ohne das »Höflichkeits- und Geduldspiel endloser Verneigungen wie bei der Begrüßung zwischen zwei Heiligen oder zwei Kirchenfürsten« nicht abgeht, – ein halb ironisches Zeremoniell chinesischen Geschmacks, das Knecht sehr liebt, und von dem er bemerkt, daß auch der Magister ludi Thomas von der Trave es meisterlich beherrscht habe.[2]
So ist es nur in der Ordnung, daß wir gelegentlich zusammen genannt werden, und möge es auch auf die kurioseste Weise geschehen, so soll es uns recht sein. Ein namhafter alter Tonsetzer in München, treudeutsch und bitterböse, hat kürzlich in einem Brief nach Amerika uns beide, Hesse und mich, als »Elende« bezeichnet,[3] die nicht wahrhaben wollten, daß wir Deutschen das oberste und edelste der Völker, »ein Kanarienvogel unter lauter Spatzen« seien. Das Bild als solches ist eigentümlich ver-

fehlt und albern, von seiner Unbelehrtheit, dem unverbesserlichen Dünkel, der sich darin ausdrückt, und der doch Jammers genug über dies unselige Volk gebracht hat, ganz abgesehen. Nun, der Mann hat sein Leben lang viel zänkischen Unsinn geredet, und so legt man's zum Übrigen. Auch lasse ich für meine Person das Urteil der »deutschen Seele« ergeben auf mir sitzen. Ich war wohl wirklich zu Hause nur ein grauer Verstandesspatz unter lauter Harzer Gemütsrollern, und sie waren denn 1933 auch herzlich froh, mich los zu sein, ob sie gleich heute tief beleidigt tun, weil ich nicht zurückkehre. Aber Hesse? Welche Ignoranz, welche Unbildung, um es recht deutsch zu sagen, gehört dazu, diese *Nachtigall* (denn ein bürgerlicher Kanari ist er freilich nicht) ihres deutschen Waldes zu verweisen, diesen Lyriker, den Mörike gerührt in die Arme schlösse, der aus unserer Sprache Gebilde von weichstem und reinstem Umriß hob, Lieder und Sprüche des innigsten Kunstgeschmacks daraus entband, einen »Elenden« zu schimpfen, der sein Deutschtum verrät, – nur weil er die Idee von der Erscheinung trennt, die sie oft erniedrigt, weil er dem Volk seines Ursprungs die Wahrheit sagt, welche die furchtbarsten Erfahrungen ihm immer noch nicht zu sagen vermögen, und ein Gewissen hat für die Missetaten, die dies Volkstum in irrer Selbsterfülltheit auf sich geladen!
Wenn heute, wo der nationale Individualismus im Sterben liegt, wo vom bloß Nationalen her kein einziges Problem mehr zu lösen ist, wo alles Vaterländische provinzielle Stickluft geworden und kein Geist mehr in Betracht kommt, der nicht die europäische Tradition als Ganzes repräsentiert, – wenn heute nationale »Echtheit«, das volksmäßig Charakteristische überhaupt noch ein Wert ist – und ein pittoresker Wert mag es bleiben –, so kommt es jedenfalls dabei, wie immer schon, nicht aufs Meinen und Schreien an, sondern aufs Sein, aufs Tun. In Deutschland zumal waren die mit dem Deutschtum Unzufriedensten noch immer die Deutschesten.[4] Und wer sähe nicht, daß das Bildungswerk des Literaten Hesse allein schon

– ich lasse den Dichter hier ganz beiseite –, der liebreiche Universalismus seiner Herausgeber- und Redaktionstätigkeit etwas spezifisch Deutsches hat? Der Begriff der »Weltliteratur«, den Goethe stiftete[5], ist ihm der natürlichste, heimatlichste. Eine Schrift von ihm, die sogar in Amerika erschienen ist, »published in the public interest by authority of the Alien Property Costudian 1945«, heißt geradezu so: »Bibliothek der Weltliteratur«[6] und ist ein Beispiel immenser und hingebungsvoller Belesenheit, des Zuhauseseins besonders in den Tempeln östlicher Weisheit, der hoch-humanistischen Vertrautheit mit den »ältesten und heiligsten Zeugnissen des Menschengeistes«. Sonderstudien sind die Essays über Franz von Assisi und Boccaccio von 1904[7] und die drei Aufsätze über Dostojewski, die er »Blick ins Chaos«[8] nannte. Ausgaben von Geschichten aus dem Mittelalter, von Novellen und Schwänken altitalienischer Erzähler, morgenländischer Märchen, »Lieder deutscher Dichter«, Neu-Editionen von Jean Paul, Novalis und anderer deutscher Romantiker tragen seinen Namen.[9] Es ist ein Dienen, Huldigen, Auswählen, Revidieren, Wiedervorlegen und kundiges Bevorworten, – ausreichend, das Leben manches gelehrten literatus zu füllen. Hier ist es bloß ein Überschuß an Liebe (und an Arbeitskraft!), eine tätige Liebhaberei neben einem persönlichen, außerordentlich persönlichen Werk, das an Vielschichtigkeit und Beladenheit mit den Problemen von Ich und Welt unter den zeitgenössischen seinesgleichen sucht.
Übrigens liebt er die Herausgeber- und Archivarsattitüde, das Versteckspielen hinter der Maske eines, der anderer Leute Papiere »an den Tag gibt«, auch als Dichter. Ein Beispiel sind die »Hinterlassenen Schriften und Gedichte von Hermann Lauscher«[10], die er herausgibt. Ein verwandtes das Zurücktreten hinter das Pseudonym »Sinclair« im Falle von »Demian. Geschichte einer Jugend« (1919). Ein ganz großes das sublime, aus allen Quellen der Menschheitskultur, abend- und morgenländischer, gespeiste Alterswerk vom »Glasperlenspiel« mit seinem Untertitel »Versuch einer Lebensbeschreibung des Ma-

gister ludi Joseph Knecht samt Knechts hinterlassenen Schriften, herausgegeben von Hermann Hesse«. Ich habe beim Lesen sehr stark empfunden (und es ihm auch geschrieben), wie sehr das parodische Element, die Fiktion und Persiflage einer mit gelehrten Konjekturen arbeitenden Biographie, die sprachlichen Humorigkeiten also, behilflich sind, ein solches Spätwerk gefährlich fortgeschrittener Vergeistigung im Machbaren zu halten, ihm Spielfähigkeit zu bewahren. *(Um Abschnitte gekürzt, die schon im Gruß zum 60. Geburtstag enthalten sind.)*
Die Krönung seines Werks mit dem schwedischen Weltpreis für Literatur habe ich seit einem Jahrzehnt und länger beantragt. Sie wäre zu seinem Sechzigsten nicht zu früh gekommen, und die Wahl des naturalisierten Schweizers hätte eine witzige Auskunft bedeutet zu dem Zeitpunkt, als Hitler (von wegen Ossietzky's)[11] die Annahme des Preises allen Deutschen für ewige Zeiten verboten hatte. Aber auch jetzt, da der Siebzigjährige selbst sein schon reiches Werk mit etwas Höchstem, dem großen Erziehungsroman, gekrönt hat, behält die Ehrung viel Rechtzeitiges. Sie läßt hell den Namen eines Dichters aufglänzen, dessen Werk das Überkommene schirmt und der Zukunft offen ist, eines Geistes, der dieser in Übergangswehen liegenden Zeit durch Güte und Freiheit viel zu geben hat.

1 Aus »Neue Rundschau«, Heft 7, Stockholm, 1947 und »Neue Zürcher Zeitung« vom 2. 6. 1947
2 Siehe Anhang
3 Hans Pfitzner (1869-1949)
4 T. M. hat als Beispiele solchen Deutschtums Goethe, Nietzsche und Platen genannt.
5 Goethe zu Eckermann, am 31. Januar 1827: »Nationalliteratur will jetzt nicht viel sagen, die Epoche der Weltliteratur ist an der Zeit, und jeder muß jetzt dazu wirken, diese Epoche zu beschleunigen.«
6 H. H., »Eine Bibliothek der Weltliteratur«, 1929 als Nr. 7003 von Reclams Universalbibliothek erschienen. Vgl. W. A. Bd. 11, S. 335 ff. bzw. H. H., »Eine Literaturgeschichte in Rezensionen und Aufsätzen«.
7 Bd. XIII und Bd. VII der Sammlung Die Dichtung, Schuster & Löffler, Berlin und Leipzig 1904.
8 H. H., »Blick ins Chaos«. Drei Aufsätze, Bern, 1921. Vgl. W. A. Bd. 12 bzw. »Eine Literaturgeschichte in Rezensionen und Aufsätzen«, S. 307 ff.

9 »Geschichten aus dem Mittelalter«, hrsg. von Hermann Hesse. Konstanz, 1925.
»Gesta Romanorum«. Das älteste Märchen- und Legendenbuch des christlichen Mittelalters, ausgewählt und mit einer Einführung von Hermann Hesse. Leipzig, 1915.
»Morgenländische Erzählungen« (Palmblätter). Nach der von J. G. Herder und A. J. Liebeskind besorgten Ausgabe neu herausgegeben von Hermann Hesse, Leipzig, 1914.
»Lieder deutscher Dichter«. Eine Auswahl der klassischen deutschen Lyrik von Paul Gerhardt bis Friedrich Hebbel von Hermann Hesse. München, 1914.
Jean Paul, »Ausgewählte Werke«. Eingeleitet von Hermann Hesse. Zürich, 1943.
»Hölderlin. Dokumente seines Lebens«. Nachwort von H. Hesse. Berlin, 1925.
»Novalis. Dokumente seines Lebens und Sterbens«. Nachwort von H. Hesse, Berlin, 1925.
Eine detailliertere Bibliographie der von H. H. herausgegebenen Buchausgaben enthält der Band »Hermann Hesse, eine Werkgeschichte« von Siegfried Unseld, suhrkamp taschenbuch 143, S. 303 ff., Frankfurt a. Main, 1973.
10 In Basel 1901 erschienen. Vgl. W. A. Bd. 1, S. 216 ff.
11 Dem ehemaligen Leitartikler der »Weltbühne« und KZ-Häftling Carl von Ossietzky (1889-1938) war 1936 der Friedensnobelpreis verliehen worden, woraufhin Hitler allen Deutschen die Annahme des Nobelpreises verbot.

93

Montagnola 3. Juli 47

Lieber Herr und Freund

Wenn ein berühmter Mann von einem un- oder weniger berühmten als »Freund« angeredet wird, hat es für mich immer etwas Komisches. Aber wenn Einmal, so ist jetzt der Anlaß da, Sie für dies eine Mal so anzureden, ich tue es in der Formel »Herr und Freund«, die Jakob Burckhardt besonders respektablen und respektierten Freunden gegenüber gern benützte. Sie haben mich mit Ihrem Gruß in der Zürcher Zeitung vollkommen überrascht. Ich hatte, weil in dieser Nummer ein Beitrag von mir kommen sollte, eine Anzahl Exemplare bestellt, und als ich das Paket aufmachte, lachte mich die Überschrift Ihres Grußes beinah erschreckend an, ich setzte mich und las, und las Ihre feinen und lieben Worte in einer höchst angenehmen Abwechslung von Rührung und Schmunzeln.

Seit 24 Stunden lag ein langer Brief eines von mir sehr geschätzten Mannes in Schwaben bei mir, in dem er mich bat, ich möchte Ihnen doch sagen, wie sehr ermutigend und tröstlich es für Ihre deutschen Verehrer, soweit sie Hitlergegner und Hitleropfer waren, sein würde, wenn Sie dennoch auf einen kurzen Besuch sich in Deutschland zeigen würden. Ich führe diesen sehr gut und herzlich gemeinten Auftrag nicht aus, aber was mir an jenem Brief so sehr gefiel, war die völlig gleichmäßige Verteilung einer alten, treuen Leser-Liebe und Verehrung für Sie und für mich. Während ich allzu oft, von biederen Wandervögeln für ihresgleichen genommen, zu hören und lesen bekommen mußte, wie sehr man es an mir schätze, daß ich nicht so ein kühler Intellektueller und geschniegelter Weltmann sei wie der berühmte Lübecker. Ich bin gewiß, daß Sie ebenso oft Huldigungen empfangen haben, die sich durch ehrenvolle Vergleiche mit dem blauäugigen schwäbischen Idylliker mehr Würze zu geben strebten. Da habe ich manche Rüge erteilen müssen, und ganz im Privaten manche Lanze für den Lübecker gebrochen.[1]

Es ist in Ihrem Kollegen- und Freundesgruß an mich kein Wort und keine Anspielung, die ich nicht mit Behagen genossen hätte, und kein Gefühl, das ich nicht genau und lebhaft erwidere. Und wie hübsch und witzig, daß der Zufall Ihnen jenen Brief eines Musikers zuspielte (ich würde sehr auf Pfitzner raten)! Wie Sie diesem Kanarienvogel antworten, ist ein Spaß und Genuß für sich.
Es geht mir wenig gut, und auch die Hitze, die ich mein Leben lang geliebt hatte, vertrage ich nicht mehr, sonst würde ich noch manches Blatt an Sie vollschreiben.
»Agathon grüßt den Ixion«[2], soll Wieland zu Schubart gesagt haben, als er ihn in Geislingen besuchte. »Josef Knecht vollzieht den großen achtfachen Kotao[3] vor Thomas von der Trave«, sage ich für heute, und bin mit alter Liebe und Dankbarkeit Ihr

H. Hesse

1 Ein Beispiel dafür, siehe Anhang.
2 Gestalten aus Wielands berühmtem, in das antike Griechenland zurückprojizierten autobiographischen Bildungsroman »Agathon« (geschrieben 1766/67).
3 Tiefe chinesische Verbeugung vor vornehmen Respektpersonen und im Kult.

94

Wengen, im August 47

Lieber Herr Thomas Mann

noch immer habe ich ein etwas schlechtes Gewissen, weil ja gewiß auch Sie neulich in Luzern durch die Höhe der Hotelrechnung erschreckt worden sind.[1] Mein Vertrauensmann in Luzern hatte mir mitgeteilt, daß man Ihnen und mir »Spezialpreise« machen werde, und ich war so naiv gewesen, dieses »Spezial« als eine Erniedrigung der Preise zu deuten, während uns vielmehr eine Erhöhung des Ranges, vom Fahrenden Sänger zum Fürsten oder Millionär, ehrenvoll zugedacht war. Nun, es ist geschehen, und in jeder andern Hinsicht habe ich unser Rendezvous in der schönsten und dankbarsten Erinnerung. Daß Sie es, bei der Knappheit Ihrer Zeit, ermöglicht haben, war ein Geschenk für uns. Außer der alten Sympathie und Verehrung hat das Wiedersehen mir auch jenes merkwürdige Gefühl der Verbundenheit, ja Zusammengehörigkeit bestätigt und verstärkt, das ja kein Zufall sein kann und auf irgend eine Weise einem Doppelgesicht des heutigen deutschen Wesens und Geistes entspricht.

Daß wir an Deutschland und unsern Beziehungen zu ihm noch viel Freude erleben werden, ist nicht wahrscheinlich. Doch wollen wir dennoch nicht vergessen und nicht unterschätzen, daß Ihnen wie mir von einer Schicht, die doch wohl eine Elite ist, Treue bewahrt wurde und Vertrauen geschenkt wird. Ohne das möchte ich heute, weiß Gott, lieber kein deutscher Dichter sein.

Wir haben inzwischen Sommerfrische gespielt und sogar die Jungfrau[2] zwar nicht bestiegen, aber doch befahren, und hoffen, daß Ihrer in Holland noch Ausruhetage warten. Von Herzen grüßen wir beide Sie und Ihre Frau und wünschen gute Reise.

Ihr H. Hesse
Ihre Ninon Hesse

1 H. H. und T. M. hatten sich am 23. Juli im Hotel National, Luzern, getroffen. An Gunter Böhmer schrieb Hesse am 29. 7. 1947: »In Luzern hatten Bekannte von uns im ersten Hotel Zimmer genommen, und ich mußte für Ninon und mich für Abendessen, Übernachten und Frühstück genau 88 Franken bezahlen. Ich kam mir einen Moment wie ein Amerikaner vor und verachtete die ganze Welt.
Mit Thomas Mann war es recht schön, wir waren auch miteinander in Triebschen im Wagnermuseum, wo Sie eine kleine Zusammenstellung des denkbar Grausigsten an deutsch-romantischer Malerei vom Ende des 19. Jahrhunderts hätten sehen können.«
Und an Richard Benz: »Ich traf mich vor einigen Tagen in Luzern mit Thomas Mann. Da waren wir auch eine Stunde in Tribschen und im Wagner Museum. Da war mit Ausnahme einiger Fotos und Briefen alles gesättigt mit einem hautgout von schlechtestem 19. Jahrhundert, eine verschollene Theaterwelt, aber daneben in einem Kabinett fand ich unter Glas ein mir vorher nicht bekanntes Jugendbild von Nietzsche, als Pforta-Schüler, das könnte ebenso gut den Jean Paul der Flegeljahre darstellen, es wog den ganzen übrigen Zauber und Plunder auf.«
2 Gipfel in den Berner Alpen (4166 m).

95

Zürich, Baur au lac den 10. Aug. 47

Lieber Hermann Hesse,

im letzten Augenblick (wir fliegen heute) Dank für Ihre lieben Zeilen. Die »Nationalen« in Luzern haben uns insofern Wort gehalten, als wir für den königlichen Salon, den sie uns eröffnet, und den wir nicht bestellt hatten, bestimmt *nicht* haben zahlen müssen.

Es war ein gutes Zusammensein, an das wir das ganze Jahr zurückdenken werden. Wie ich nun aber des Treibens müde bin, kann ich nicht sagen, und es ist recht arg, daß es in Holland nochmal ein bisschen von vorn anfangen soll.[1] Ich will froh sein, wenn wir auf dem Schiff sind, und habe geheime Zweifel, ob ich mich nächsten Mai (was ja nur 8 Monate wären) schon wieder auf den Tanz einlassen werde. Die Schweiz freilich lasse ich ungern. Es ist nun einmal ein reizendes Land, und der Alpen-Übergang neulich, als wir im Auto nach Stresa[2] fuhren, hat mir tiefen Eindruck gemacht. (Wie haben sie es nur damals mit den Elefanten fertig gebracht?[3]) Wenn man weither ist und nicht zu oft kommt, erhält man auch viele Fränkli.

Aus Washington habe ich mißliche Nachrichten in der Copyright-Angelegenheit, und es ist wieder eher wahrscheinlich geworden, daß die deutsche Ausgabe des »Büchleins« noch acht, neun Monate liegen bleiben muß[4], was für mich schmerzlich, für Bermann aber, glaube ich, ein fürchterlicher Schlag ins Kontor wäre. Von Dr. Benedikt[5] (ehemals Wien), der in Schweden die Korrekturbögen gelesen hat, bekam ich einen erfreulich aufgeregten Brief.

Leben Sie recht wohl, Sie und Frau Ninon, die wir beide mit Ihnen herzlich grüßen.

Ihr Thomas Mann

1 Vom 10.-18. 8. hatte T. M. in Amsterdam ein anstregendes Programm von Pressekonferenzen, Empfängen und Vorlesungen zu absolvieren. Nach 10-tä-

giger Pause in Noordwijk kehrte er am 29. 8. mit seiner Frau nach Amerika zurück.

2 In den ersten Augusttagen hatte T. M. seinen italienischen Verleger A. Mondadori am Lago Maggiore besucht.

3 Hannibals Alpenübergang im Zweiten Punischen Krieg 218 v. Chr.

4 Thomas Manns »Doktor Faustus« erschien Oktober 1947 im Bermann-Fischer Verlag, Stockholm.

5 Ernst Benedikt (1883) ehem. Chefredakteur der »Neuen Freien Presse«, Wien, 1938 von den Nationalsozialisten festgenommen, emigrierte nach seiner Freilassung 1939 nach Schweden.

13. Oktober 1947[1]

Lieber verehrter Foma Genrichowitsch[2]

Seit einiger Zeit wollte ich Ihnen immer irgend einen Gruß schreiben, ein Lebenszeichen und Zeichen des Gedenkens und der Sympathie senden, denn wir denken Ihrer viel, und haben neulich fast alle Aufsätze aus »Rede und Antwort«[3] wieder gelesen, beginnend mit dem über Chamisso und den autobiographischen, sodann haben wir, von Ihnen inspiriert, nach langen Jahren den »Stechlin«[4] wieder vorgenommen und lesen ihn abends. Und nun kam heute eine noch stärkere Mahnung an Sie. Wir hörten am Radio das Tonband, auf das Sie das »Wunderkind«[5] gesprochen haben, freuten uns an Ihrer Stimme und Sprache, und wurden wieder einmal stark davon berührt, daß schon in Ihren frühsten und auch den kleinsten Werken nicht nur Tonfall und Vortrag schon so fertig und präzise vorhanden, sondern auch das Centrum Ihrer Thematik und Problematik so ungemein genau aufgezeigt ist.

Nun, es hätte weder dieser Begegnung im Radio noch sonst einer Mahnung bedurft, um mich Ihrer herzlich und dankbar denken zu lassen. Die Welt ist nicht sehr reich an Leuten und gar Kollegen, deren Dasein, Wirkung und Strahlen einem reine Freude macht, im Altwerden tut man auch schwerer mit der Aufnahme neuer Erscheinungen und Typen, desto dankbarer ist man für die wenigen Gefährten, an deren Dasein und Gaben man sich nur freuen kann . . .

1 Dieser Brief ist nur in der unvollständigen Abschrift erhalten, die der Band H. Hesse: »Ausgewählte Briefe«, a. a. O. S. 244, wiedergibt.

2 Vermutlich eine deutsche Umschreibung der russischen Bezeichnung für »Thomas, Sohn des Heinrich«. T. M.'s Vater hieß Johann Heinrich Mann (1840-1891).

3 T. M., »Rede und Antwort. Gesammelte Abhandlungen und kleine Aufsätze.«, Berlin, 1922.

4 Theodor Fontane, »Der Stechlin«, Roman (1899).

5 Tonaufzeichnung der 1947 für Radio Zürich gelesenen Novelle »Das Wunderkind« (entstanden 1903). Vgl. »Thomas Mann spricht«, Literarisches Archiv der Deutschen Grammophon Gesellschaft, Hamburg, Nr. 43063.

9

II

13

Der Glasperlenspielmeister

Versuch einer Lebensbeschreibung des Magister Ludi Josef Knecht.

Samt Knechts hinterlassenen Schriften.

Herausgegeben von

Hermann Hesse

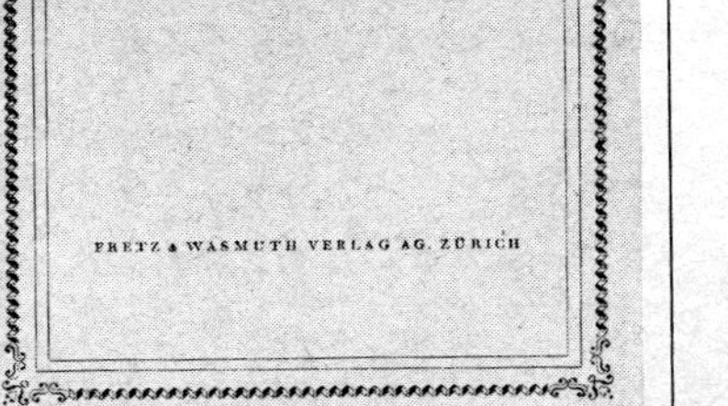

DAS GLASPERLENSPIEL

Versuch einer Lebensbeschreibung des
Magister Ludi Josef Knecht
samt Knechts hinterlassenen Schriften

Herausgegeben von

HERMANN HESSE

FW

FRETZ & WASMUTH VERLAG AG. ZÜRICH

15

THOMAS MANN

Doktor Faustus

DAS LEBEN
DES DEUTSCHEN TONSETZERS
ADRIAN LEVERKÜHN,
ERZÄHLT
VON EINEM FREUNDE

Roman

BERMANN · FISCHER VERLAG / STOCKHOLM

Hermann Hesse.

dies Glasperlenspiel mit
schwarzen Perlen

von seinem Freunde

Pacif. Palisades
15. Jan. 1948 Thomas Mann

97

Pacific Palisades 25. Nov. 1947

Lieber Herr Hesse,

ich bin im Besitz (es ist ein Besitz) Ihres lieben Briefes vom Oktober mit dem freundlichen Zusatz, den Frau Ninon spendete, und dem schönen Briefwechsel über das »Glasperlenspiel«.[1] Man sieht, wie rein, hoch, innig die Wirkung dieses »inkommensurablen« Werkes ist und findet wieder, daß überhaupt nichts interessant ist, außer dem Inkommunsurablen[2]. Das Wort wurde ja wohl auf Goethes Faust, von ihm selbst, zuerst angewandt, und er bleibt das Musterbeispiel, an das man denkt, wenn etwas von der extraordinären Gattung wieder erscheint. Ich habe mich gerade wieder, gelegentlich der Zusammenstellung einer Goethe-Auswahl[3], mit Faust II beschäftigt. Können Sie verstehen, daß man so oft eine langweilige allegorische Geheimniskrämerei darin gesehen hat?[4] Ich bin wieder einmal vollkommen transporté und *ermutigt* davon, – soviel natürlich gegen das sonderbare Gewächs mit seinem zweifelhaften Helden, seinem katholischen Opernschluß und in seiner Mischung aus Revue und Weltgedicht zu sagen ist. Aber wie *vorzüglich* ist es doch an jeder Stelle, wie geistreich und humorvoll in der Behandlung des Mythos, auf den Pharsalischen Feldern und am Peneios, und des Mysteriums der Helena! Wie *getroffen* überall durch das scherzende, weise, lyrische Wort! Es ist auch durchaus übersehbar und durchdringbar, und es könnte einen wohl die Lust ankommen, einmal einen ganz frischen, zutraulichen Faust-Kommentar zu schreiben, der den Leuten die allzu fromme Scheu vor dem hohen, heiteren, keineswegs unzugänglichen Werk, exceptionell wie es ist, kühn und menschlich fehlbar, – nehmen sollte.

Das »Glasperlenspiel« ist gewissermaßen von der Familie, prosaisch gekleidet zum Unterschied, – so etwas wird heutzutage in Prosa getan. Am besten hat wohl E. R. Curtius in der deutschen Zeitschrift »Merkur« darüber geschrieben[5] – Sie kennen den Aufsatz natürlich, ich habe den Verfasser in

Zürich sehr dafür belobt, aber er war im Übrigen wenig genießbar, politisch garnicht anzuhören, – es ist da eine wenigstens partielle intellektuelle Schrumpfung und selbst Verelendung, die man bei fast allen findet, die all die Zeit drinnen gesessen haben, und die zugleich dégoûtiert und traurig stimmt.
Europa liegt schon weit zurück. Wie ein Traum, dem ich oft und gern in meinen Gedanken nachhänge, besonders der Wiederanknüpfung mit der Schweiz, der Wiederbegegnung mit Ihnen. Alles war »wieder«, zuletzt kam noch das Wiedersehen nach 8 Jahren mit einem sehr geliebten Ort, dem »Huis ter Duin« in Noordwijk »aan Zee«. Es ist so schlecht wie teuer dort heutzutage, aber die große Terrasse, der Strand, das Meer sind herrlich, und ich schrieb wieder in der sandigen Hütte[6]. Beim Wiedereinlaufen hier in den Hudson sagte der Paßbeamte: »Are you *the* Thomas Mann? Welcome home!« Nun ja, – home. Man kann so sagen. Was eigentlich »home« ist, weiß ich längst nicht mehr recht, habe es im Grunde nie gewußt. Siehe dazu »Meerfahrt mit Don Quichote«, woraus ich Ihnen, als es frisch geschrieben war, in Montagnola einmal vorlas.[7]
Daß Sie die alten Aufsätze wieder hören mochten! Es stehen bessere in dem Bande »Adel des Geistes«[8], und zwar gerade die kleineren, glaube ich, sind lesenswert, der über Storm und der über Platen, der den mir eindrucksvollen Beifall Croce's[9] hatte. Schließlich ist er ein gelernter Kritiker, was ich garnicht bin. Ich liebe es nur, vertrauliche Huldigungen darzubringen und dabei etwas aus der Schule zu schwatzen.
Derzeit tue ich garnichts Rechtes, probiere innerlich dies und das (was würden Sie sagen, wenn ich das Felix Krull-Fragment zu einem richtigen Schelmenroman ausbaute, zur Unterhaltung auf meine alten Tage?) und schaue aus nach dem nun in die europäische Welt getretenen »Doktor Faustus«, einem Buch, das mich viel gekostet, stärker an mir gezehrt hat, als jedes frühere, und an dem ich, im Bewußtsein seiner schleppenden Mängel, unglaublich hänge. Es liegt mir auch diesmal

nur und allein an der deutschen Ausgabe – zu übersetzen ist es garnicht – und ich werfe jede Post auseinander, um zuerst zu sehen, ob etwas aus Schweden oder der Schweiz über das Buch darunter ist. Es kam auch schon manches, worin immerhin etwas von der Erregung nach-vibriert, die dem Buch trotz und in seiner Langweiligkeit eigentümlich ist.[10] Haben Sie es denn? Im Vertrauen auf den Verlag sollte ich es Ihnen selber schicken, aber zu mir sind bisher nur einige Exemplare gelangt, die ich hier dringend nötig hatte. Sobald mehr kommen, geht eines an Sie ab, – wenn ich nicht vorher höre, daß Sie es schon besitzen.

Herzliche Grüße von Haus zu Haus, Paar zu Paar!

Ihr Thomas Mann

1 »Zwei Briefe über das Glasperlenspiel« aus der Sonntags-Beilage der »Nationalzeitung«, Basel vom 5. 10. 1947. Vgl. Hesses Antwort an eine Leserin in »Materialien zu H. H. ›Das Glasperlenspiel‹«, Bd. 1, a. a. O. S. 278 f.

2 Goethe zu Eckermann am 6. Mai 1827 über »Faust« und »Die Wahlverwandtschaften«: ». . . je inkommensurabeler und für den Verstand unfaßlicher eine poetische Produktion, desto besser«. (Goethes Gespräche mit Eckermann, Insel, Leipzig o. J., S. 323)

3 »The Permanent Goethe«. Edited, selected and with an Introduction by Thomas Mann. New York, 1948.

4 Als Faust II aus Goethes Nachlaß veröffentlicht wurde, war der Realismus an der Tagesordnung. Seine Vorkämpfer, an ihrer Spitze Fr. Th. Vischer, konnten, auf die programmatische Forderung einer »Kunst der Wirklichkeit« festgelegt, einem Gebilde sui generis wie Faust II nicht gerecht werden. Die zeitgemäße Animosität gegen Goethe tat ferner das Ihre, um Faust II für ein schwaches allegorisches Produkt des senilen alten Goethe zu erklären. Selbst Hebbel schloß sich diesem Standpunkt an.

5 Der Aufsatz »Hermann Hesse« (insbesondere über »Das Glasperlenspiel«) von E. R. Curtius ist enthalten in dem Band »Kritische Essays zur europäischen Literatur« von E. R. Curtius, 2. Aufl., Bern 1954, bzw. auszugsweise in »Materialien zu H. H. ›Das Glasperlenspiel‹«, Zweiter Band, Frankfurt a. Main, 1974, S. 68 ff.

6 Strandkorb.

7 Vgl. Brief 38, Fußnote 9.

8 Bermann-Fischer Verlag, Stockholm, 1945.

9 Benedetto Croce (1866-1952), italienischer Philosoph und Literaturkritiker.

10 Die ersten Besprechungen: »Thomas Manns Doktor Faustus«
von Max Rychner in »Die Tat«, Zürich, 18. x. 47;
von Eduard Korrodi, »Neue Zürcher Zeitung«, 20. x. 47;
von Emil Staiger, »Neue Schweizer Rundschau«, Zürich, November 1947. Siehe Anhang.

98

Baden, 12. Dezember 1947

Lieber Herr Thomas Mann

Besseres konnte ich mir in diesen etwas öden, verdösten Wochen der Badener Kur nicht wünschen als einen Brief von Ihnen, und gar einen so erfreulichen und verheißungsvollen, denn er verspricht mir, oder zeigt doch als möglich und auch von Ihnen selbst erstrebt zwei wunderschöne Dinge an, die ich mir beide schon gewünscht habe, und zwar das eine, den ganzen ausgeführten »Krull« schon seit Jahrzehnten, das andre den Faustkommentar ad usum Germanorum, im Lauf der letzten Jahre auch mehr als einmal. Über »Krull« brauche ich nichts zu sagen, Sie wissen längst, wie lieb mir diese Gestalt ist, und können sich denken, wie sehr ich nicht nur mir diesen großen Lesegenuß, sondern auch Ihnen das längere Weilen bei dieser Arbeit wünsche und gönne, deren entzückende Tonart und Atmosphäre ja schon vorhanden ist, und die ich mir unter andrem auch als einen Spaziergang in artistischer Höhenluft, im Spiel mit einer von aktuellen und makabern Problemen freien Materie vorstelle. Möchten gute Sterne darüber stehen!

Seit Sie nicht mehr von mir gehört haben, habe ich auch den »Leverkühn« gelesen. Das ist ein großer und kühner Wurf, nicht nur durch die Problemstellung und durch die bezaubernd lichte und entstofflichte Weise, mit welcher diese Problematik auf das musikalische Gebiet entführt und dort mit der Objektivität und Ruhe analysiert wird, die nur im Abstrakten möglich sind. Nein, für mich ist das Erstaunliche und Aufregende dabei, daß Sie dieses reinliche Präparat, diese ideale Abstraktion nicht im idealen Raume ausschwingen lassen, sondern es mitten in eine realistisch gesehene Welt und Zeit hineinstellen, eine Welt, die zum Lieben und zum Lachen, zum Hassen und Ausspeien reizt. Da steht nun freilich vieles, das man Ihnen übelnehmen wird, aber daran ist man ja gewöhnt, Sie werden es nicht zu schwer nehmen. Mir selbst ist, nach dem erstmaligen Lesen, die Innenwelt Leverkühns sehr viel klarer, geordneter,

durchsichtiger als seine Umwelt, und das grade gefällt mir so, daß diese Umwelt so mannigfaltig, figurenreich und so verschiedentlich belichtet ist, daß sie Raum hat für die Hallenser Theologenkarikaturen wie für das holde Kind Nepomuk, daß der Dichter uns den Guckkasten so reich besteckt hat und kaum jemals die gute Laune, den Spaß am Theater verliert.
Sie sehen, daß ich das Buch schon besitze, freilich nur in einem schäbigen Lese-Exemplar. Sollten Sie, irgend einmal, ein hübscheres, ein gebundenes für mich übrig haben, so werde ich Ihnen dafür natürlich sehr dankbar sein.
Noch etwas: auf manchen Seiten Ihres Buches, wo Leverkühnsche Musik analysiert wird, fand ich mich an eine Nebenfigur des »Glasperlenspiel« erinnert, an Tegularius, dessen Glasperlenspiele zu Zeiten die Neigung haben, auf scheinbar legitimstem Wege in Melancholie und Ironie zu enden.
Meine Kur ist zu Ende, in wenigen Tagen bin ich wieder zu Hause. Ihnen beiden die herzlichsten Grüße von Ninon und Ihrem

H. Hesse

99

21. Januar 1948

Lieber Herr Thomas Mann

Heut habe ich, Sie werden lachen, zum erstenmal einen Text von Ihnen in englischer Sprache gelesen, vielmehr buchstabiert, Ihr Vorwort zum Demian[1], dessen amerikanische Ausgabe eben bei mir eintraf.

Es ist mir eine Freude, so an Ihrer Hand und von Ihnen vorgestellt dem fremden Land zum erstenmal ernstlich entgegenzutreten, denn die früheren Versuche, Bücher von mir in Amerika einzuführen, wurden dort überhaupt nicht bemerkt.[2] Auch jetzt regt der Start mich zwar nicht auf, ich bin wenig interessiert, aber wenigstens machte er mir Spaß und geschieht in guter Gesellschaft.

Auch die Art, wie der Verlag Holt die häßliche Vorderseite des Buchumschlags auf der Rückseite durch das St. Moritzer Bild wieder gutzumachen sucht, hat mir Spaß gemacht.

Kurz, ich bin einmal wieder der Beschenkte, und das ist heutzutage, wo man meistens der Betrogene und Bestohlene ist, eine nicht häufige Lage, man errötet beinahe ein wenig.

Noch einmal sage ich Ihnen Dank für diesen Essay, und schicke für das neue Jahr unsre Wünsche mit. Mögen die nächsten Weltkatastrophen so lang noch zögern, bis wir ihnen nicht mehr erreichbar sind, und möge irgendwo die lichte und hübsche Seite des Lebens weiter gedeihen.

Es grüßt Sie beide herzlich, auch im Namen meiner Frau

Ihr H. Hesse

1 Die amerikanische »Demian«-Ausgabe mit dem Vorwort von T. M. erschien 1948 im Verlag Holt, New York.

2 Zuvor waren in den USA Übersetzungen von Hesses »Gertrud« (New York, 1915) von »Demian« (New York, 1923), von »Der Steppenwolf« (New York, 1929) und von »Narziß und Goldmund« (New York, 1932) erschienen.

Thomas Manns Einleitung zu einer amerikanischen Ausgabe:

Der größte Teil dieser Einleitung zitiert, was T. M. zu Hesses 60. und 70. Geburtstag schrieb. Die Worte zum »Demian« sind neu hinzugefügt: Mir ist es eine Freude, dieser ersten amerikanischen Ausgabe der zündenden Prosa-Dichtung seiner Mannesjahre, des »Demian«, einen Vorspruch der Sympathie und der warmen Empfehlung zu geben. Ein schmaler Band; aber die Bücher geringen Umfangs sind es oft, welche die stärkste Dynamik entwickeln, – man denke an den »Werther«, an dessen Wirkung in Deutschland der »Demian« von weitem erinnert. Das Gefühl des Autors für die überpersönliche Gültigkeit seiner Schöpfung muß sehr lebhaft gewesen sein: dafür spricht die absichtliche Zweideutigkeit des Untertitels »Die Geschichte einer Jugend«, was sowohl individuell gemeint sein wie die Geschichte einer ganzen jungen Generation bedeuten kann. Dafür spricht auch, daß Hesse gerade diese Erzählung nicht unter seinem schon geläufigen und abgestempelten Namen erscheinen lassen wollte, sondern das Pseudonym »Sinclair« – einen aus dem Hölderlin-Kreis stammenden Namen – auf den Umschlag drucken ließ und seine Autorschaft lange sorgfältig verhehlte. Ich schrieb damals an den Verleger, der auch der meine war, S. Fischer in Berlin, und fragte ihn eindringlich, welche Bewandtnis es mit diesem frappanten Buch habe und wer »Sinclair« sei. Der Alte log getreulich: Er habe das Manuskript aus der Schweiz durch eine Mittelsperson empfangen. Langsam drang dennoch die Wahrheit durch, auf stilkritischem Weg zum Teil, dann auch durch Indiskretion[1]. Aber erst die zehnte Auflage erschien unter Hesses Namen.
Gegen Ende des Buches, 1914, sagt Demian zu seinem Freunde Sinclair: »Es wird Krieg ... Aber du wirst sehen, Sinclair, das ist nur der Anfang. Es wird vielleicht ein großer Krieg werden, ein sehr großer Krieg. Aber auch das ist bloß der Anfang. Das Neue beginnt, und das Neue wird für die, die am Alten hängen, entsetzlich sein. Was wirst du tun?«

Die rechte Antwort wäre: »Dem Neuen beistehen, ohne das Alte daranzugeben.« Die besten Diener des Neuen – dafür ist Hesse ein Beispiel – mögen diejenigen sein, die das Alte kennen und lieben und es ins Neue hinübertragen.

1 In seinen »Fünf Heften« (Roland Verlag, München, 1920) hatte Otto Flake 1920 Hermann Hesse als den Autor des 1919 unter dem Pseudonym Emil Sinclair erschienenen Buches »Demian« erkannt. Daraufhin forderte Eduard Korrodi mit seinem, am 24. 6. 1920 in der Neuen Zürcher Zeitung publizierten Artikel »Wer ist der Dichter des ›Demian‹?« Hesse zu einer Stellungnahme heraus. Hesse antwortete Korrodi mit einem offenen Brief, um dessen ungekürzte Veröffentlichung in der Neuen Zürcher Zeitung er ihn bat. Diesen Brief publizierte Korrodi nicht, sondern veröffentlichte statt dessen seinerseits einen offenen Brief an Hesse, in welchem Hesses Stellungnahme nur auszugsweise zitiert wurde. Der offene Brief Hermann Hesses konnte nicht mehr ausfindig gemacht werden. Vgl. Dokumentation in H. H., »Gesammelte Briefe«, Bd. 1 (1895-1921), a.a.O., S. 564 ff. bzw. »Materialien zu Hermann Hesses Demian«, (Edition in Vorbereitung).

101

Anfang März 48

Lieber Herr Thomas Mann

Ihr Geschenk ist gekommen, das schöne Exemplar des Faustus, ich danke Ihnen dafür recht sehr. Gestern kam aus Konstanz eine Zeitschrift,[1] in der Ihr Buch und das meine gemeinsam besprochen werden, doch habe ich es noch nicht lesen können, gewiß ist das Heft auch an Sie schon unterwegs. Inzwischen herrscht trotz der heftigen politischen Ablenkungen bei jedermann größtes Interesse für Ihr Buch, doch ist mir etwas besonders Kluges und Richtiges darüber eigentlich nicht begegnet, das beste war die (bloß musikalische) Besprechung von Schuh[2]. Es ist ja auch diesem höllischen und entzückenden Buch mit den gewohnten Kategorien nicht beizukommen, es übersteigt sie nach beiden Seiten, nach oben und unten, ins Sublime hinauf und ins Fratzenhafte hinunter, seiner sublimen Esoterik entspricht eine Exoterik, eine Einkleidung, die mit beinah allen Mitteln arbeitet, auch mit solchen, die kleineren Leuten verboten sind. Ich wüßte das nicht auf eine Formel zu bringen und bin froh, daß ich das nicht muß, aber grade diese Diskrepanzen, Spannungen und Teufeleien machen mir das Hauptvergnügen dabei, der Leverkühnsche Mikrokosmos erinnert mich oft sehr an die Gestalten der indischen Mythologie, zu denen Goethe noch kein Verhältnis fand, und bei denen ich, grade weil sie das Sublimste umkleiden was Menschen je gedacht haben, grade das Wilde, Geile, Fratzenhafte und Hypertrophische bewundere und bestaune. Ihr Faustus regt Deutschland sehr auf, und wird und kann ja nirgends so wie dort verstanden werden. Dem Kanadier, der noch Europens etc etc[3] wird das alles sehr überflüssig, schreckhaft und kompliziert vorkommen, aber für uns Abendländer ist es heimatlich und notwendig.

Seien Sie mit den Ihren von uns beiden sehr gegrüßt.

Ihr H. Hesse

1 Ludwig Emanuel Reindl, »Tagebuch des Herausgebers« in »Die Erzählung. Zeitschrift für Freunde guter Literatur«, 11, 1948, Südverlag, Konstanz.
2 »Thomas Manns Doktor Faustus« von Eduard Korrodi, Willi Schuh und Ernst Hadorn, »Neue Zürcher Zeitung«, 29. XI. und 6. XII. 1947.
3 Sprichwörtlich gewordener Anfang der bekannten Fabel »Der Wilde«, von J. G. Seume (1763-1810):
»Ein Canadier, der noch Europens
Übertünchte Höflichkeit nicht kannte
Und ein Herz, wie Gott es ihm gegeben,
Von Kultur noch frei im Busen trug ...«

Pacific Palisades 1. Juni 48

Lieber Hermann Hesse,
Dank für das schmucke Heftchen![1] Es ist immer gut, so eine Beilage in Vorrat zu haben. Mir dient dazu ein Bildchen meines Gartens und Hauses. Auf die Rückseite schreibe ich einen Gruß. So haben sie was zu knabbern.
Was bedurfte es denn meiner Erlaubnis zur Wiedergabe des kleinen Artikels! Bei welchem mir Hans Pfitzner[2] einfällt: er ist des Nazismus frei und ledig gesprochen worden. Dabei war er Kultursenator und alles. Dem Minister Frank,[3] bevor er gehängt wurde, hat er in letzter Stunde telegraphiert: »Lieber Freund, mit allen meinen Gedanken bei Ihnen!« Ich muß sagen: das geht schon »au delà«, so ins Närrische und Donquijoteske, daß es mich mit der Freisprechung aussöhnt.
Was treiben Sie Schönes? Ich bereite gerade einen speech vor für eine Peace-Conference,[4] die man hier plant, – was ich nicht tun würde, wenn's nicht bitter nötig wäre. Man treibt hier den Teufel mit Beelzebub aus und ist in vollem Abbau der Bill of Rights begriffen. Schon hat Hjalmar Schacht[5] uns bescheinigt, daß wir auf dem rechten Wege seien, was uns doch eigentlich stutzig machen sollte.
Hauptsächlich aber betreibe ich eine Neufassung in Prosa von Hartmann von Aue's »Gregorius auf dem Steine«[6] – Sie wissen: die mittelalterliche Ödipus-Legende von dem in lauter Blutschande verstrickten Sünder, der schließlich Papst wird. Durch den Faustus war ich ja schon halbwegs ins Mittelhochdeutsche geraten. Ich tue noch etwas Alt-Französisch hinzu, da die Geschichte bei mir in einem fabelhaften Herzogtum Flandern-Artois spielt – und amüsiere mich königlich.
Grüßen Sie recht herzlich Frau Ninon! Wie froh bin ich über die Rettung ihrer Verwandten!

Ihr Thomas Mann.

1 Privatdruck »Hermann Hesse«, mit der Laudatio T. M.'s vom Juli 1947,

A. Gides »Bemerkungen zum Werk H. H.'s« und dem Glückwunschgedicht Carossa's zur Goethepreis-Verleihung an H. H., 1946.
2 Der Komponist Hans Pfitzner (1869-1949)
3 Hans Frank (1900-1946), Bayrischer Justizminister, seit 1939 Gouverneur von Polen.
4 Ansprache am 6. Juni 1949 in Hollywood an die Peace-Group, die den friedlichen Ausgleich mit Sowjetrußland anstrebte.
5 Hjalmar Schacht (1877-1970), Reichsbankpräsident (1923-1939) und Reichswirtschaftsminister (1934-1937) gründete 1952 die Außenhandelsbank in Düsseldorf. Auf dem Nürnberger Prozeß gg. Kriegsverbrecher war er freigesprochen worden.
6 1951 bei S. Fischer, Frankfurt a. Main erschienen unter dem Titel »Der Erwählte«.

103

Montagnola 24. Juni 48

Lieber Herr Thomas Mann

Aus Amerika ein Briefcouvert in einem so hübschen und vernünftigen kleinen Format zu bekommen, ist schon eine Rarität, und dann noch Ihre vertraute Handschrift darauf zu erkennen, war inmitten meines geplagten Alltags etwas durchaus Festliches. Und da ich seit Ihrem Unfall[1] nichts von Ihnen direkt mehr wußte, war ich sehr froh über die guten Nachrichten, die Sie von sich geben, und über die vorzügliche Laune und Tonart Ihres lieben Briefes. Ihre Eskapade ins Mittelhochdeutsche und in jene prachtvoll gestalten- und symbolreiche Atmosphäre des spätern Mittelalters macht mich in meiner steril gewordenen Alterstorheit schon beinahe neidisch. Ich kenne Hartmanns Gregorius nur dem Namen nach, aber was Sie von ihm erzählen, weckt in mir kraftvolle Erinnerungen an Robert den Teufel[2] sowie an die Gesta Romanorum des Cäsarius von Heisterbach.[3] Wenn wir diese Ihre Dichtung noch erleben, wird sie an mir einen dankbaren und wohl für die meisten ihrer Nüancen empfänglichen Leser haben.

Da fällt mir, im Zusammenhang mit Mittelhochdeutsch, etwas Rührendes und Drolliges ein. Aus dem deutschen Chaos erreichen mich außer den Bettel-Schmeichel-und Schmähbriefen auch immer wieder, und gar nicht selten, Klänge aus jenem sagenhaften, märchenhaften Deutschland, dessen Untergang so oft festgestellt wird und das immer noch da ist wie die Wurzel eines Zauberbaumes, der immer wieder abgehauen und verbrannt wird, und immer wieder seine nicht zu tötende Kraft erweist und Sprossen treibt. So bekam ich neulich, innerhalb weniger Tage, zwei Geschenke aus Deutschland, an denen weder von Hitlerscher noch von der Erziehung durch die Besatzungsmächte etwas zu merken ist. Das eine war eine tadellos gebaute und recht schöne Passacaglia und Fuge über das Thema meines Namens: H-E-Es-Es-E, von einem Kantor in Halberstadt. Das andere, noch unerwarteter, war ein in

Quartformat sorgfältig gotisch kalligraphiertes Manuscript mit 26 Gedichten von mir, ins Gotische übersetzt von den Studenten des gotischen Seminars an der techn. Hochschule Dresden. Die russische Censur mag das Kuriosum mit Erstaunen betrachtet haben.
Mitte Juli wollen wir fort, d. h. meine Frau muß es unbedingt, da sie die Sommerhitze hier nicht erträgt, und nun haben wir im Sinn, in Ihren Spuren zu wandeln und Ihr Flimser Hotel aufzusuchen.
Seien Sie mit Ihrer verehrten lieben Frau herzlich von uns beiden gegrüßt!

Ihr H. Hesse

1 T. Mann hatte sich Ende Februar 1948 das Schlüsselbein gebrochen.
2 Deutsches Volksbuch
3 Cäsarius von Heisterbach (ca. 1180-1240), Autor des »Dialogus miraculorum«, einer Sammlung lateinischer Anekdoten und Geschichten, einer der wichtigsten Quellen zur Kirchen- und Kulturgeschichte des 13. Jahrhunderts. Hesse hat eine größere Anzahl daraus übersetzt. Vgl. »März«, Halbmonatsschrift für deutsche Kultur, Albert Langen, München, Juli-August 1908, und H. H., »Geschichten aus dem Mittelalter«, Konstanz, 1925. Siehe auch seine Besprechung in W. A. Bd. 12 bzw. »Eine Literaturgeschichte in Rezensionen und Aufsätzen«, a. a. O. S. 62 ff.

104

Pacific Palisades 3. August 1948

Lieber Herr Hesse,
Den einliegenden Durchschlag eines Briefes an einen Schüler Ernst Bertrams schicke ich Ihnen, weil dieser Herr Schmitz mir Ihr Gutachten in dieser Sache übersandt hatte.[1] Wenn Sie meine Antwort lesen, werden Sie finden, daß wir im Ergebnis so ziemlich übereinstimmen und nur in der Begründung differieren.
Hoffentlich hat Flims Ihnen beiden wohl getan. Ich hörte gern ein Wort darüber, weil unsere persönlichen Erfahrungen während der letzten Tage unseres Aufenthaltes, die schon in die Schulferien fielen, nicht sehr befriedigend waren.
Mit herzlichen Grüßen von Haus zu Haus

immer Ihr Thomas Mann

1 Werner Schmitz (* 1919), Schriftsteller und Bibliothekar, Vgl. den Brief Th. Manns an Werner Schmitz vom 30. VII. 48 in »Briefe III 1948-1955« Frankfurt a. Main, 1965, S. 38 und H. H., »An einige frühere Schüler Prof. Ernst Bertram« vom 31. März 1948, in H. H., »Ausgewählte Briefe« a. a. O. S. 252. Beide traten für Ernst Bertram ein, den die Spruchkammer in Gruppe III eingestuft hatte.

105 Hotel Verenahof-Ochsen
Baden bei Zürich

13. Dezember 1948

Lieber Herr Thomas Mann
Wieder einmal habe ich die Kur in Baden absolviert, es zog sich diesmal unangenehm lang hinaus, da ich die letzten 14 Tage durch eine Erkältung zurückgehalten wurde – nun hoffe ich aber in wenigen Tagen nachhause reisen zu können.
An Sie haben wir hier nicht selten lebhaft gedacht. Ich hatte mich mit Dr. Amstein aus Speicher verabredet, die Badener Kur gemeinsam abzuhalten, Sie lernten ihn in Flims damals kennen. Dieser interessante Mann nun, ein vielseitig begabter aber gefährdeter Arzt, Dichter und in den Künsten, vor allem aber im Lesen Bewanderter, brachte das Manuskript eines Vortrags mit, den er in einer literarischen Gesellschaft in St. Gallen vor Kurzem gehalten hatte, und las ihn mir vor. Thomas Manns Werk als Erlebnis. Es ist eine ausgezeichnete, Ihrer würdige und originelle Arbeit, ich habe ihm sehr zugeredet, sie auch irgendwo drucken zu lassen.[1]
Und dann machte ich einmal im Auto eines Freundes einen kurzen Besuch bei Basler[2] in Burg. Da war von Ihnen nicht minder herzlich die Rede, und bleich vor Entrüstung zeigte Basler mir das neue Buch des Basler Feuilletonisten Muschg,[3] in dem er auf seine Art Literaturgeschichte treibt, und in dem er auch an Ihnen sein offenbar der Kühlung bedürftiges Mütchen kühlt. Es ist über solch ein Buch, in dem ein Leser sich über seine Lektüre teils eng schulmeisterlich, teils als zürnender Prophet im härenen Gewande ausspricht, an sich ja nichts zu sagen, natürlich hat jeder das Recht, solch ein subjektives und vernunftloses, vielmehr vernunftfeindliches Buch zu schreiben. Was mir dabei jedoch peinlich und anstößig ist, das ist, daß dieser Autor in Basel Literaturgeschichte als Ordinarius liest und in seinen öffentlichen, rein rhetorisch-feuilletonistischen Vortragscyklen außerdem eine begeisterte Damenwelt zu seinen Füßen sitzen hat. Zur Zeit ist er Rektor der Universität.

Systematisch und auf öffentliche Kosten verdirbt er so eine Generation von Studenten und macht sie zu schlechten Lesern.

Na, Sie werden längst davon gehört haben. Möchte es Ihnen beiden gut gehen, meine Frau grüßt herzlich mit mir.

Ihr H. Hesse

1 Max Amstein, Dr. med. (1896-1968), seine Arbeit »Gedanken zum Werk Thomas Manns« wurde auf Veranlassung Hermann Hesses im Mai-Heft der Zeitschrift »Neue Schweizer Rundschau« XVII: 1, 1949 gedruckt.

2 Otto Basler, vgl. Brief 85, Fußnote 1.

3 Der Basler Germanist Walter Muschg (1898-1965) kennzeichnet in seiner »Tragischen Literaturgeschichte«, Bern 1948, aber auch in anderen Aufsätzen und Vorträgen Thomas Mann u. a. in der folgenden Weise: »In der deutschen Literatur verkörperte Thomas Mann den geistigen Bankrott des Bürgertums ... Er sprach bezaubernd intelligent über alles, was die Lesermassen der letzten bürgerlichen Generation in Deutschland am liebsten hörten ... Die Bücher Thomas Manns sind das letzte große Versäumnis der bürgerlichen deutschen Literatur. Künftige Leser werden an ihnen vor allem verstehen lernen, warum das Deutschland, das er repräsentierte, vom Teufel geholt wurde.«

106

Pacific Palisades 4. Jan. 1949

Lieber Hermann Hesse,
ein recht gutes neues Jahr, Ihnen und Frau Ninon, von uns allen hier, und vielen Dank für Ihr Brieflein (»mein Büchlein«, schrieben Sie einmal sehr komisch, sage man aus Zärtlichkeit) aus dem »Ochsen«[1]. Möge Ihnen die Badener Kur, trotz der zwischeneingefallenen Erkältung, gut angeschlagen haben! Ich brauche nie Kuren und Bäder, brauchte sie aber manchmal sehr wohl und verstehe mich nur aus Faulheit nicht dazu und weil es so umständlich ist. Müde, müde ist man manchmal. Das Leben war eben kein Kinderspiel, oder doch ein recht ernstes. Es ist ja einiges dabei herausgekommen, und einiges davon wieder steht ziemlich fest, die Schmäher können's schwerlich herabsetzen. Jedes stärkere Leben erweckt sich Feinde, und so einer ist also dieser Muschg, dessen Namen ich noch nie gehört hatte. Werde ihn auch rasch wieder vergessen haben. Aber schade ist es natürlich, wenn er als Ordinarius und Rektor junge Leute, die sonst empfänglich wären, gegen das Bessere einnimmt. *Sie* scheint er garnicht zu beachten, was eigentlich noch schlimmer ist, – ich meine: für ihn.[2]
Die Welt ist voller Narren. Aber gutgeartete Leute von Herz und Kopf gibt es auch eine ganze Menge. So Dr. Amstein, mit dem ich manchmal unten am See in Flims am Tischchen saß und Wermut trank. Sie schildern mir sein Manuskript sehr anziehend, und wenn's ihm niemand druckt, kann ich es vielleicht im Sommer in der Schweiz lesen. –
Neulich stand hier in einem Artikel zu Interieur-Aufnahmen aus unserem Haus: trotz Alter und Reputation müsse ich noch arbeiten für meinen Lebensunterhalt. Meine Sekretärin erzählte mir, ein amerikanischer Freund von ihr sei ganz entrüstet darüber gewesen: Das sei ja unerhört, da müsse man gleich eine Sammlung, a nationwide collection, veranstalten, damit ich mich endlich zur Ruhe setzen könnte! Ich habe selten so gelacht.

Was Sie wohl zur Zeit schreiben und treiben mögen, ungeachtet Ihres Alters und Ihrer Reputation? Von mir werden Sie im Januar-Heft der Neuen Rundschau einen Teil meiner autobiographischen Erinnerungen an die Entstehung des »Doktor Faustus« finden. Ich muß sagen, daß ich mich dieses Dokumentes etwas schäme, das nur entstanden ist, weil ich mich nach der Vollendung des Buches nicht so bald davon abzulösen vermochte, – wahrscheinlich aus dem Gefühl: »Das kommt nicht wieder«. Das »Büchlein« als Ganzes soll im Frühjahr erscheinen.[3] Es kommt auch die Begegnung mit dem »Glasperlenspiel« darin vor, und die sonderbaren Empfindungen sind verzeichnet, die die Gleichzeitigkeit dieser beiden Bücher mir erregte.

Den Auszug aus dem westfälischen Brief[4], den Sie der »Nationalzeitung« zur Verfügung stellten, hat der gute Basler mir auch mitgeschickt. Er bestätigt alle Eindrücke – und noch nicht einmal alle –, die man selbst in der Entfernung, in der ich lebe, von dem deutschen Geisteszustand empfängt. Aber kann man sich wundern? Die unselige ost-westliche Spannung zeitigt trotz aller das Elend markierenden Trümmer Vorteile für Deutschland, die jede Unverschämtheit begreiflich machen, auch den frechen Mißbrauch, den deutsche Blätter mit ihrer Lizenz treiben[5]. Es ist höchst widerwärtig. Und ich soll nach Deutschland gehen? Es steht dort oft in den Zeitungen, daß ich es nächsten Sommer tun werde, aber ich glaube kein Wort davon[6].

Herzlich Ihr Thomas Mann

1 Hotel Verenahof-Ochsen in Baden bei Zürich.

2 In der Tat wird Hesse in Muschgs Literaturgeschichte nicht ein einziges Mal auch nur erwähnt.

3 T. M., »Die Entstehung des Doktor Faustus. Roman eines Romans«, Amsterdam 1949.

4 Brief, in dem H. H. eine Leserin von T. M.'s »Faustus« zurechtweist. Vgl. H. H., »Ausgewählte Briefe«, a.a.O. S. 280 f.

5 Betrifft den Leitartikel einer Münchner Zeitschrift, der Erika und Klaus Mann als »führende Agenten Stalins in den USA« bezeichnet hatte. Vgl. T. Manns Brief an Erika Mann vom 6. XII. 48 in »Briefe III«, a. a.O. S. 55.

6 Dennoch waren T. M.'s Empfindungen im Hinblick auf einen eventuellen Deutschlandbesuch ambivalent. Siehe Anhang.

107

Montagnola, 26. v. 1949

Lieber Herr Thomas Mann

Wie in jedem Ihnen befreundeten Kreise und Hause ist auch in unserem Hause die traurige Nachricht mit Erschütterung und tiefem Mitgefühl aufgenommen worden.[1] Wir Alten sind daran gewöhnt, um uns her die Freunde und Weggenossen verschwinden zu sehen, aber einen seiner Nächsten aus der Generation zu verlieren, die uns nach unsrem Weggang ersetzen, die uns ein wenig den Rücken gegen das ewige eisige Schweigen decken sollte, das hat etwas Erschreckendes und ist schwer hinzunehmen.

Ich weiß wenig über Ihr Verhältnis zu Klaus. Ich selbst habe seinen Anfängen Aufmerksamkeit und Sympathie geschenkt, habe mich später über vieles Unzulängliche in seinen literarischen Versuchen Ihretwegen gelegentlich geärgert[2], und empfinde es heute als überaus tröstlich und versöhnend, daß als Abschluß und Überwindung dieser Versuche dann doch noch ein schönes, gutes, vollwertiges Werk, das Buch über André Gide[3] zu Tage kam und seine und Ihre Freunde beschenkt und für sich gewonnen hat. Dieses Buch wird seinen Autor überdauern, noch auf lange Zeit.

Ich drücke Ihnen und Ihrer lieben Frau, deren wir in diesen Tagen ganz besonders gedenken, in herzlichem Mitgefühl die Hand.

Stets Ihr H. Hesse

1 Am 21. 5. 1949 hatte sich Klaus Mann, der älteste der Söhne Thomas Manns, in Cannes das Leben genommen.

2 Vgl. Hesses Aufsatz: »Beim Lesen eines Romans« in »Schriften zur Literatur« Bd. 1, bzw. W. A. Bd. 11, S. 272 ff.

3 Klaus Mann, »André Gide. Die Geschichte eines Europäers«, Zürich, 1948.

108

Vulpera, Graubünden, Hotel Schweizerhof 1. Juli 49

Lieber Herr Hesse,

Sie sind daheim, wie Basler mir sagt, und gehen gewiß erst im Herbst nach Baden. Es scheint, wir sollen dies Jahr nicht mehr zusammenkommen, es ist mir leid! Wir haben hier drei Wochen des Ausruhens nach vielen Abenteuern und Anstrengungen allerdings oft erquickender Art, wie namentlich in Schweden, – des Ausruhens, das für mich freilich in der peniblen Vorbereitung auf den Besuch in Deutschland besteht, den ich mir, ich weiß nicht, warum, eingebrockt habe, oder den ich mir habe einbrocken lassen.[1] Wenigstens muß ich nicht bis zum 28. August warten, sondern darf am 25. Juli in Frankfurt mein Sprüchlein[2] sagen, gehe dann auch nach München, vielleicht selbst nach Weimar, was natürlich eine Un-American Activity ist. Überhaupt zuviel activity! Das geht schon seit Ende April, und wenn es anfangs Spaß macht, so fragt man sich bald, warum man sich's eigentlich antut. Wie sehr beneide ich Sie um Ihr Vermeidenkönnen, um Ihre Erlaubnis zur Weisheit! Aber am 5. August (wenn ich heil aus D. davonkomme) stechen wir von Rotterdam wieder in See, um den Tumult in gemächlichen Ozean-Tagen ausklingen zu lassen. Mir ist nicht danach zu Mute, mich wieder durch die Luft hinüberschießen zu lassen, wie im Mai von New York nach London.

Nächsten Mai, Leben und Gesundheit vorausgesetzt, kommen wir wieder, denn ich wünsche meinen 75. Geburtstag in Zürich zu verbringen. Leben und Gesundheit auch Ihnen, lieber Freund und Bruder, bis dahin, wenn wir uns wirklich jetzt nicht mehr sehen sollten! Meine Frau und ich grüßen auch Frau Ninon recht herzlich.

Ihr Thomas Mann.

In der Neuen Schweizer Rundschau wird nächstens ein nachgelassener Aufsatz unseres armen Klaus[3] über die verzweifelte

Lage des europäischen Intellektuellen erscheinen. Die Arbeit sei Ihrer Aufmerksamkeit empfohlen.

1 Am 10. 5. 1949 hatte T. M. seinen ersten transatlantischen Flug nach Europa unternommen zu einer Vortragsreise anläßlich Goethes 200. Geburtstag und um die Ehrendoktorwürde der Universitäten Oxford und Lund sowie in Weimar den Goethepreis entgegenzunehmen. Ende Juli besuchte er (mit Vorträgen) Frankfurt a. M. München, (Stuttgart, Nürnberg) und Weimar, sein erster Deutschlandbesuch seit 16 Jahren.
2 »Ansprache im Goethejahr«, gehalten am 25. Juli 1949 in der Frankfurter Paulskirche und am 1. August 1949 im Weimarer Nationaltheater.
3 Klaus Mann: »Die Heimsuchung des europäischen Geistes«, »Neue Schweizer Rundschau«, Juli 1949.

109

Vulpera, 6. Juli 49

Lieber Hermann Hesse,
mein voriger Brief war kaum fort, als, sehr verspätet, Ihre und Ihrer lieben Frau gute Worte zum Tode unseres Klaus eintrafen. Ich muß Ihnen beiden, auch im Namen der Meinen, noch vielmals dafür danken.
Dies abgekürzte Leben beschäftigt mich viel und gramvoll. Mein Verhältnis zu ihm war schwierig und nicht frei von Schuldgefühl, da ja meine Existenz von vorn herein einen Schatten auf die seine warf. Dabei war er als junger Mensch in München ein recht übermütiger Prinz, der viele herausfordernde Dinge beging. Später, im Exil, wurde er viel ernster und moralischer, und wahrhaft fleißig, arbeitete aber zu leicht und zu rasch, was die mancherlei Flecken und Nachlässigkeiten in seinen Büchern erklärt. Wann der Todestrieb sich zu entwickeln begann, der so rätselhaft mit seiner augenscheinlichen Sonnigkeit, Freundlichkeit, Leichtigkeit, Weltläufigkeit kontrastierte, liegt im Dunklen. Unaufhaltsam, trotz aller Stütze und Liebe hat er sich selbst zerstört und sich zuletzt jedes Gedankens an Treue, Rücksicht, Dankbarkeit unfähig gemacht.
Trotzdem, er war eine ausgezeichnete Begabung. Nicht nur der »Gide«, auch sein »Tschaikowsky«[1] ist ein sehr gutes Buch und sein »Vulkan«[2], abgesehen von Partieen, die er besser hätte machen *können,* vielleicht der beste Emigrationsroman. Stellen wir einmal sein Gelungenstes zusammen, so wird man sehen, daß es sehr schade um ihn ist. Ihm ist viel Unrecht geschehen, noch im Tode. Ich darf mir sagen, daß ich ihn immer gelobt und ermutigt habe.
Lächerliche Mühe und Qual habe ich mit der Herstellung eines Vortrags für Deutschland. Dazu kommen Ärger und Bedauern über die nicht stimmenden Reisedaten beiderseits. In Sils oder irgendwo hier herum wäre ein so gutes Zusammensein gewesen. Nun denn, auf nächstes Jahr!

Ihr Thomas Mann.

1 Klaus Mann, »Symphonie pathétique. Ein Tschaikowsky-Roman«, Amsterdam, 1936.
2 Klaus Mann, »Der Vulkan. Roman unter Emigranten«, Amsterdam, 1939.

110

Pacific Palisades 2. Nov. 49

Lieber Hermann Hesse,

Dank für die Beidler-Karte[1]! Ja, zum Briefschreiben geht mir auch oft die Courage aus. Man macht notwendig von Zeit zu Zeit vollständig Bankrott damit und gibt alles auf. Was werden die Leute nur machen, wenn man tot ist? Dann haben sie garnichts mehr zu tun. Reizend war Ihr Brief in der National-Zeitung an den jungen Lästigfaller,[2] väterlich pädagogisch und gütig zurechtweisend. Nach solcher Antwort sollte man lange niemandem mehr zu antworten brauchen.

Gerade komme ich von San Francisco zurück, wo ich mit Pandit Nehru[3], der hier einen langen Staatsbesuch macht, auf seinen und seiner Schwester, der Botschafterin, Wunsch eine Begegnung hatte. Ein feiner, lieber, kluger Mann, – klüger, entschieden, als die, die dieses Land führen. Für den cold war haben sie ihn nicht gewonnen. Darum wird er auch wohl kein Geld bekommen.

Neulich wurde ich nach Büchern gefragt, die mir kürzlich »Eindruck gemacht«, und habe die englische Übersetzung des »Glasperlenspiels«[4] sehr herausgestrichen, obgleich ich nicht weiß, ob sie auch nur erträglich ist. Wahrscheinlich nicht.

Alles Liebe und Gute Ihnen beiden.

Ihr Thomas Mann.

1 Franz W. Beidler (1901), Enkel Richard Wagners, damals Sekretär des Schweizerischen Schriftsteller-Verbandes. Siehe den nachfolgenden Brief.

2 »An einen zwanzigjährigen Dichter in Deutschland«, »National-Zeitung«, Basel vom 3. 9. 1949. Vgl. »Ausgewählte Briefe«, S. 275 f.

3 D. P. Nehru (1889-1964), Mitkämpfer Gandhis, 1946-1964 Ministerpräsident u. Außenminister Indiens. Seine Schwester: Vidjaya Lakshmi Pundit (* 1900), Botschafterin in Washington.

4 »Magister Ludi«, übersetzt von Mervyn Savill und Eric Peters, New York, 1949.

111

Montagnola im November 49

Lieber Herr Thomas Mann

Da hat denn der Herr vom Schriftstellerverein, der mich Ende Sommers besuchte und eine zu unterschreibende Karte an Sie zurückließ, mir ahnungslos eine Freude und ein Geschenk verschafft: einen Brief von Ihnen.

Es freut mich, daß Sie in Nehru einen rechten Mann gefunden haben, von seinen Bildnissen her hat er auch mir einen guten Eindruck gemacht, doch konnte ich seine Memoiren nicht lesen, dazu reichen die Tage und Augen längst nicht mehr.

Mir wurde in diesem Jahr eine Freude und ein großer Verlust: im Frühsommer konnte ich ein letztesmal meine Schwester Adele einige Wochen bei mir haben, den liebsten und vertrautesten Begleiter meines ganzen Lebens. Im September war dann meine zweite Schwester bei uns, und während sie noch da war, kam die Nachricht von Adeles Tod. – Aber halten Sie bitte nicht eine Kondolenz für nötig, wir sind ja alt genug um Bescheid zu wissen.

Eine Sorge und Calamität ernstlicher Art ist für mich die seit Jahren gefürchtete deutsche Invasion geworden. Die Besucher kommen in Haufen, und während der langen Hochschulferien ganze Schwärme von Studenten, liebe und interessante Burschen zum Teil, aber so in Massen ertrage ich auch sie nicht, sie arbeiten ein paar Wochen »Landdienst«, haben dann noch eine Weile Schweizer Ferien, suchen jeden berühmten Ort und Mann per Autostop auf, jeden Tag und fast jede Stunde stehen sie da, lachen über die Inschrift »Bitte keine Besuche« an meiner Tür, überfallen mich an den verborgensten Stellen des Gartens, und dreimal schon haben sie mich alten Eremiten zu Wutanfällen gebracht, die stundenlanges Herzklopfen und häßlichen Kopfschmerz hinterließen.

Jetzt aber wollen wir nächstens wieder nach Baden für vier Wochen.

Wir lesen die Memoiren Ihres Bruders[1] und so kommt es, daß wir beinahe jeden Tag ein wenig von Ihnen sprechen.

Herzlich grüßt Sie beide Ihr H. Hesse

1 Heinrich Mann, »Ein Zeitalter wird besichtigt«, Stockholm, 1945.

Die Antwort Thomas Manns auf diesen Brief konnte noch nicht aufgefunden werden. Hesse zitierte daraus am 1. 2. 1950 in einem Schreiben an einen anderen Empfänger den Satz Thomas Manns: »Sie sollten sich einen recht scharfen Hund anschaffen.«

112

Montagnola 17. März 50

Lieber Herr Thomas Mann

Mit inniger Teilnahme las ich die Nachricht vom Tod Ihres Bruders[1]. Dies Verlieren der Nächsten, der Jugendgenossen vor allem, ist ja unter dem vielen Wunderlichen und Zweideutigen, das uns das Alter bringt, vielleicht das Wunderlichste. Wie da so allmählich alle hinweg schwinden und man am Ende weit mehr Nahe und Nächste »drüben« hat als hier, wird man unversehens selber auf dies Drüben neugierig und verlernt die Scheu, die der noch fester Umbaute davor hat.

Aber mit allen Verlusten und allem Lockerwerden der Wurzeln legt man den Egoismus doch nicht ab. Und so war bei dieser Todesnachricht, nachdem ich sie angenommen und mich mit ihr vertraut gemacht hatte, mein zweiter und stärkster Gedanke der an Sie, und der Wunsch, es möge dieser Abschied Ihnen nicht allzu sehr den Gedanken an den eigenen Abschied erleichtern, kommt mir ungesucht und eigensüchtig ganz von selber ins Herz und auf die Zunge.

Ja, ich wünsche sehr, es möge Ihr Licht noch lange scheinen. Es ist stärkend, Sie noch da und erreichbar zu wissen.

Mit herzlichen Grüßen von uns beiden an Sie beide

Ihr H. Hesse

1 Heinrich Mann war am 12. März 1950 in Santa Monica/Kalifornien, gestorben.

113

Pacific Palisades 21. März 1950

Lieber Hermann Hesse,
von Herzen Dank für Ihre guten Worte!
Wir hoffen, Sie bald zu sehen. Ich will oder soll Anfang Mai nach Paris fliegen zum Erscheinen des französischen »Dr. Faustus«, gebe dem Druck aber nur nach, weil mich nach ein paar Monaten Svitzerland verlangt. Noch vor Mitte Mai wollen wir im Tessin sein und Sie besuchen.[1]
Ich habe mich so sehr gefreut, zu hören, daß auch Sie den Leuten von »Ex tempore« in Luzern einen Brief warmer Zustimmung geschrieben haben[2]. Daß dies wahrhaft redliche Blatt abgewürgt wurde, ist eine rechte Schande. Wie unerträglich den Menschen die Wahrheit ist! Ich werde sie aber sagen, auch auf der Reise jetzt bald. Und zwar schon in Washington.[3]
Alles Herzliche Ihnen beiden!

Ihr Thomas Mann

1 Am 31. 5. kam T. M. nach Lugano. Über seinen Besuch schrieb H. H. an Prof. E. Zeller: »Bei uns war inzwischen Thomas Mann, d. h. er war mit seiner Frau zehn Tage in Lugano und jeden zweiten Tag bei uns, für ein paar Stunden oder für den halben Tag, einmal las er uns auch zwei Kapitel aus seinem Manuskript vor, und das war das Schönste. Er ist unglaublich frisch und unverändert in seiner adretten, munteren und leicht mokanten Art. Ihn sprechen zu hören, ist rein sprachlich ein Genuß.«
2 Am 8. Dezember 1949 schrieb T. M. an Otto Basler: »In Luzern erscheint eine kleine politische Zeitschrift ›Extempore‹, die ich manchmal sehe. Das ist ja *vorzüglich*. Wer sind diese Leute? Im letzten Heft war ein Leitartikel ›Infragestellung der Machtpolitik‹, von dem ich vollkommen entzückt war. Daß in diesem Narrenhaus von Welt und Gesellschaft das Rechte, Vernünftige doch wenigstens noch ausgesprochen wird, ist schon beglückend«. (T. M., »Briefe III«, S. 119) Die Zeitschrift »Extempore«: Unabhängiger Informationsdienst, erschien vom 15. Juli bis 15. November 1949. Die Herausgeber: Rudolf Roessler, Leiter des Vita Nova Verlages Luzern, und Dr. Hans von Segesser, Redakteur der »Luzerner Neuesten Nachrichten«.
3 Dazu kam es nicht. Der Vortrag »Meine Zeit« wurde zwar in Chicago und New York gehalten, doch nicht in Washington, weil Thomas Manns Besuch in Weimar 1949 verstimmt hatte. (Darüber T. M. am 27. März 1950 an Mrs. A. E. Meyer, »Briefe III«, S. 140)

Juni 1950

An Thomas Mann zu seinem 75. Geburtstag[1]

Lieber Herr Thomas Mann
Es ist eine gute Weile her, seit ich Ihre Bekanntschaft gemacht habe. Es war in einem Hotel in München, und wir waren beide von unserm Verleger S. Fischer eingeladen. Von Ihnen waren die ersten Novellen und die »Buddenbrooks« erschienen, von mir der »Peter Camenzind«, beide waren wir noch Junggesellen, und von jedem von uns versprach man sich Schönes. Im übrigen freilich waren wir einander nicht sehr ähnlich, man konnte es uns schon an Kleidung und Schuhzeug ansehen, und diese erste Begegnung, bei der ich Sie unter andrem fragte, ob Sie etwa mit dem Autor der drei Romane der Herzogin von Assy[2] verwandt seien, stand mehr unter dem Zeichen des Zufalls und einer rein literarischen Neugierde als dem einer beginnenden Freundschaft und Kameradschaft.
Daß es zur Freundschaft und Kameradschaft dennoch gekommen ist, zu einer der erfreulichsten und reibungslosesten meines spätern Lebens, dazu mußte vieles geschehen, woran wir in jener vergnügten Münchener Stunde nicht dachten, und es mußte jeder von uns beiden einen schwierigen und oft finstern Weg zurücklegen, aus der Scheingeborgenheit unsrer nationalen Zugehörigkeit durch die Vereinsamung und Verfemung hindurch bis in die saubere und etwas kühle Luft eines Weltbürgertums, das denn auch wieder bei Ihnen ein ganz anderes Gesicht hat als bei mir, und das uns dennoch weit fester und zuverlässiger verbindet als alles, was wir damals zur Zeit unsrer moralischen und politischen Unschuld etwa Gemeinsames haben mochten.
Wir sind inzwischen alte Leutchen geworden, von unsern damaligen Weggenossen sind nur wenige noch am Leben. Und jetzt feiern Sie Ihren fünfundsiebzigsten Geburtstag, und ich

feiere ihn mit, dankbar für alles, was Sie gedichtet, gedacht und erlitten haben, dankbar für Ihre ebenso kluge wie bezaubernde, ebenso unerbittliche wie spiellustige Prosa, dankbar für den großen, von Ihren ehemaligen Landsleuten so beschämend wenig erkannten Quell von Liebe, von Herzenswärme und Hingabe, aus dem Ihr Lebenswerk gekommen ist, für die Treue, die Sie Ihrer Sprache gehalten haben, für die Redlichkeit und Wärme der Gesinnung, von der ich hoffe, sie werde, über unsre Lebenszeit hinaus, sich als eines der Elemente einer neuen weltpolitischen Moral, eines Weltgewissens bewähren, dessen noch kindlichen ersten Gehversuchen wir heute mit Sorge und Hoffnung zusehen.
Bleiben Sie noch lange unter uns, lieber Thomas Mann! Ich grüße Sie und danke Ihnen, nicht als Beauftragter einer Nation, sondern als Einzelgänger, dessen eigentliches Vaterland ebenso wie das Ihre erst im Entstehen begriffen ist.

Herzlich Ihr H. Hesse

1 Glückwunschadresse in »Die Neue Rundschau«, 2, 1950.
2 Heinrich Mann, »Die Göttinnen oder Die drei Romane der Herzogin von Assy« (Diana, Minerva, Venus), München, 1903.

115

Baur au Lac, Zürich 17. Mai 1950

Lieber Hermann Hesse,
ich habe mich so sehr über Ihren reizenden Glückwunsch in der »Rundschau« gefreut, daß ich Ihnen gleich auf diesem Wege – vorläufig – dafür danken muß.

Gestern Abend sind wir aus Paris in unserem Wägelchen hier eingetroffen, und ich kann nicht sagen, wie geborgen ich mich fühle in dieser ehemaligen Heimat, die es auf irgend eine Weise immer geblieben ist. In Zürich wollen wir aber jetzt nur vier, fünf Tage bleiben, denn ich habe noch viel Zeit, bis ich meine Verpflichtungen[1] hier erfüllen muß, und den Rest des Mai, ungefähr, dachten wir im Tessin zu verbringen, nicht zuletzt, sondern zuerst, um Sie und Frau Ninon zu besuchen. Voriges Jahr haben wir einander verfehlt. Bitte, beruhigen Sie uns darüber, daß wir Sie vorfinden, wenn wir nächste Woche kommen![2]

Herzlich der Ihre

Thomas Mann.

1 Der Vortrag »Meine Zeit« wurde im Juni in Zürich und Basel gehalten. Lesung aus »Der Erwählte« im Zürcher Schauspielhaus.

2 Der Besuch fand statt. Vgl. Brief 113, Fußnote 1. Im Sommer kam es zu einer zweiten Begegnung in Sils Maria. T. M. war vom 15. Juli bis 8. August in St. Moritz.

116

Pacific Palisades 1. Nov. 1950

Lieber Herr Hesse,
es ist wohl kindisch, aber ich habe den Wunsch, Ihnen und Frau Ninon im Gedenken an unsere gemeinsamen Stunden in Montagnola und Sils zu erzählen, daß ich vor ein paar Tagen jenes Ding, woran Sie gutlaunig teilnahmen, den viel und nun wohl zum letztenmal erzählten »Gregorius« abgeschlossen habe. Gott, damit erfahren Sie nichts Großes. Meine Mitteilsamkeit entstammt bloß der Genugtuung, die es ja doch immer gewährt, mit etwas fertig geworden zu sein, und es kam ein Brief hinzu von einem Superintendenten in der deutschen Ostzone, worin er erwähnte, Hermann Hesses Frau habe ihm von unseren Vorlesungen berichtet, und daß sie Ihnen beiden behagt hätten. Es stand sonst noch manches Erfreuliche in dem Brief dieses gemeinsamen Korrespondenten. Merkwürdig mehren sich in letzter Zeit die Fälle, daß ich von beamteten protestantischen Theologen brieflich sympathisch angesprochen werde, und ich nehme an, daß Sie dieselbe Erfahrung machen, – auch daß es Sie, wie mich, zu dem und jenem Gedanken anhält über das, was unsere Existenz herkunftsgemäß ganz zuletzt bestimmt und »bindet«.

Meine Frau hat sich von ihrer Operation ganz gut erholt und ist aktiv wie je.[1] Eher macht Erika uns Sorge, die schlecht schläft, schlecht ißt und viel Gewicht verloren hat. Es ist psychisch – die genauesten Untersuchungen haben keinen organischen Mißstand ergeben. Sie leidet unter der Atmosphäre des Landes und darunter, daß ihren vielfältigen Gaben die Betätigungsmöglichkeit abgeschnitten ist. Das Radio, die Presse, die Television – sie könnte überall exzellieren, ist aber durch ihren Nonkonformismus von allem ausgeschlossen. Übrigens ist ihr Artikel, für den Sie eintraten, nicht nur in Dänemark und Schweden, sondern jetzt auch in einem großen holländischen Blatt erschienen[2]. Sie soll auch nächstens hier im Rahmen einer politischen Veranstaltung der tapferen Unitarian Church wieder einmal einen Vortrag halten. Das ist gut für sie und für die dummen, dummen Leute. Noch in reduziertem Zustand gewinnt sie das störrischste Publikum. Ich selbst war einige Wochen lang nach unserer mühseligen Heimreise sehr müde von den vielen Orts-Luft-Höhenwechseln. Die wiedererwachten Lebensgeister habe ich dann benutzt, um rasch die lange vernachlässigte Arbeit zu beenden[3]. Zur Zeit bin ich nun also ganz ohne solche Sorge. Aber die liebe Welt, wie Sie wissen, gibt einem ja immer zu tun. Messages, Bücher, Geburtstage, Jubiläen von Zeitschriften etc. etc. das reißt nicht ab, und wenn es nur auf tagfüllende Beschäftigung ankäme, so brauchte man gar keine Arbeit. Man hat aber doch einen faden Geschmack davon im Munde, und ich muß mich bald nach irgendwelchen neuen Scherzen umsehen, die am Vormittag zu betreuen sind, schon um sagen zu können: »Excuse me, I am so busy«.

Wie geht es *Ihnen*, lieber Herr Hesse? Hat die Höhenluft sich nachträglich als ganz zuträglich erwiesen? Oft sprechen wir von Ihnen, Ihren Briefen, Ihrer vorbildlichen Haltung in den gegenwärtigen Weltwirren, und mir wird wohl in allem Elend bei dem Gedanken, Ihr Zeitgenosse zu sein.

Ihr Thomas Mann.

1 Katia Mann war im Juni 1950 in Zürich operiert worden.

2 »Der Fall John Peet« über den in den Osten geflüchteten Leiter von Reuters Nachrichten-Agentur. Der Artikel erschien in der »Information« (Dänemark), »VI« (Schweden) und »Vrij-Nederland« (Holland). H. H. schrieb darüber im August 1950 an Dr. W. Haussmann: »Für einen schönen und tapferen Aufsatz von Erika zur Weltlage, einem Appell an die Intellektuellen vor allem, setzte ich mich bei der Schweizer Presse ein, ohne die Publikation erreichen zu können. Er erschien bisher nur auf dänisch und hat der Autorin in Amerika bittersten Haß eingetragen.«

3 Seinen Roman »Der Erwählte« hatte T. M. am 26. 10. 1950 beendet. Die Buchausgabe erschien im März 1951.

117

Montagnola 8. Nov. 50

Lieber Herr Thomas Mann

Was die Post mir zur Zeit ins Haus trägt, ist wenig erfreulich. Sogar der so zahm und vorsichtig abgefaßte Aufsatz über Kriegsangst hat in Deutschland wieder Entrüstung und Feindseligkeit erweckt. Immerhin ist es mir mit Hilfe jener Vorsicht gelungen, den Aufsatz nicht nur in die National-Zeitung, sondern auch in die Münchener Neue Zeitung[1] zu schmuggeln. Beide haben das Ding als Feuilleton aufgefaßt und das bisschen politischer Würze nicht gespürt. Dagegen hat dann die N.Z. von Amerika sofort einen Anschnauzer bekommen, der einige Tage später eine traurige und schäbige Erwiderung zur Folge hatte.[2] Aber das macht nichts, der Aufsatz ist eben doch vor viele Augen gekommen, und viele haben gemerkt, um was es gehe.

Und nun kommt also mitten in dieser blöden Tagespost ein Brief von Ihrer Hand, ein lieber und hoch erfreuender Brief, und überdies bringt er die frohe Botschaft von der Vollendung des Gregorius! Das ist eine reine und große Freude, und wenn Sie möglicherweise auch Ihren Gregorius und die täglichen Unterhaltungen mit ihm vermissen, so gratulieren wir doch sehr und freuen uns auf das abermalige Erscheinen dieser fabelhaften Gestalt und Geschichte. Unendlich vielen wird er willkommen sein. Bis zum Erfühlen der Ironieen dieser entzückenden Dichtung wird es bei den meisten Lesern reichen, aber wohl nicht bei allen bis zum Erkennen des Ernstes und der Frömmigkeit, die noch hinter diesen Ironieen steht und ihnen erst die wahre, hohe Heiterkeit gibt.

Das einzige, was in Ihrem Brief uns Sorge macht, ist das Befinden von Frau Erika. Sie haben Recht mit Ihrer Diagnose, und ich kann mich in die Lage eines so hoch und vielseitig begabten und zur Aktion befähigten Menschen inmitten dieser lähmenden Atmosphäre nur allzu gut hineindenken. Ich bekam kürzlich einen sehr lieben Brief von Ihrer Tochter, und

die Freundschaft mit ihr gehört mit zu den paar guten und reinen Erlebnissen und Geschenken dieses wunderlichen Jahres.[3]
Wir sind sehr angespannt, sonst hätte ich Ihnen auch längst geschrieben, und in acht Tagen wollen wir wieder Baden aufsuchen. Außer den Bädern warten dort auf Ninon die Zürcher Bibliothek und auf uns beide die Nähe mancher Freunde, auch Martin Buber wird dann in der Schweiz sein und mich gewiß in Baden besuchen.[4]
Es wird ein Freudentag sein, wenn wir dann den Gregorius als hübsches Buch in Händen haben werden, und hoffentlich blüht uns auch ein Wiedersehen.
Mit vielen guten Wünschen denkt an Sie drei und grüßt Sie

Ihr H. Hesse

1 H. H., »Andere Wege zum Frieden. Antwort auf Briefe aus Deutschland«, »National-Zeitung«, Basel vom 22. 10. 1950, nachgedruckt u. a. von »Die Neue Zeitung«, Berlin/Frankfurt a. Main am 28. 10. 1950. Enthalten in H. H., »Ausgewählte Briefe«, a. a. O., S. 358 ff. Siehe Anhang.
2 Gerhard Thimm, »Hermann Hesses schlechter Trost. Antwort an einen Dichter«, »Die Neue Zeitung« vom 1. 11. 1950. Siehe Anhang.
3 Bis zu Hesses Tod blieb Erika Mann mit H. H. in regelmäßigem brieflichen Austausch. Bis heute fanden sich in Hesses Nachlaß 38 ausführliche Schreiben Erika Manns aus den Jahren 1950-1962.
4 Martin Buber (1878-1965) besuchte Hesse in den ersten Dezembertagen in Baden. H. H.'s Beziehung zu Buber reicht fast so weit zurück wie die zu T. M. Von 1909-1950 rezensierte er 13 Bücher Martin Bubers und schlug ihn 1950 für den Nobelpreis vor.

118 *Postkarte*

Gastein, Haus Gerke. 23. Aug. 51

Lieber Freund Hesse,
einen herzlichen Gruß von uns dreien an Sie und Frau Ninon. Dies hier tut uns gut. Wir kehren am 7. September noch einmal nach Zürich zurück (Waldhaus Dolder) und geben die Hoffnung nicht auf, Sie auch dieses Jahr noch zu sehen.

Ihr Thomas Mann

119

Pacific Palisades 14. Okt. 1951

Mein lieber Herr Hesse,

was für eine vorzügliche, wahrhaft gewinnende Lektüre sind Ihre »Briefe«[1]! Gleich nach unserer Wiederankunft habe ich den Band unter fünfzig anderen, die sich hier angesammelt, hervorgezogen und in den letzten Tagen meine Lesestunden, nach Tische und abends, fast ausschließlich damit verbracht. Es ist merkwürdig, wie das Buch einen hält. Man sagt sich: »Nun spute dich etwas und übergehe einiges! Da ist doch noch dies und das, worauf du auch gelinde Neugier verspürst«. Und dann liest man doch weiter, Brief für Brief, bis zum letzten. Es ist alles so wohltuend, – rührend in seiner Mischung aus Abwehr und gütigem Eingehen, lauter im Sprachlichen wie im Geistigen (aber das ist wohl dasselbe), voll von linder und doch männlicher, beharrender Weisheit, die Glaube ist im Unglauben, Vertrauen in der skeptischen Verzweiflung. Im Grunde ist das ganze Menschentum darin, als Geschichtlichkeit und Geistigkeit, wie in den überaus klugen Äußerungen an Fiedler über Kirche und reine Religiosität mit ihrem höheren geistigen Rang und ihrer geschichtlichen Unfruchtbarkeit.[2] Das gehört zum Besten. Und besonders erquickend ist es, wenn Ihnen einmal die Geduld reißt und Sie *deutlich* werden: in politischen Dingen, wo wir zu meiner Beruhigung und Befestigung so ganz übereinstimmen, oder etwa, wenn Sie es sich mit so lustiger Energie verbitten, gegen mich ausgespielt zu werden. Glauben Sie mir, wenn je das Umgekehrte geschähe (aber da ist wohl keine Gefahr), so würde ich dem Esel ebenso den Kopf waschen! – Ich weiß mir nicht wenig damit, daß doch eine ganze Anzahl dieser liebenswerten Persönlichkeitsdokumente, mehr als ich glaubte, an mich gerichtet sind. Auch Ihren schönen Glückwunsch zu meinem 75. habe ich bei dieser Gelegenheit wieder gelesen und kann Ihnen Wunsch und Bitte nur zurückgeben: Bleiben Sie noch lange unter uns, lieber Hermann Hesse! Allen Besseren sind Sie ein Halt und ein

Licht, und mir selbst ist unser freundschaftliches Zusammenstehen ein beständiger innerer Wert und Trost. –
Wir hatten einen angenehmen, glatten Flug mit »Swiss Air« von Zürich-Kloten nach New York. Man geht da nur zweimal nieder, in Ireland und in Newfoundland, und die 8 Nachtstunden zwischen diesen beiden Stationen bilden die eigentliche Reise. Wir haben sie in unseren »vorzüglichen Liegestühlen« recht gut verschlafen. In Chicago, bei Mädi, deren wilder Gemahl gerade in Italien war, blieben wir (bei feuchter Hitze; der Mittelwesten ist ein klimatischer Schrecken) drei Tage, bevor wir die 36 Stunden Weiterfahrt an unsere Küste auf uns nahmen. Chicago hat ein hervorragendes »Museum of natural history«, das wir nicht nur einmal, sondern auf meinen Wunsch noch ein zweites Mal besuchten. Es sind da die Anfänge des organischen Lebens – im Meere, als die Erde noch wüst und leer war –, die ganze Tierwelt, Aussehen und Leben des Frühmenschen (auf Grund der Skelettfunde plastisch rekonstruiert) höchst anschaulich dargestellt. Die Gruppe der Neandertaler (mit deren Typ eine Entwicklungslinie abbricht) in ihrer Höhle vergesse ich nie und nicht die hingebungsvoll hockenden Ur-Künstler, die die Felswände, wahrscheinlich zu magischen Zwecken, mit Tierbildern in Pflanzenfarben bemalen. Ich war völlig fasziniert, und eine eigentümliche Sympathie ist es, die einen bei diesen Gesichten erwärmt und bezaubert.[3]
Gestern Abend ist, über Canada, auch Erika eingetroffen. Das ist gut.
Alles Herzliche Ihnen und Ninon!

Ihr Thomas Mann.

1 H. H., »Briefe«, Frankfurt a. Main. 1951. Enthalten in »Ausgewählte Briefe«, a. a. O.

2 »Ausgewählte Briefe«, a. a. O. An Kuno Fiedler, S. 182 ff.

3 Dieser Museumsbesuch liegt dem siebenten Kapitel der »Bekenntnisse des Hochstaplers Felix Krull« (1954) zugrunde, das den Besuch des Marquis de Venosta im Lissabonner Naturkundemuseum schildert.

Ende Oktober 1951

Lieber Herr Thomas Mann

Ihr Brief brachte Freude in unsre Hütte. Daß Ihre Reise gut verlaufen und Ihre Tochter bei Ihnen angelangt ist, ohne den Weg über Mexiko nehmen zu müssen, und daß Sie meinem Briefbuch so viel Teilnahme und Lesezeit geschenkt haben, das lasen wir mit Vergnügen und Rührung. Was dem Briefbuch fehlt, ist ein kurzes orientierendes Geleitwort, das die Zufälle, denen das Buch seine Entstehung verdankt, hätte erzählen müssen, aber ich bringe sehr selten mehr die Courage oder den Humor für Schreibereien auf, und hier war ich einfach nicht imstande dazu.[1]

Ja, was einem die Briefe alles ins Haus bringen! Einmal schrieb mir ein Berner Buchhändler: ein Kunde von ihm, ein Arbeiter im Emmental, habe mein Buch »Traumfährte«[2] bestellt und es nach einigen Tagen zurückgesandt mit der Begründung, »ein so vollkommener Quatsch sei ihm noch nie unter die Brille gekommen«.

Auch dieser Tage hat ein Brief, neben vielen ernsten und zum Teil erschreckenden, mir Spaß gemacht. Eine Schulbehörde, nicht sehr weit von Ihrer Heimat, teilte mir Folgendes mit: die Ausstattung der Aula ihrer Mittelschule sei das Problem, das sie in letzter Zeit beschäftigt habe. Nun habe man eine Lösung gefunden: man habe den Bildhauer Professor B. dafür gewinnen können, in fünf Hochreliefs die Stufen des menschlichen Lebens darzustellen, »das den einzelnen aus der Obhut der Mutter nacheinander führt zu der Vorbereitung auf den Beruf, zum Durchbruch der Individualität in der Ebene des Berufes, zur Hinwendung zum Du auf dem Gebiet des öffentlichen und charitativen Wirkens und letztlich zum Metaphysischen und zur Synthese von Glauben und Wissen«. Diese Reliefs sollen durch ein breites Spruchband miteinander verbunden werden, für das man die letzten Zeilen meines Gedichtes »Stufen«[3] verwenden wolle, wenn ich nichts dagegen habe.

Ich hatte mich nun also zu besinnen, ob ich etwas dagegen habe, und was. Im Grunde war es mir einerlei, was auf jenes Spruchband zu stehen komme, aber es fiel mir dann doch dies und jenes dazu ein, und schließlich dachte ich mir etwa diese Antwort aus:

»Wenn ich mich auf die Schulräume besinne, die ich einst als Schüler kennen gelernt habe, dann erinnere ich mich zwar keiner Reliefs mit Spruchbändern, man war in jener sagenhaften Vorkriegszeit noch nicht reich genug für so edle und prächtige Schöpfungen, aber da und dort war doch, auf bescheidenerer Stufe, etwas wie Bild und Spruch vorhanden gewesen, der Gipskopf des Sophokles über einer Tür, das Bildnis eines deutschen Theaterdichters von Weltruf, und auch Sprüche von unbestreitbar tiefem Gehalt hatte es an einigen Stellen gegeben. Wenn man mich, den Vierzehnjährigen, damals gefragt hätte, ob ich einer der abgebildeten Dichter oder der Urheber dieser Sprüche sein möchte, so hätte ich entrüstet abgelehnt, denn, es sei zu unsrer Schande gestanden, wir Knaben machten uns aus diesen edlen Zieraten überaus wenig, wir fanden sie langweilig und benutzten die goldenen Sprüche höchstens gelegentlich zu komischen Verdrehungen und Wortspielen. Es ist also, wie Sie sehen, vom Vorleben und den Vorstrafen meiner Schülerzeit her ein Widerstand, um nicht zu sagen Widerwille gegen diese Dinge in mir haften geblieben, der es mir keineswegs wünschenswert erscheinen läßt, Worte von mir an so feierlichen Orten prangen und mich dem Zuge der klassischen Verfasser goldener Sprüche von Mark Aurel bis Schiller angehängt zu sehen.

Was mir an Ihrer Idee gefällt, ist Ihr Entschluß, einen Künstler mit diesem ehrenvollen Auftrag zu betrauen. Es mag ihm Sorge bereiten, die Aufteilung des Menschenlebens in fünf Stufen gedanklich und bildnerisch zu Ihrer und zu meiner eigenen Zufriedenheit durchzuführen, doch wird er sich, denke ich, schon durchkämpfen. Dagegen möchte ich, wenn ich schon bei Ihrem Unternehmen mitarbeiten soll, mich dadurch aus der

Sache ziehen, daß ich Ihnen für das Spruchband Verse oder Prosa von einem jener wirklichen und echten Klassiker empfehle, in deren Schatzkammer ja die edelsten Kleinode sich häufen. Und dann habe ich meiner Verse und meines Namens wegen noch eine andere Sorge: sie gilt nicht meinem, sondern Ihrem Wohle. Ich bin kein Politiker und noch weniger ein Prophet, aber ich könnte mir zum Beispiel die Möglichkeit vorstellen, daß Ihre Schule, Ihre Stadt und Ihr Land in einer nahen oder fernen Zukunft unter den Druck einer strengen und auf unbedingter Gleichschaltung beharrenden Diktatur geriete, etwa der des Proletariats, oder auch der eines siegreich wieder auferstandenen Militarismus und Fascismus. Sie hätten dann in Ihrer Aula zwar schöne Reliefs an der Wand, darunter aber ein Spruchband mit Versen eines Autors, der unter jeder auf Ordnung haltenden Diktatur sofort auf der schwarzen Liste stehen wird. Begeisterte vaterlandsliebende Jünglinge würden bald dafür sorgen, daß der nächste Kommissar Kunde von dem Ihre Schule entehrenden Spruchband erhielte, und es entstünde für Sie nicht nur die Nötigung, das Spruchband mit erheblichen Kosten wieder wegmeißeln zu lassen, sondern es könnten Ihnen als den für die Wahl des Dichters und Textes Verantwortlichen noch weit unangenehmere Situationen erwachsen.«

So also dachte ich mir etwa meine Antwort nach dem fernen Norden. Aber der Mensch ist erstens schwach, zweitens bequem, und diese Mächte waren so stark in mir, daß ich statt meines schönen ablehnenden und warnenden Briefes jener Schulbehörde eine freundlich zusagende Postkarte geschrieben habe. Die Postkarte ist ja überhaupt eine der bessern Erfindungen, die Deutschland der Welt geschenkt hat[4].

Ob ich recht tue, wenn ich Ihnen, nachdem Sie eben erst die Geduld für meinen Briefband aufgebracht haben, nun auch noch die Mühe mache, diesen nicht geschriebenen und dennoch geschriebenen Brief zu lesen, weiß ich nicht. Ich wollte einfach ein bisschen mit Ihnen plaudern, einerlei worüber.

Nächstens wollen wir wieder zur rituellen Badekur nach Baden an der Limmat fahren. Ninon wird von dort aus die Zürcher Bibliothek besuchen, und einmal wollen wir auch zu meinem Sohn Heiner, der jetzt in Küsnacht in der Ihnen bekannten Schiedhaldenstraße[5] ein Häuschen hat.
Herzlich grüßen wir Sie und die Ihren.

Ihr H. Hesse

1 Im Januar 1952 schrieb H. H. ein kurzes Nachwort für die zweite Auflage 1954. Vgl. »Ausgewählte Briefe«, S. 555.
2 Vgl. Brief 83, Fußnote 1.
3 »Stufen« (entstanden am 5. 5. 1941), eines der »Gedichte des Schülers und Studenten« Josef Knecht. W. A. Bd. 1, S. 119.
4 Die Postkarte ist eine Erfindung aus dem Jahre 1865. Damals schlug der spätere General-Postdirektor des Deutschen Reiches Heinrich von Stephan (1831-1897) sie vor. Die Idee wurde sofort von Österreich, Preußen und 1873 von den USA aufgegriffen.
5 In den Vorkriegsjahren seines Schweizer Exils wohnte T. M. selbst in der Schiedhaldenstraße 33.

121 *Telegramm zu Hesses 75. Geburtstag*

2. Juli 1952

Allerherzlichstes Gedenken und auf Wiedersehen

Thomas und Katia Mann

122

[Juli 1952]

Mein lieber Hermann Hesse!
Hier fehlen?[1] Unmöglich! Aber auf eine irgend erhebliche Art dabei sein kann ich auch nicht. Ich habe zu Ihrem Sechzigsten, habe zu Ihrem Siebzigsten geschrieben und weiß nichts mehr. J'ai vidé mon sac. Daß ich Ihnen in Bewunderung von Herzen gut bin, das weiß ich. Aber das wissen schon alle und Sie auch. Lassen Sie mich's zu Ihrem Fünfundsiebzigsten einfach noch einmal sagen und Sie aufrichtig beglückwünschen zu dem gesegneten, Freude spendenden Leben, das Sie geführt haben, Ihnen Glück und Frieden und Heiterkeit wünschen auch für den immer noch schenkenden Feierabend dieses uns kostbar bleibenden Lebens.
›Verwirrende Lehre zu verwirrtem Handel waltet über die Welt‹, heißt es in Goethe's letztem Brief.[2] So ist es heute, ärger noch, wie uns scheint, gefährlicher, schwerer noch für den geistigen Menschen, sich anständig zu halten und zu stellen gegen den absurden, konfusen Tag – wie Sie es, würdiger Freund, auf Ihrer ›Burg‹ ja auch zu bewerkstelligen suchen. Vorbildlich finde ich, tun Sie's – rein und frei, klug, gut und fest –, auch dazu, zu dieser musterhaften Haltung, vor allem zu ihr, beglückwünsche ich Sie. Und sterben Sie ja nicht vor mir! Erstens wäre es naseweis, denn ich bin »der nächste dazu«. Und dann: Sie würden mir furchtbar fehlen in all dem Wirrsal. Denn Sie sind mir darin ein guter Gesell, Trost, Beistand, Beispiel, Bekräftigung, und sehr allein würd' ich mich ohne Sie fühlen.
Bald bin ich wieder bei Ihnen auf Ihrer ›Burg‹ mit den guten Frauen. Wir werden schmälen und seufzen und ein bisschen an der Menschheit verzweifeln, was uns im Grunde beiden nicht liegt, und noch unseren Spaß haben dabei an der großen, großen Dummheit. Flaubert konnte sich geradezu begeistern für sie. »H-énorme!« sagte er voll staunender Bewunderung ihres Riesenmaßes.

Auf Wiedersehen, lieber alter Weggenosse durchs Tal der Tränen, worin uns beiden der Trost der Träume gegeben war, des Spieles und der Form.

1 In: »Neue Schweizer Rundschau«, Heft 3, 1952. Sonderheft zu Hesses 75. Geburtstag.

2 In Goethes Brief an Humboldt vom 17. März 1832 heißt es: »Verwirrende Lehre zu verwirrtem Handel waltet über die Welt, und ich habe nichts angelegentlicher zu tun als dasjenige, was an mir ist und geblieben ist, wo möglich zu steigern und meine Eigentümlichkeiten zu kohibieren, wie Sie es, würdiger Freund, auf Ihrer Burg ja auch bewerkstelligen«.

123

[Juli 1952]

Lieber Herr Thomas Mann
Sehr weniges im Gedränge der Geburtstagsgaben hat mir so viel Spaß gemacht wie Ihr Beitrag in Dr. Meiers[1] Rundschau. Erst sah ich mit Schrecken, daß man auch Sie damit belästigt habe, aber dann genoß ich die Munterkeit und Kraft, mit der Sie sich wie ein starker Aal der Verlegenheit entwanden, und trotz der kämpferischen Abwehr gegen die Zumutung der Leute auch noch so innig wohltuende, gute Worte der Freundschaft fanden.
Wir fahren weg, morgen schon, und sind bis Ende August fort.[2] Ich bin ein wenig zusammengefallen nach der Überanstrengung. Was das Sterben betrifft, so ist mein Arzt sehr brav.[3] Obwohl überbeschäftigter Chirurg, hat er eine Vorliebe für die Pflege alter Leute und den Ehrgeiz, ihre Tage zu verlängern. Er war vorgestern wieder mit seinen Spritzen da und will uns sogar im August einmal in Sils aufsuchen und seine Wundermittel mitbringen. Leben Sie wohl, haben Sie Dank und finden Sie in Barbengo oder sonst nah dabei das Gesuchte[4]!

Herzlich Ihr H. Hesse

1 Dr. Walther Meier (* 1898), Herausgeber der Zeitschrift »Neue Schweizer Rundschau«.
2 In Sils Maria (Engadin)
3 Dr. Clemente Molo
4 Die gewünschte Erholung

124

Erlenbach-Zürich 8. Jan. 53

Lieber Hermann Hesse,

ich lasse den Tag, an dem ich die Werke[1] und Ihren Brief empfing, nicht zu Ende gehen, ohne Ihnen recht herzlich gedankt zu haben für das herrliche Geschenk und besonders auch für die brüderliche Widmung[2], mit der Sie es versahen, und durch die ich mich wahrhaft geehrt fühle. Was Sie gegeben, vollbracht haben, ist groß und bleibend und erregt in mir die ganze Bewunderung, die ich immer beim Anblick jedes solchen Lebenswerkbaues empfand. Den eigenen dazu zu rechnen, will mir nie recht gelingen. Er erscheint mir immer als ein zu persönliches Not-Arrangement mit der Kunst, als daß man ihn mit dem »Eigentlichen« in einem Atem nennen könnte. Ich habe mir nur so durchgeholfen. Aber auch das ist ja am Ende ganz ehrenwert.

Sie können es sich wahrhaftig leisten, jetzt ein bischen »dösig, faul, dumm« zu sein – oder sich so vorzukommen. »Kenn' ich, kenn' ich«, würde der alte Briest[3] sagen. Dabei dichte ich immer noch – immer noch in dem Gefühl, mich »beweisen« zu müssen.[4] Ganz überflüssiger Weise; denn einigen, wie dem Mann in Schwaben, scheine ich ja bewiesen zu sein, und den anderen ist doch nicht beizukommen. Gut zu zwei Dritteln bin ich mit einer Geschichte fertig, die »Die Betrogene« heißt[5] und von einer herzlich naturliebenden Frau handelt, die von der Natur betrogen wird. Mit über 50 als es ihr zu ihrem Kummer schon garnicht mehr nach der Weiber Weise geht, verliebt sie sich leidenschaftlich in den jungen Hauslehrer ihres Sohnes und wird, vermeintlich vor lauter Liebe und von Gnaden der lieben Natur, wieder zum fließenden Brunnen, was sie hoch beglückt. Dann stellt sich aber heraus, daß die Blutung nur das Anzeichen eines weit vorgeschrittenen Gebärmutter-Krebses war, und sie stirbt, ohne der Natur den Betrug nachzutragen, gegen die aber der Autor sich ziemlich bissig verhält. Die Geschichte, eine Anekdote, die ich hörte, ist recht geistreich

ausgeführt und im Stil der klassischen Novelle vorgetragen. Erika meint, daß sie Erfolg haben wird, jedenfalls in Amerika.
Sehen Sie, was ich Ihnen alles erzähle. – Genau am Weihnachtsabend sind wir hier eingezogen und haben es noch recht kahl und provisorisch[6]. Der »Lift« aus Californien ist noch nicht einmal da mit unseren Möbeln, Bildern, Büchern. Wenn diese aufgestellt werden (ich muß ein paar Studenten dafür engagieren), so gilt es, einen Ehrenplatz zu sichern für die sechs Bände.
Ihnen und Frau Ninon alles Liebe und Gute von uns Dreien!

Ihr Thomas Mann

1 H. H., »Gesammelte Dichtungen« in sechs Bänden; zum 75. Geburtstag 1952, Frankfurt a. Main.
2 »Dem älteren Bruder der jüngere H. Hesse«, Januar 1953.
3 Der Vater Effi Briests in Fontanes Roman.
4 Vgl. auch die Briefstelle an Emil Preetorius vom 6. September 1954 (Briefe III S. 356/57). Siehe Anhang.
5 T. M., »Die Betrogene«, Frankfurt a. Main, 1953.
6 Am 2. 12. 1952 hatte die Fam. Mann das Haus Glärnischstraße 12 in Erlenbach bei Zürich gemietet, das sich aber bald als zu klein erwies.

125

Januar 1953

Lieber Thomas Mann

Mit Ihrem lieben Brief haben Sie mir sehr wohlgetan, ich bin dankbar dafür.

Eine neue Erzählung von Ihnen der Vollendung nahe zu wissen, ist auch ein Plus, man hat wieder etwas, worauf man sich freut und neugierig ist.

Ein merkwürdiges Geheimnis ist es um unser Gefühl (denn es ist durchaus auch das meine), es sei unser Werk nicht zum »Eigentlichen« zu zählen, nicht zum absolut Gültigen und Echten, zum Klassischen und Fortdauernden. Zum Teil beruht dies Gefühl ja auf etwas Objektivem, auf der Tatsache, daß die Echten und Großen, die Klassischen eben jene Probe überstanden haben, die den Lebenden noch bevorsteht. Sie haben die Periode, da die Welt ihrer satt war und neue Größen rühmte, und die ja oft recht lang dauern kann, überlebt, sie sind aus dem Grab und der Versenkung wieder auferstanden.

Aber mir scheint, es ist nicht nur das. Sondern es gibt unter den Künstlern, wie unter den andern Leuten auch, den Typ, der das Glück und die Frechheit hat, an sich zu glauben und auf sich stolz zu sein, Leute wie den Benvenuto Cellini etwa, vielleicht gehören auch Hebbel, Victor Hugo, vielleicht auch G. Hauptmann zu diesem Typ, und außerdem noch viele Kleine, die eine ihnen nicht bestimmte Größe und Dauer in einem pathetischen Selbstgefühl vorwegnehmen. Und zu diesem Typ, es mag um uns stehen, wie es möge, gehören wir nicht.

Möchten Sie bald wieder Geborgenheit und Wohnlichkeit um sich fühlen! Ich denke Ihrer froher, seit ich Sie in Erlenbach weiß. Und Ihren wunderschönen Gesang auf die Vergänglichkeit[1] habe ich wie guten Wein geschlürft.

1 T. M., »Lob der Vergänglichkeit«. »Ein Weihnachts- und Neujahrsgruß für unsere Freunde 1952/53«. Enthalten in: »Altes und Neues. Prosa aus fünf Jahrzehnten«. Frankfurt a. Main 1953.

126

im März 53

Lieber Herr Thomas Mann

Das war eine schöne und völlige Überraschung! »Aha, der Krull« dachte ich, als ich Ihr Paket öffnete, und siehe, es war ein völlig unerwartetes Buch[1]. Ich freute mich ein wenig am Betrachten und Betasten, vor allem an der lieben Widmung[2], dann am vielversprechenden Volumen des schön gemachten Bandes, an dem nur der Umschlag mir mißfällt. Dann plötzlich, beim ersten Blättern und Überfliegen des Registers, wurde mir klar, was für ein Schatz autobiographischer und zeitgeschichtlicher Art das sei, und seither habe ich schon begonnen, mich der Pralinés zu erfreuen und mir zuerst die mir noch unbekannten Stücke zuzuführen, unter denen das »Lieblingsgedicht«[3] mich besonders entzückte. Qualis artifex! Ich dánke Ihnen, Sie haben mir eine große Freude gemacht.

Da fällt mir noch ein: neulich hat ein Mann in Amerika, ich glaube er heißt Grunwald, mir das Manuscript einer Arbeit geschickt, in dem ich nur die Stelle las, auf die er selber mich aufmerksam machte. Es war eine Lobpreisung Hesses auf Kosten von Thomas Mann, über den er in unanständiger Weise schimpfte. Ich schrieb ihm eine Karte und sagte ihm traurigen Mutes, was ich von ihm halte, er hat es nicht gut vertragen und ich nehme an, er werde nun seiner Bewunderung für mich bald den selben Umschlag ins Gegenteil erlauben, wie er es Ihnen gegenüber getan hat. Denn er versichert, daß er früher sehr für Sie geschwärmt habe. Was für Leute!

Meine Frau freut sich mit mir auf die Lektüre und wir beide senden Ihnen Dreien die herzlichsten Grüße. Ihr H. Hesse

1 »Altes und Neues«, a. a. O.

2 Die Widmung lautet: »Ewig menschlich ist die Welt der Dinge, die man überhaupt nicht ausdrückt, es sei denn man drückte sie gut aus.« Seinem lieben Hermann Hesse in Freundschaft Erlenbach-Zch. 12. März 1953 Thomas Mann

3 »Das Lieblingsgedicht«. Antwort auf eine Rundfrage. Zuerst in »Welt am Sonntag«, 1. 8. 1948.

127 *Postkarte. Herrn und Frau Hermann Hesse.*

Erlenbach 3. Okt. 53

Liebe Freunde, nun sind wir wieder eingerückt in unsere kleinen Verhältnisse mit schöner Aussicht und gedenken der guten Stunden bei Ihnen[1]. Mädi hat uns trefflich kutschiert, bis Airolo bei heller Sonne. Unten sahen wir lagern, was wir bald über den Köpfen haben sollten. Übrigens haben jetzt gute und rechte Oktobertage sich hergestellt, neblig am Morgen und aufblauend mittags. Dank und Gruß von uns Dreien.

Ihr Thomas Mann

1 Die letzte Septemberwoche verbrachten Katia und Thomas Mann in Lugano und besuchten Hesses.

128 *Postkarte*

Erlenbach, 5. XI. 53

Lieber Hermann Hesse,
tausend Dank für das erquickende Geschenk, diesen auch für uns erinnerungsvollen Rundbrief an Ihre Freunde![1] Sie haben *nur* Freunde, und was man zugunsten der »Umstrittenheit«[2] auch sagen mag – es ist doch ein in seiner Reinheit neidenswertes Leben, das einhellige Liebe erregt.

Ihr Thomas Mann

1 »Engadiner Erlebnisse« (1953) enthalten in »Beschwörungen« (1955) bzw. W. A. Bd. 10, S. 324.
2 Diese empfand T. M. als sein Teil.

129

Erlenbach-Zürich 26. III. 54

Lieber Herr Hesse,

Ihr neuer Rundbrief[1] ist ja ein wahrer Schatz. Ich bin Ihnen recht dankbar, daß Sie mich, der ich nicht aus Calw, sondern von der Trave bin, zu den mit Ihnen alt gewordenen Freunden zählen, denen Sie ihn zugedacht haben. Es ist ein so schönes, musterhaftes Stück Prosa und voll von der Schalkheit, Weisheit, Herzenswärme, sublimen Schlichtheit, die Sie im Alter volkstümlich gemacht haben – was etwas anderes ist, als nur berühmt und in der Leute Mund zu sein. Die Rolle scheint Ihnen manchmal etwas beschwerlich zu fallen und bringt gewiß manche halb komische Verpflichtung mit sich. Und doch muß der sie Ihnen neiden, dem sie aus guten Gründen nie zufallen wird.

Am meisten – Sie konnten es sich denken – hat mich der Anfang vom großen Lehrgedicht des Pfarrers über »Dies schöne Tal, an Form oval« erquickt und für eine Weile über die Sorgen des Lebens erhoben. Ich citiere die drei Verse[2] jedem Begegnenden als humoristischen Höhepunkt Ihres Briefes. So etwas kann mich Tage lang glücklich machen. Das Letzte, womit ich hausieren ging, war die Äußerung eines Wiener Jesuitenpaters und Professors der Theologie, Laurenz Müllner,[3] der einen guten Bekannten hatte namens Jodl[4], liberal, atheistisch, Ethiker der Aufklärung. »Der Jodl«, sagte Müllner, »schaun's, der Jodl glaubt *wirklich*, daß es keinen Gott gibt. Ich, ich glaub net amal das«. Unübertrefflich! In Florenz habe ich die Geschichte dem 90jährigen Mr. Berenson,[5] der die berühmte, der Harvard Universität vermachte Kunstsammlung hat, auf englisch erzählt. »That's exactly my point of view!« rief er aus, und als ich weg war, das Haus und seine Schätze zu besichtigen, hat er sich von Mädi die Anekdote noch einmal erzählen lassen.

Ich schreibe garnicht in Erlenbach, sondern im Waldhaus Dolder, wohin ich mich vor den Schrecken des Umzugs nach Kilch-

berg geflüchtet habe, der hauptsächlich unter Erikas Leitung steht. Wir haben uns dort ein ganz nettes, vernünftiges Haus gekauft: Alte Landstraße 39 – meine endgültig letzte Adresse, so will ich hoffen. In meinen späteren Jahren gab es der Wanderschaft etwas viel. Bis Golo mit ein paar handfesten Freunden die Bücher aufgestellt hat und überhaupt alles fertig ist, werden gewiß noch zwei, drei Wochen vergehen, und eher ziehe ich nicht ein.[6]
Alles Liebe und Gute Ihnen und Frau Ninon!

Ihr Thomas Mann

Es soll ja wieder eine Bubenhand etwas für mich unter Ihr Warnungsschild geschrieben haben: »Also auch diesmal nicht. Schade!« oder dergleichen. Immer läßt man mich mit langer Nase abziehen.[7]

1 »Beschwörungen«, Rundbrief im Februar 1954 (Privatdruck), aufgenommen in H. H., »Beschwörungen. Späte Prosa/Neue Folge« (1955), bzw. W. A. Bd, 10, S. 357 ff.
2 »Dies schöne Tal/An Form oval/Voll Mineral.«
3 Laurenz Müllner (1848-1911) Prof. für Philosophie an der Universität Wien.
4 Friedrich Jodl (1848-1914) Prof. für Philosophie an der Universität Wien.
5 Bernard Berenson (1865-1959), amerik. Historiker und Kunstsammler.
6 Am 15. 4. 1954 zog T. M. dort ein.
7 Da sehr viele Touristen zu Hesse vorzudringen suchten, hatte er am Gartentor ein Schild angebracht: »Bitte keine Besuche«.

130

Montagnola im März 1954
[Ende März]

Lieber Herr Thomas Mann

Mit großem Vergnügen las ich Ihren Brief, froh darüber, daß mein Rundbrief Ihnen Spaß gemacht hat und auch froh darüber, daß ich Ihnen als Gegengabe für den ganz herrlichen Jodl-Witz die beiliegenden drei Verse des Pfarrers Jung[1] mitteilen kann. Ich fand sie dieser Tage, nach etwas ganz andrem suchend, auf einer Postkarte von Haußmann[2] aus dem Jahr 1912.

Es ist bei uns, wie bei Ihnen, grade etwas unruhig, weil in diesen Tagen meine Frau wieder einmal nach Griechenland entwitscht, d. h. eigentlich nach Kleinasien (Troja, Smirna etc) und einigen Inseln. Mit dem Frühling sind auch wieder die Fremden gekommen, laufen jeden Tag ums Haus herum und werden wohl bald neue Witze auf die Tafel am Tor kritzeln.

Von Ihnen war bei uns jüngst wieder viel die Rede, wir lasen viel in J. Lessers Buch.[3] Und dann war Herr Trebitsch[4] neulich kurz bei uns, voll dankbaren Lobes über das Haus Mann.

Addio, es ist mir zur Zeit das Schreiben allzu schwer gemacht. Zum Glück erlaubt das Wetter mir viel Aufenthalt im Freien, das ist für mein Augenübel die einzig wirksame Rekreation.

Addio, möge das Kilchberger Haus Sie bald freundlich und behaglich aufnehmen.

Herzlich Ihr H. Hesse

Vor etwas mehr als 100 Jahren gab es in Oberschwaben einen katholischen Pfarrer namens Jung. Er war ein großer Prediger und namentlich berühmt durch seine Grabreden, die er in Versen abfaßte, und die später auch im Druck erschienen, heute aber eine große Seltenheit sind. Ich besitze drei Verse, jeden aus einer anderen Grabrede von ihm, die mir einst mein Freund Conrad Haußmann mitgeteilt hat:

So daß die Cholera sogar
Für ihre Seele besser war.

Es tanzten zwar die Weisen auch,
Doch nur sich langsam drehend,
Sie tanzten mit Vernunftgebrauch
Und nur vorübergehend.

So stellte sie in sich lebendig
Stets dar das Evangelium
Und darum trug sie auch beständig
Ein Exemplar mit sich herum.

1 Über die »Politischen Grabreden«, die 1839 u. d. T. »Melpomene oder Grablieder, verfaßt und herausgegeben von Michael von Jung, Pfarrer zu Kirchdorf bei Memmingen an der Iller«, hatte Hesse bereits 1912 ein Feuilleton publiziert. Vgl. H. H., »Die Kunst des Müßiggangs«. Kurze Prosa aus dem Nachlaß, Frankfurt a. Main 1973, S. 139 ff.
2 Conrad Haußmann (1857-1922), Politiker, seit 1890 Mitglied des Deutschen Reichstags, mit Hesse seit etwa 1908 befreundet, ständiger Mitarbeiter der Zeitschrift »März«, ab Oktober 1910 Privatsekretär des Reichskanzlers Prinz Max von Baden.
3 Jonas Lesser (1895-1968), »Thomas Mann in der Epoche seiner Vollendung«, München, 1952.
4 Siegfried Trebitsch (1869-1956), Schriftsteller u. Dramatiker, Übersetzer der Werke G. B. Shaws ins Deutsche.

131 *Postkarte*

Kilchberg 14. x. 54

Lieber Herr Hesse,
Das ist freilich ein Spaß, ein lieber, bunter, herzgewinnender![1] Wir singen alle laut Piktoria, danken vielmals für das erlesene Geschenk und wünschen von Herzen, daß Sie wohl und munter sind.

Ihr Thomas Mann

1 H. Hesse, »Piktors Verwandlungen«. Ein Märchen. Faksimileausgabe, Frankfurt a. Main, 1954. Vgl. insel taschenbuch 122, Frankfurt a. Main, 1975.

132

[Mai 1955]

Bekenntnis und Glückwunsch[1]

Lieber Thomas Mann
Sie haben vor kurzem einmal ein wunderschönes Loblied auf die Vergänglichkeit geschrieben und es dem Andenken der lieben Frau Hedwig Fischer gewidmet. Mir schien jene Betrachtung eins der schönsten von Ihren kleinen Prosastücken zu sein. Wir Dichter sind zwar zeitlebens um nichts anderes bemüht als um die Verewigung des Vergänglichen (wobei uns freilich wohl bewußt ist, wie relativ diese »Ewigkeit« sei), aber eben darum haben wir vielleicht eher als andre das Recht, auch die Vergänglichkeit selbst, die alte Maya und Zaubermutter, zu bejahen und zu preisen.
Sollten Sie, Freund, etwa vor mir »das Zeitliche segnen« (ein schönes Wort, das genau genommen ja eben nichts andres meint als ein Preisen der Vergänglichkeit), so würde ich mich allerdings kaum zu einem Preisen und Segnen aufzuraffen imstande sein, sondern einfach sehr betrübt werden und schweigen. Aber Sie sind ja glücklicherweise noch da, und ich kann hoffen, Sie nächstens wiederzusehen und etwa eine gute und heitere Stunde mit Ihnen zu erleben. Darum stelle ich mich gern in die Reihe der Gratulanten zu Ihrem achtzigsten Geburtstag.
Sie wissen, daß ich von jeher ein Verehrer von der Bipolarität alles Lebendigen gewesen bin und daß, wo ich liebte und mich angezogen fühlte, es immer die Widersprüchlichkeit und Zweiseelenhaftigkeit war, die mich anzog und gewann. So ist es mir auch mit Ihnen gegangen. Womit Sie mich zuerst auf sich aufmerksam machten, mir imponierten und zu denken gaben, das waren Ihre bürgerlichen Tugenden, der Fleiß, die Geduld und Beharrlichkeit, mit der Sie Ihrer Arbeit oblagen – bürgerliche und hanseatische Tugenden, die mir um so mehr

Eindruck machten, je weniger ich selbst mich ihrer rühmen durfte. Diese Selbstzucht und dies stetige treue Dienen hätte genügt, um Ihnen meine Hochachtung zu sichern. Zur Liebe aber bedarf es mehr. Und da waren es denn Ihre unbürgerlichen und entbürgerlichten Züge, die mein Herz gewannen, Ihre edle Ironie, Ihr großer Sinn für das Spiel, Ihr Mut zur Aufrichtigkeit und zum Bejahen all Ihrer Problematik – und nicht zuletzt Ihre Künstlerfreude an Experiment und Wagnis, am Spiel mit neuen Formen und Kunstmitteln, wie sie am stärksten im »Faustus« und im »Erwählten« sich ausgelebt hat.

Ich will aber damit aufhören, Ihnen Dinge zu sagen, die Sie besser wissen. Jener allzu großen Schicht von Lesern, die es noch immer nicht lassen können, den einen von uns gegen den andern auszuspielen, wird unsre Freundschaft und Zusammengehörigkeit nie begreiflich werden, so wenig wie die coincidentia oppositorum des Niklaus von Cues.[2]

Herzlich gratuliert und grüßt

Ihr Hermann Hesse

1 »Die Neue Rundschau«, Heft 3, 1955.

2 In seinem Hauptwerk »De docta ignorantia« (1440) führt Nikolaus Cusanus (1401-1464) aus, daß Gegensätze nur für den endlichen Verstand da sind. Gott, die letzte absolute und namenlose Einheit, steht über den Gegensätzen, in ihm sind sie aufgehoben und selber eines.

133

An Thomas Mann zum 6. Juni 1955[1]

Lieber Thomas Mann
War es nicht eben erst, daß Sie mir an dieser selben Stelle zum 70. Geburtstag gratuliert haben? Wir Alten wissen um die Unmeßbarkeit der Zeit und wundern uns nicht mehr über die Wandelbarkeit ihrer Erscheinungsformen, und so rufe ich Ihnen meinen Gruß zum Achtzigsten zu, als wäre seither nichts geschehen. Ich mache es kurz, da ich schon an anderem Ort gratuliert und etwas über die Motive meiner Verehrung und Liebe für Sie geschrieben habe.
Das letzte Neue, was ich von Ihnen las, war der herrliche Aufsatz über Tschechow.[2] Von ihm verführt, habe ich auch Ihren kostbaren Essayband »Altes und Neues«[3] wieder da und dort angebissen und mir eine so nachdenkliche wie genußreiche Stunde damit verschafft. Und ehe ich mich von dem Buch trennte, habe ich, obwohl ich sie seit dem ersten Lesen auswendig weiß, auch wieder die Schluß-Sätze Ihrer Betrachtung »Das Lieblingsgedicht« nachgeschlagen.[4] Es gibt zur Zeit keinen Autor unserer Sprache, der Ihnen so etwas nachmacht. Ich denke dabei nicht an die Syntax, wohl aber an den Tonfall der Sätze, und noch mehr an die behutsam dosierte Mischung von Liebe und Schelmerei darin. Sie ist moderner und pointierter als bei Ihrem Meister Fontane, aber durchaus seines Geistes.

1 »Neue Zürcher Zeitung« vom 5. 6. 1955
2 »Versuch über Tschechow« (1954), G. W. 1960, Bd. IX S. 843 ff.
3 T. M., »Altes und Neues. Prosa aus fünf Jahrzehnten«, Frankfurt a. Main, 1953.
4 Die Schlußsätze der Betrachtung »Das Lieblingsgedicht« (G. W. Bd. X, S. 921 ff.) lauten:
»Sagen möchte ich noch, daß manchmal Dinge mir am teuersten sind, die ich halb vergessen und bruchstücksweise in mir herumtrage und gar nicht mehr zusammenbringe. Es gibt ein Gedicht – ich glaube es ist von Daumer –, das anfängt:
Nicht mehr zu dir zu gehen,

beschloß ich und beschwor ich,
Und gehe jeden Abend ...
»Denn«, heißt es, »allen Stolz und alle Kraft verlor ich«. Er stöhnt auf:
O rede, sprich ein Wort nur, ein einziges, ein klares –
Und so weiter. Ein Ausdruck hoffnungsloser Liebesverfallenheit, als solcher unübertroffen, wenn auch sonst gar kein meisterhaftes Poem. Es ist mit geschlossenen Lippen gesprochen, gestanden, geseufzt. Brahms hat es komponiert. Er hätte es *nicht* tun sollen.«

134

Kilchberg am Zürichsee 10. Juni 55

Lieber Hermann Hesse,

Sie wissen aus eigener Erfahrung, wie es mir ergangen ist und wie es bei mir ausschaut. Ich habe eine wunderbar schöne Karte gedichtet und in Druck gegeben,[1] die heut oder morgen versandfertig werden muß, aber mit der ist es bei Ihnen nicht getan. Getan sein wird es auch so nicht, aber ein Wort des Dankes will gleich geschrieben sein an Sie, mein Lieber, für die guten, so unverwechselbar vom Stempel Ihres Geistes geprägten Sätze, die Sie in der »Neuen Rundschau« und an anderem Orte an mich gerichtet haben, Sätze einer Verbundenheit, auf die ich halte wie Sie, und des feinen Spottes über die Tölpel, die sie nicht verstehen, sich daran ärgern und sie stören möchten.

Ich habe, innerlich müde und skeptisch, äußerlich so stramm und leutselig wie möglich, viel hinter mich gebracht: zuerst die Schiller-Fahrt und den Staatsbesuch in Lübeck,[2] dann den Geburtstagstumult hier, der 4 Tage dauerte und nur langsam zur Ruhe kommt. Die liebe Welt und voran die liebe Schweiz haben alles getan, mir den Kopf zu verdrehen, aber es gibt da ganz gesunde Widerstandskräfte. Am meisten *Spaß* gemacht hat mir der »Doktor der Naturwissenschaften«, den die E. T. H. mir phantasievoller Weise verlieh. Das ist doch einmal etwas Neues und Originelles. Ich werde, unter uns gesagt, auch sehr bald Schweizer werden, via Gemeinde Kilchberg. Der Bundesrat scheint einverstanden, daß es außer aller Ordnung geschieht, wie es sich auch darin andeutete, daß Petitpierre[3] zur Feier hierher, in Conrad Ferdinand Meyers Hause, kam und mit dem anmutigsten französischen Akzent eine deutsche Rede hielt. Daß der französische Akzent diesen Festtagen auch sonst nicht fehlte, freut mich, ich gestehe es, besonders. Ein Sammelband »Hommage de la France à T. M.« traf ein mit Glückwünschen und Artikeln von vielen französischen Schriftstellern und Staatsmännern. Ich finde das alles charmant, weit entfernt, es schon gelesen zu haben.

Aber gesagt will sein, daß auch ein gemessenes Telegramm von dem deutschen Bundesminister für Kultur, Schröder,[4] kam. Er muß die Erlaubnis dazu Adenauern in einer ernsten Unterredung abgerungen haben.

Leben Sie recht wohl, Sie und Frau Ninon, der wir *etwas* böse waren, weil die Etrusker[5] uns bei ihr so ganz und gar ausgestochen haben. Scham beschleicht mich, wenn ich denke, daß Sie unterdessen in ernst gesammelter, vernünftiger Ruhe gelebt haben, während ich mein Leben einer Art von festlicher Auflösung überließ. Ihre Festigkeit solchen Anfechtungen gegenüber ist vorbildlich. Aber wann macht man Ernst damit, seinen Vorbildern zu folgen!

Ihr Thomas Mann

1 Siehe Anhang.

2 Feiern zu Schillers 150. Todestag: in Stuttgart (8. Mai 1955) und Weimar (14. Mai), bei denen T. M. die Festansprache hielt.
16. bis 21. Mai Aufenthalt in Lübeck und Travemünde. Verleihung der Ehrenbürgerschaft im Lübecker Rathaus.

3 Max Petitpierre (* 1899), der damalige schweizerische Bundespräsident.

4 Gerhard Schröder (* 1910), 1953-1961 Innenminister der Bundesrepublik Deutschland.

5 Frau Ninon Hesse besuchte damals die Ausstellung »Kunst und Leben der Etrusker« in Zürich, ohne die Familie Mann zu besuchen.

135

[Poststempel 2. 7. 1955]

Lieber Thomas Mann

Das Überraschen und Schenken verstehen Sie aus dem FF, das muß man sagen. Erst Ihr lieber köstlicher Brief, wenige Tage nach dem Geburtstag schon, und dann der Versuch über Schiller,[1] ein großartiges Werk großer Liebe, voll Akribie und dabei ebenso voll prachtvoller Einfälle, es ist ein reiner Genuß.

Gott sei Dank, daß Sie die große Festreihe so glänzend hinter sich gebracht haben! Die Zürcher Feier haben wir am Radio mitgemacht. Und jetzt denke ich mir Sie beide in Holland an der See und für eine Weile dem Trubel entwischt, der ja doch auch dem weise und willig Mitmachenden und sich nicht Sträubenden Mühe und Schaden genug bringt. Mich, das muß ich gestehen, macht schon das Sträuben bös. Aber für den Herbst, wo es eine Feier in Frankfurt geben soll,[2] haben wir einen Ausweg gefunden: meine Frau wird hinfahren und mich vertreten. Vom 20. Juli etwa an wollen wir wieder ein paar Wochen in Sils Maria sein. Vorher muß ich leider noch manche Sitzungen beim Augenarzt absolvieren.

Möge das Jahr nicht zu Ende gehen, ohne daß uns ein Wiedersehen gelingt! Mit herzlichen Grüßen von uns beiden

Ihr H. Hesse

1 Thomas Mann, »Versuch über Schiller«, Frankfurt a. Main, 1955.

2 Verleihung des Friedenspreises des Deutschen Buchhandels an Hermann Hesse, am 9. 10. 1955.

136

Hotel Waldhaus, Sils Maria, Engadin
[Poststempel, 2. 8. 1955]

Lieber Thomas Mann
Erlauben Sie mir einen kurzen Besuch an Ihrem Krankenlager. Von Ihrer Erkrankung erfuhren wir, die wir hier oben ohnehin uns oft an Sie erinnert fanden, mit rechtem Schrecken und waren sehr froh, als Ihre Frau so freundlich war, uns genauere und beruhigende Auskunft zu geben. Ich wünsche Ihnen raschen Fortschritt der Genesung und nachher eine Periode jenes Wohlgefühls, das einen die überstandene Attacke kaum bereuen läßt.
Wir standen die letzten Tage im Schatten einer Todesnachricht. Ich war mit Georg Reinhart[1] in Winterthur gut befreundet und habe ihn ganz besonders geliebt und geschätzt, denn ich kannte ihn nicht nur als großen Herrn und Weltmann von prächtiger Haltung, sondern kannte ihn auf der Höhe seines Lebens auch intim in seinem privaten und häuslichen Leben, und da war er ein Mann von ganz ungewöhnlichen Begabungen, Neigungen und Gewohnheiten.
Meine bisherige Silser Ferienlektüre waren Lessings Briefe, ich hatte sie seit Jahrzehnten nicht mehr in Händen gehabt. Was war das für ein Kopf und was für ein hartes und armes Leben! Noch zwei Jahre vor seinem Tod, nach dem Erscheinen des Nathan, schreibt er: »Es kann wohl sein, daß mein Nathan[2] im Ganzen wenig Wirkung tun würde, wenn er auf das Theater käme, welches wohl nie geschehen wird. Genug, wenn er sich mit Interesse nur lieset, und unter tausend Lesern nur Einer daraus an der Evidenz seiner Religion zweifeln lernt.«
Daneben schämt man sich seiner Verwöhntheit und hat doch gar nicht das Gefühl, in einer besseren Zeit zu leben.
Herzlich grüßt Sie und denkt Ihrer Ihr

H. Hesse und Ninon Hesse

1 Georg Reinhart (1877-1955), Mäzen Hesses u. seit Ausgang des Ersten Weltkriegs mit ihm befreundet, starb am 29. Juli 1955. Über seine Beziehung zu Georg Reinhart hat H. H. in einem Gedenkblatt, »Der schwarze König« berichtet, enthalten in H. H., »Gedenkblätter«, Frankfurt a. Main, 1962, S. 325 ff.

2 Lessing, Gotthold, Ephraim (1729-1781), »Nathan der Weise«, 1779.

137

An Katia Mann

Sils Maria, August 1955

Liebe Frau Mann

Seit die schlimme Nachricht uns hier erreicht hat[1], sind meine Gedanken, Sorgen und Wünsche dauernd bei Ihnen und bei dem lieben Unersetzlichen. Mir gab diese Todesbotschaft dasselbe Gefühl von Leere und Alleingebliebensein, wie vor einigen Jahren der Tod des letzten meiner Geschwister,[1] und noch habe ich das Wahrhaben des Verlustes längst noch nicht vollzogen; ich hatte auch nie ernstlich geglaubt, daß ich Ihn überleben könnte.

Das Herz tut mir weh, wenn ich an Sie denke. Mir ist in meinem Kreise keine zweite so intensive langdauernde, keine so treue und fruchtbare Lebens-Kameradschaft begegnet.

Daß der treue Freund dies so unerhört reiche, tapfere, große Leben bis zum hohen Alter nicht ohne Sie hätte leben und vollenden können, daran denkt heute jeder, der ihn geliebt hat in Dankbarkeit und inniger Teilnahme.

Ihr Hermann Hesse

1 Am 12. 8. 1955 war Thomas Mann im Zürcher Kantonsspital gestorben.
2 Marulla, Hesses jüngste Schwester war am 17. 3. 1953, 73 jährig gestorben.

138

Ein Abschiedsgruß[1]

Sils Maria den 13. August 1955

In tiefer Trauer nehme ich von Thomas Mann Abschied, dem lieben Freund und großen Kollegen, dem Meister deutscher Prosa, dem trotz allen Ehrungen und Erfolgen viel Verkannten. Was hinter seiner Ironie und seiner Virtuosität an Herz, an Treue, Verantwortlichkeit und Liebesfähigkeit stand, jahrzehntelang völlig unbegriffen vom großen deutschen Publikum, das wird sein Werk und Andenken weit über unsere verworrenen Zeiten hinaus lebendig erhalten.

Hermann Hesse

1 »Neue Zürcher Zeitung« vom 16. 8. 1955. Thomas Mann war am 12. August im Zürcher Kantonsspital an den Folgen einer Thrombose gestorben.

Eine jahrzehntelange Verbundenheit bestärkte Hermann Hesse und Thomas Mann in dem Gefühl, eigentlich »Brüder« zu sein. Beide gehörten derselben Generation an; beide waren dominierende Gestalten der deutschen Literatur vor dem Hintergrunde einer bei Hesse schon 1914, bei Thomas Mann nach 1933 vollzogenen Ablösung vom politischen Deutschland. Der Vergleich der Werke gibt Einblick in diese Verschwisterung. Verwandtschaften springen in die Augen: so die des Steppenwolfes mit Adrian Leverkühn oder die des biblischen und des kastalischen Joseph. Erstaunlich umfassend entsprechen sich vor allem die Anlagen des »Glasperlenspieles« und des »Doktor Faustus«; sie zeigen in der Umsetzung der gleichen Epochenerfahrungen eine besondere Symmetrie. Aufschlußreich ist der erste Eindruck Thomas Manns nach Eintreffen des »Glasperlenspieles«. Er schrieb am 8. April 1945 an Hesse: »*Bestürzung* war auch unter den Gefühlen, mit denen ich das Werk las – über eine Nähe und Verwandtschaft, die mich nicht zum erstenmal beeindruckt, diesmal aber auf besonders präzise und gegenständliche Weise. Ist es nicht sonderbar, daß ich seit Jahr und Tag, seit dem Abschluß meiner »orientalischen« Periode schon, an einem Roman schreibe ... der sowohl die Form der Biographie hat wie auch von Musik handelt? ... Man kann sich nichts Verschiedeneres denken, und dabei ist die Ähnlichkeit frappant – wie das unter Brüdern so vorkommt«.

»Der Roman«, meint Novalis, »ist gleichsam die freie Geschichte, gleichsam die Mythologie der Geschichte«. Die Lebensbeschreibung Josef Knechts variiert wie die Biographie Adrian Leverkühns einen Grundtypus. Hinter der kastalischen Ordensprovinz und dem Wesensgegensatz: Josef Knecht – Plinio Designori stehen Figurengenerationen: Narziß und Goldmund, Sinclair und Demian, Hans Giebenrath und Hermann Heilner – und am Anfang der Schüler Hesse im Maulbronner Stift. Hinter Faustus-Leverkühn, dessen Plan bis auf das Jahr 1901 zurückgeht, stehen Joseph, Hans Castorp, Felix Krull und Tonio Kröger. »Das Glasperlenspiel« und »Doktor Faustus« kontrastieren die hermetische Geschichte eines Helden, der ausschließlich seiner geistigen – um nicht zu sagen: geistlichen – Berufung folgt, von ihr gesteigert keinerlei menschliche Bindung eingeht, doch in seiner Absonderung ein intensives Traum- und Phantasieleben führt. Diesem Helden des Buches ist jeweils der gegensätzliche »Kindheitsfreund« beigegeben, so daß die inneren Widersprüche des Geist- und Weltverlangens, der humanistischen und dämonischen Prägung hier auf zwei Figuren verteilt sind. Und nicht nur auf zwei. Hesses kastalische Provinz beherbergt noch andere Teil-Ichs, so den chinesischen Einsiedler in seinem Bambusgehölz – »ein schmächtiger Mann, in graugelbes Leinen gekleidet, mit einer Brille über blauen abwartenden Augen« – oder den reizbaren Außenseiter Tegularius. In den Dialog Leverkühn – Zeitblom aber mischt sich die satanische Stimme.

Knecht wie Leverkühn leben in einer Spätzeit, die den Verlust der alten Autoritäten noch nicht kompensiert hat; die sterile Epoche zwingt den Geist zur Erkenntnis seiner Epigonenrolle. Kastalien macht aus der Not dieser Situation die Tugend des Glasperlenspieles, ein Ausschöpfen des geistigen Universums im Reproduzieren und Reflektieren. Die Fiktion eines regenerierten autarken Geisteslebens verhält sich zur »feuilletonistischen Epoche« wie Josef Knecht zu Hermann Hesse. Beide stilisieren wirklich vorhandene Ansätze zum wesensmöglichen Idealfall. Sein Vorbild ist normativ. Als Antithese kennzeichnet Kastalien das zwanzigste Jahrhundert ebenso wie das Beispiel Josef Knechts Hesses eigene schwierige Jugend sublimiert, deren Kämpfe erst in der Publikation »Kindheit und Jugend vor 1900« (1966) ganz nackt hervortreten. Der Einführung in die Geschichte des Glasperlenspieles läßt sich auch die kastalische Norm entnehmen. Dort steht das Bekenntnis Josef Knechts: »Wir halten die klassische Musik für den Extrakt und Inbegriff unserer Kultur, weil sie ihre deutlichste, bezeichnendste Gebärde und Äußerung ist«. Im Gegensatz zur Rauschbereitschaft, zur Nietzsche-Aura des »Doktor Faustus« orientiert sich Kastalien an einem idealischen 18. Jahrhundert. Hinter der klassischen Universalität stehen Antike und Mittelalter, die römische Kirche mit der lateinischen Weltsprache und die christlichen Mönchsorden.

Kastalien sollte, wie Hesse 1955 an Rudolf Pannwitz schrieb, dem Terror der Macht nach 1933 das Beispiel eines unüberwindlichen geistigen Absolutums entgegenstellen. Interessant ist nun, daß die Erzählung, indem sie die Probe auf das Exempel macht und den Musterfall durchexerziert, gerade seine Relativität erweist. Diesen Nachweis erbringt nicht die Geschichtserfahrung des achtzehnten, sondern des neunzehnten und zwanzigsten Jahrhunderts. Der Geist, der seine Privilegien nur noch zur Introversion nutzt, vergreist im Elfenbeinturm statt seine Funktion im Ganzen der »Welt« zu erfüllen. Begegnet anfangs der Ordensgeist als überpersönlich bestimmende und formende Macht, so ist eines Tages der Punkt der Entwicklung erreicht, an dem Kastalien wiederum der Bestimmung und Formung durch den ihm nunmehr entwachsenen, ihm überlegenen Einzelgeist bedarf. Da der Orden – an seine Abhängigkeit von der Außenwelt erinnert – nicht gewillt oder nicht fähig ist, seine Verpflichtungen gegen diese zu erkennen, zieht der Mahner Josef Knecht die Konsequenzen mit dem »Durchbruch« zur Welt, den der »Doktor Faustus« als das Kernproblem deutscher Weltscheu, ihrer charakteristischen geistigen Hoffart bezeichnet. Der Glasperlenspielmeister Knecht stellt sein Amt zur Verfügung, um künftig als weltlicher Erzieher zu wirken. Die Worte, mit denen er Abschied nimmt von Meister Alexander, zeigen, daß er in sehr ähnlicher Situation wie Leverkühn die entgegengesetzte Entscheidung trifft. Knecht bekennt: »Ich hatte den Köder gekostet und wußte, daß es Reizvolleres und Differenzierteres auf Erden nicht gab, als sich dem Spiel zu ergeben ... Mich nun mit allen meinen Kräften und Interessen für immer diesem Zauber zu verschreiben, dagegen wehrte sich in mir ein Instinkt, ein naives Gefühl für das Einfache, für das Ganze und Gesunde, das mich vor dem Geist des Waldzeller Vicus Lusorum warnte als vor einem Spezialisten- und Virtuosengeist, einem hoch kultivierten und äußerst reich durchgearbeiteten Geist zwar, der aber doch vom Ganzen des Lebens und Menschentums abgetrennt war und sich in eine hochmütige Einsamkeit verstiegen hatte«.

»Verschrieben« hat sich dem »Zauber« dieser hochmütigen Einsamkeit Knechts Zwillingsbruder Adrian Leverkühn; sein artistischer Spürsinn schlägt alle Warnungen in den Wind. Ausgerüstet mit einer »rasch gesättigten Intelligenz« ohne »robuste Naivität«, plädiert sein »verzweifelt Herz« nicht für das Einfache und Gesunde, sondern für das Schwierige und Kranke, für »das extravagante Dasein, das einzige, das einem stolzen Sinn genügt« als Bedingung produktiver Ausnahme in einer sterilen Epoche. Wenn Thomas Mann in seinem Bericht über die »Entstehung des Doktor Faustus« immer wieder betont, daß dieses Thema vom Teufelspakt eines Künstlers während der Ausführung an seinem Leben gezehrt habe wie nie eine andere Arbeit, so zeigt das vitale In-Mitleidenschaft-Gezogensein die Erschütterung durch eine autobiographisch zentrale Fragestellung. Kunst, ihrem Wesen nach schon Tonio Kröger verdächtig, erhöht ihr Stimulantium mit den Zweifeln, die sie eingibt. Erst mit der »undenklichen Steigerung« (R. Wagner) ihrer Paradoxie: als das *absolut* Verdächtige wird sie Gegenstand der *höchsten* Leidenschaft. So verstanden, wirkt der Satanspakt des Künstlers epochemachend, stellt die Weichen, sublimiert in der »Geschichte eines hochprekären und sündigen Künstlerlebens« den Roman der eigenen Zeit.

Einer von langer Hand her mystisch infizierten, rauschlüsternen Zeit-Welt ist *jedes* Narkotikum recht. Ihre archaisch verbrämte Dekadenz entspricht Adrian Leverkühn wie Kastalien Josef Knecht. So erscheint das Endgesicht der Krankheit neben dem Bilde einer Endgesundheit. Adrian Leverkühn bewahrt die

mittelalterlich dämonische »Unterteuftheit« seiner Vaterstadt Kaisersaschern. Sie ist nicht klassisch universal, sondern charakteristisch. Leverkühns Musik ist die Kunst »eines nie Entkommenen«, eines noch in seinen sublimen Inspirationen von charakteristischer deutscher Krankheit Gezeichneten. Die symbolische Form verschafft seinem Fall gleichwohl eine artistische Universalität: sie absorbiert Elemente aus E. T. A. Hoffmann, Nietzsche, Dostojewski, Gogol, Mereschkowski, Ibsen, H. C. Andersen, Richard Wagner – filtriert ein Pandämonium des 19. Jahrhunderts. Rücksichtsloser und handgreiflicher noch als im »Glasperlenspiel« ist hier eine Anschauung am Werk, die sich alle »einschlägigen« Materialien dienstbar macht. Darum spricht Thomas Mann vom »Prinzip der Montage«, welches durch das ganze Buch hin wirksam ist – in der Weise, »daß ... das ... Reale ins perspektivisch Gemalte und Illusionäre schwer unterscheidbar übergeht. Diese mich selbst fortwährend befremdende, ja bedenklich anmutende Montagetechnik gehört zur Konzeption, zur ›Idee‹ des Buches, sie hat zu tun mit einer seltsamen und lizenziösen Lockerung, aus der es hervorgegangen, seiner übertragenen und auch wieder baren Direktheit, seinem Charakter als Geheimwerk und Lebensbeichte –«
Der »Pakt« erlaubt Adrian Leverkühn nur den »Durchbruch« in die Katastrophe, für die er herkunftsmäßig prädestiniert ist. Dennoch haben die Wege Knechts und Leverkühns, die gesunde Rückkehr in die Welt und der kranke Rückzug in das Werk, eine letzte vermächtnisartige Erkenntnis gemeinsam. »Transzendieren« überschreibt schon der junge Josef Knecht befehlend ein Gedicht, das er später »Stufen« nennt. Spät, von Kastalien Abschied nehmend, bekräftigt er den »Vorsatz, sein Leben und Tun unter dies Zeichen zu stellen und es zu einem Transzendieren, einem entschlossen-heiteren Durchschreiten, Erfüllen und Hintersichlassen jedes Raumes, jeder Wegstrecke zu machen«. Diesem hellen Leitmotiv gesellt sich in Adrian Leverkühns Komposition »D. Fausti Weheklag« seine düsterste Variante. »Nein«, heißt es zusammenfassend, »dies dunkle

Tongedicht läßt bis zuletzt keine Vertröstung, Versöhnung, Verklärung zu. Aber wie, wenn der künstlerischen Paradoxie, daß aus der totalen Konstruktion sich der Ausdruck – der Ausdruck als Klage – gebiert, das religiöse Paradoxon entspräche, daß aus tiefster Heillosigkeit, wenn auch als leiseste Frage nur, die Hoffnung keimte? Es wäre die Hoffnung jenseits der Hoffnungslosigkeit, die Transzendenz der Verzweiflung – – – ein Wunder, das über den Glauben geht«.

Wie nah die beiden so verschiedenartigen Entwürfe einander stehen – eine in der deutschen Literatur vielleicht einzigartige Analogie – zeigt letztlich erst der steckengebliebene, aus dem Nachlaß publizierte vierte »imaginäre Lebenslauf« Josef Knechts (geschrieben 1934). Er sollte im 18. Jahrhundert spielen – zur Blütezeit der Klassik. Der Knecht dieses Lebenslaufes ist wie Leverkühn herkunftsbestimmt. Kaisersaschern gesellt sich hier die kleine württembergische Stadt Beutelsperg mit ihren mittelalterlichen Fachwerkhäusern. Der Vater ist wie Leverkühns Vater Landwirt und Handwerker – auch er, der Brunnenmacher in eine leise mystische Aura gehüllt, »ein geheimnisvoller und nicht gewöhnlicher Mann, mit den Wassernixen bekannt und in den entlegenen Brunnenstuben zu Hause« – kein Aufenthaltsort für Andersens kleine Seejungfrau, wohl aber für Mörikes schöne Lau. Protestantisch-musikalisch-volkstümlich ist das Gepräge des Knechtschen Elternhauses; schon der Schüler verlangt am stärksten »nach Harmonie, nach einer Ganzheit«. Er hofft, sie als Theologe zu finden. Der »Tempel der Wissenschaften«, in den ihn zunächst ein alter Präzeptor einführt, hat gleich der Musik »den Schwung und das etwas zopfige Pathos des späten Barock«. Doch auf der nächsten Entwicklungsstufe, als Zögling einer schwäbischen Klosterschule, wird Knecht sich bewußt, daß seine eigentliche Liebe nicht der Theologie, sondern der Musik gilt. Er gesteht es sich mit schlechtem Gewissen ein, denn zu Zeiten ist ihm diese Liebe verdächtig, so daß er sich fragt, »ob sie vielleicht sündhaft sei«. Sein Lehrer, der große historische Theologe Bengel, dem er seine Zweifel anvertraut, belehrt ihn über das göttlich-satanische Doppelwesen der Kunst: »Ein Büchermacher sollte kein einziges Wort schreiben, das er in der Stunde seines Todes bereuen müßte. So magst auch du, wenn die Musik dich berauschen will, dir vornehmen, niemals auf eine Art zu musizieren, die du in jener letzten Stunde bereuen müßtest. Wir sollen, Künstler wie Gelehrte, Werkzeuge zum Lobe Gottes sein; Solang wir das sind, ist unsere Kunst von Ihm geheiligt und Ihm wohlgefällig.« Durch diese Worte zu sich selbst ermutigt, findet der Bengelschüler im Studium der zeitgenössischen Musik »nicht nur eine Heimat, sondern auch eine Ordnung, einen Kosmos, einen Weg zur Einordnung und Entgiftung des Ich« – der strikte Wesenspol zu Adrian Leverkühn. Der Entwurf sieht vor, daß Knecht, längst als Pfarrer amtierend, mit dem Werk Johann Sebastian Bachs bekannt wird, und dieses Erlebnis erschüttert ihn bis zum »Durchbruch«; zu spät wird ihm die Erkenntnis: »Da hatte nun einer gelebt, der hatte alles, was ich suchte, und ich wußte nichts davon.« Er forscht nach Bach-Noten, will Bach persönlich aufsuchen. Aber Bach ist eben gestorben. Knecht legt sein Amt nieder, wird Kantor und resigniert als stiller Organist.

Beide, »Das Glasperlenspiel« und »Doktor Faustus« sind Anschauungsformen einer Epoche, die, wie es im »Faustus« heißt, »nicht nur das 19. Jahrhundert umfaßt, sondern zurückreicht bis zum Ausgang des Mittelalters, bis zur Emanzipierung des Individuums, der Geburt der Freiheit, die Epoche des bürgerlichen Humanismus.« »Brüder« sind die Helden, weil ihre Ursprungsorte: Beutelsperg und Kaisersaschern, Calw und Lübeck, nord- und süddeutsch, noch vom selben latenten Mittelalter geprägt sind. Als charakteristische Söhne der Überlieferung streben Knecht und Leverkühn zur Theologie und – mit der Säkularisierung dieser Neigung – zur Musik. Die geistigen Welten, die ihre Entwicklung bestimmen, objektivieren die ersten entscheidenden Bildungserlebnisse beider Autoren. Für Hesse ist dies Klassik und Frühromantik, gipfelnd in dem non plus ultra der klassischen Musik – für Thomas Mann ist es Wagner-Nietzsche, das dionysische Eccehomogesicht des späten neunzehnten Jahrhunderts. Sucht Knecht die Harmonien Johann Sebastian Bachs, so fesselt Leverkühn der Titan am Tor des neunzehnten Jahrhunderts: Beethoven.

Beider Traumleben zeigt den Zwiespalt von Trieb und Geist. Knüpft Knechts Phantasie mit Assoziation und Meditation an die sinnliche Wahrnehmung an, so nähert sich Leverkühn mit Hilfe von Spekulation und Reflexion dem Elementarischen. Greift dank der morgenländischen Komponente des Autors die kastalische Universalität in der Spur des Westöstlichen Diwans bis nach Indien, China und zur Fabelwelt des Orients hinüber, so begeht auch Leverkühn seine deutsche Walpurgisnacht im klassischen Süden Italiens. Neben der charakteristischen Universalität Kastaliens steht die universale Charakteristik des Faustusexempels. Hier wie dort organisiert eine ursprüngliche, an ihren Erfahrungen entwickelte Anschauung ihre Fiktion mit den Mitteln der Aneignung und Abwandlung, Verfremdung, Parodie. Das Doppelbildnis der Gesundheit und der Krankheit kontrastiert im 20. Jahrhundert noch einmal das Bruderwesen naiver und sentimentalischer Dichtung.

(1968) *Anni Carlsson*

Zu Brief 1, Fußnote 4

»Ich werde eine Gelegenheit haben .... des näheren zu zeigen, wie diese Gesamtverwandlung der Kunst ins Schauspielerische ebenso bestimmt ein Ausdruck physiologischer Degenereszenz ... ist, wie jede einzelne Verderbnis und Gebrechlichkeit der durch Wagner inaugurierten Kunst: zum Beispiel die Unruhe ihrer Optik, die dazu nötigte, in jedem Augenblick die Stellung vor ihr zu wechseln ......: bewunderungswürdig, liebenswürdig ist Wagner nur in der Erfindung des Kleinsten, in der Ausdichtung des Details .... Was geht uns die agaçante Brutalität der Tannhäuser-Ouvertüre an? Oder der Zirkus Walküre? ....« (Fr. Nietzsche, »Der Fall Wagner«, 1888 in: Fr. N., »Götzendämmerung, Der Antichrist«, Gedichte. Lpz. 1930, S. 19 und 21)

»– ja, er ist der Meister des ganz Kleinen. Aber er *will* es nicht sein! Sein Charakter liebt vielmehr die großen Wände und die verwegene Wandmalerei! ..... Es entgeht ihm, daß sein Geist einen andren Geschmack und Hang – eine entgegengesetzte *Optik* – hat und am liebsten still in den Winkeln zusammengestürzter Häuser sitzt: da, verborgen, ... malt er seine eigentlichen Meisterstücke, welche alle sehr kurz sind, oft nur Einen Takt lang ...« (»Nietzsche contra Wagner«, 1888, a.a.O. S. 54)

Zu Postkarte 8, Fußnote 1

Heinrich Mann war Ende Januar 1931 zum Präsidenten der Sektion für Dichtung der Preuß. Akademie der Künste gewählt worden, mit Ricarda Huch als stellvertretender Vorsitzenden. Im Hinblick auf die erfolgten Austritte einiger Sektionsmitglieder (W. Schäfer, E. G. Kolbenheyer, H. Hesse), nahm er Gelegenheit, sich in der ›Frankfurter Zeitung‹ zum Thema Akademie zu äußern.

H. M. spricht zunächst von der »Haltung der Öffentlichkeit«. Die einen stellen zu hohe Forderungen an die Dichterakademie. »Die anderen sind ohne weiteres gegen die Dichterakademie, weil sie auch gegen den Staat sind und hier Zusammenhänge ahnen. Zu den anderen haben, wie Austritte erwiesen, auch einige Mitglieder der Sektion selbst gehört«. (Da H. M., ohne Namen zu nennen, andeutet, was sich intern am Pariser Platz mit den ausgetretenen Mitgliedern

abgespielt hat, kann er, wenn er von diesen spricht, nur Schäfer und Kolbenheyer, in erster Linie wohl Kolbenheyer, meinen). »Diese hatten den unverkennbaren Vorsatz, aus der Sektion ein Instrument gegen den Staat zu machen ... Um von einem nicht genehmen Staat loszukommen, erstrebten sie statt der Preußischen eine Deutsche Akademie. Niemand hat erfahren, was sie damit meinten.
Es waren ungünstige Arbeitsbedingungen. Die meisten von uns saßen mit kameradschaftlicher Gesinnung um den langen Tisch in einem hellen Zimmer des Hauses Pariser Platz 4, sie waren herzlich bereit, zu tun, was der Geltung der Literatur nützen konnte, und als Grundlage der Bestrebungen betrachteten sie unter anderem ihre eigene lebenslange verantwortliche Arbeit. Da fing jedesmal einer an, uns vorzuhalten, mit dem deutschen Volk hätten wir nichts zu tun. Er dagegen, ja. Es war nichts mehr zu machen«.

Zu Brief 9, Fußnote 3
Schon am 9. März 1927 schrieb Hesse aus Zürich an Oskar Loerke: »... Eine Angelegenheit, die mich zu Zeiten ein wenig plagt, ohne daß ich sie freilich sehr ernst nehme, ist meine Zugehörigkeit zur Akademie. Ich gäbe viel dafür, wenn ich wieder heraus wäre. Schon der Fragebogen, der mir zugeschickt wurde, wie für den Bewerber um eine Stelle im preußischen Eisenbahndienst, war scheußlich, und die Kundgebungen der Sektion bisher muteten mich alle traurig und lächerlich an.
Als meine Wahl mir mitgeteilt wurde, glaubte ich auf höfliche Weise und ohne Skandal entrinnen zu können, indem ich die Akademie darauf aufmerksam machte, daß ich nicht deutscher Staatsangehöriger, sondern Schweizer sei, also die Wahl nicht annehmen könne. Als dieser Grund nicht gelten gelassen wurde, nahm ich an, einfach aus Bequemlichkeit und um nicht unhöflich zu sein ...
... Sollte Ihnen einmal bei irgend einem Anlaß eine anständige Form einfallen, in der ich den Rückzug vollziehen könnte, so geben Sie mir bitte einen Wink ...«
(H. H., »Ausgewählte Briefe«, a. a. O., S. 16/17)

Zu Brief 11, Fußnote 2
R. M. Rilke am 19. Dezember 1918 an Dorothea Freifrau von Ledebur: »Ich gestehe, daß ich zu dem Umsturz selbst zuerst eine gewisse

rasche und freudige Zuversicht zu fassen vermocht habe ... Aber er ist von einer so zufälligen und im Tiefsten unbegeisterten Minderheit erfaßt und ausgeübt worden, – der Geist versuchte erst nachträglich einzutreten und einzudringen, und auch dieser war nur Geist dem Namen nach und hatte keine Jugend und kein überzeugendes Feuer in seiner Natur. Vielleicht sind Revolutionen nur möglich in sehr vollblütigen Augenblicken, jedenfalls nicht nach einem mehr als vierjährigen Aderlaß«. (R. M. Rilke, »Briefe 1914 bis 1921«, Lpz. 1937, S. 214)

Zu Brief 12, Fußnote 5

»Mir hat sich aus Erfahrung und Lektüre eine Einteilung der Menschen in zwei Haupttypen ergeben, ich nenne sie die Vernünftigen und die Frommen. Ohne weiteres ordnet sich mir nach diesem sehr groben Schema die Welt. Aber natürlich .... immer bloß für einen Augenblick, um dann sofort wieder zum undurchdringlichen Rätsel zu werden ....

Der Vernünftige glaubt an nichts so sehr als an die menschliche Vernunft ... Der Vernünftige strebt nach Macht ... Der Vernünftige verliebt sich leicht in Systeme ..... Der Vernünftige rationalisiert die Welt und tut ihr Gewalt an. Er neigt stets zu grimmigem Ernst. Er ist Erzieher. Der Vernünftige ist immer geneigt, seinen Instinkten zu mißtrauen.

Der Grund des Glaubens und Lebensgefühls beim Frommen ist die Ehrfurcht. Sie äußert sich unter andrem in zwei Hauptmerkmalen: in einem starken Natursinn und in dem Glauben an eine überrationale Weltordnung. Der Fromme schätzt in der Vernunft zwar eine hübsche Gabe, sieht in ihr aber nicht ein zulängliches Mittel zur Erkenntnis oder gar zur Beherrschung der Welt .... Der Fromme strebt nicht nach Macht ... Der Fromme verliebt sich leicht in Mythologien .... Er neigt stets etwas zum Spielen. Er erzieht die Kinder nicht, sondern preist sie selig«.

Zu Brief 13, Fußnote 6

Gemeint ist der nationalistische Irrationalismus und Mystizismus. Hierzu: Th. Mann: »Die geistige Situation des Schriftstellers in unserer Zeit« (1930). Der Schriftsteller, heißt es dort, stehe heute zwischen zwei Feuern. Zu wehren habe er sich einerseits im Glauben an die Selbstbestimmung der Kunst gegen den sozialistischen Aktivismus. Auf der andern Seite droht ihm »eine verdächtige Frömmelei, deren abgeschmackte und reaktionäre Antithese diejenige von Seele und Geist, von Gemüt und Verstand, von Dichtertum und Schriftstellertum ist und die mit diesem Gegensatz die Kunst, die Literatur kritisch zu tyrannisieren bemüht ist« (d. h. mit der ressentimentbetonten Akzentuierung und Aktualisierung dieses Gegensatzes). T. Mann, »Reden und Aufsätze«. Ges. Werke, Bd. x, Ffm. 1960 S. 302/03).

Zu Brief 15, Fußnote 5
In seinen Radiosendungen nach Deutschland über den BBC »Deutsche Hörer« sagt T. M. am 25. Mai 1943, an diese Sendung gedenkend: »Das war das individuelle Vorspiel zu der ein Jahr später, am 10. Mai 1933, vom Nazi-Regime überall in Deutschland in großem Stil veranstalteten symbolischen Handlung: der zeremoniellen Massenverbrennung von Büchern freiheitlicher Schriftsteller, – nicht deutscher oder nur jüdischer, sondern amerikanischer, tschechischer, österreichischer, französischer und vor allem russischer; kurzum, auf dem Scheiterhaufen qualmte die Weltliteratur, – ein wüster, trauriger und ungeheuer ominöser Jux.« (T. M., »Reden und Aufsätze« II, Ffm. 1965 S. 258 ff)

Zu Brief 17, Fußnote 1
Die Redaktion der NZZ schrieb in einer Vorbemerkung zu Willi Schuhs Aufsatz: »Das Münchner Manifest gegen Thomas Mann *darf* in einem freien, geistigen Lande nicht unwidersprochen bleiben. Es muß gesagt sein, daß solche Verunglimpfung allen denen, die außerhalb der deutschen Reichsgrenze am deutschen Geistesleben nehmend und gebend teilhaben, unwürdig und dem Ansehen des neuen Deutschland abträglich erscheint«.
Willi Schuh schreibt: ».... Ist es zu glauben, daß solch eindringlichem Bekenntnis zu Wagner im Namen der Richard-Wagnerstadt München eine ›Kundgebung‹ antwortet, die sich gegen die ›Herabsetzung unseres großen deutschen Musikgenies‹ in gehässigster Weise verwahrt? .... Ob nicht die besten Köpfe unter diesen Protestlern in ein paar Jahren einiges Unbehagen empfinden werden, wenn sie an ihre Unterschrift unter dieses Kulturdokument zurückdenken?«

(T. Manns Wagneressay wurde aufgenommen in die Essaysammlung »Leiden und Größe der Meister«, Berlin 1935).

Zu Brief 19, Fußnote 4
Binding eröffnete seine Rede: »Meine Damen und Herren! Es ist nicht möglich, von dieser Stelle aus zu Ihnen zu sprechen als sei nichts an uns, um uns geschehen, was uns nicht in den letzten Monaten bis aufs tiefste berührte. Es ist nicht möglich, daß ich an Sie das Wort richte, als ob ich einen der altbeliebten Vorträge halten wollte, mit denen man in anderen Zeiten angeblich geistige Bedürfnisse befriedigte. Wir fühlen zu sehr, daß wir einbezogen sind in ein Geschehen, welches nicht nur um uns sondern sozusagen auch in uns sich abspielt ... Es betrifft Dinge die uns allen in unserem Innern augenblicklich fast erschreckend und flammenhaft nahegehen; und ich bitte es mir zu glauben, daß ich mir der Verantwortung bewußt bin, über einen solchen Gegenstand heute an diesem Platze in dieser Stunde großer nationaler Bewegtheit zu sprechen«.

Zu Brief 38, Fußnote 4
Der literarische Nachlaß Professor Fredrik Bööks und damit auch die Briefe Thomas Manns an F. B. befinden sich im Besitz der Universitätsbibliothek, Lund. Die UB Lund hatte die Freundlichkeit, die einschlägigen Stellen dieser Briefe der Herausgeberin zugänglich zu machen. T. M. schreibt am 22. 1. 1933, betreffend eine deutsche Initiative, Hermann Stehr für den Nobelpreis vorzuschlagen:
»Nun weiß ich nicht, welche Empfänglichkeit für diesen deutschen Vorschlag auf Seiten der Nobel-Kommission etwa besteht. Stehr ist gewiß eine bedeutende und preiswürdige Erscheinung, und es bedeutet mir eine gewisse Verlegenheit, mich von einer, wie es scheint, national so einmütigen Aktion zu seinen Gunsten auszuschließen. Dennoch müßte ich aus meinem Herzen eine Mördergrube machen, wenn ich behaupten wollte, daß andere deutsche (und zwar in ihrer Art mindestens ebenso deutsche) Dichter mir persönlich nicht näher stünden, mich mehr entzückten, mir mehr den Wunsch eingäben, sie vor aller Welt gekrönt zu sehen. Und an welchen Namen ich da denke, wissen Sie ja, denn ich habe schon vor Jahr und Tag meine Stimme für Hermann Hesse, den Dichter des »Steppenwolfes«, der wundervollen Romandichtung »Narziß und Goldmund« und der »Morgen-

landfahrt«, von »Demian« und »Camenzind« nicht zu reden, – abgegeben, alles Werke, die eine tiefe Wirkung in Deutschland, auf die deutsche Jugend, und auch im Ausland gehabt haben. Auch die große Gefolgschaft, die jetzt der Aufruf für Stehr gefunden hat, kann mich in meiner persönlichen Überzeugung von der höheren dichterischen Liebenswürdigkeit und auch von der größeren Weltfähigkeit und Überdeutschheit Hermann Hesses nicht erschüttern und mich nicht abbringen von der einmal abgegebenen Willensmeinung. Ich bitte Sie also, sich nicht zu wundern, wenn in der geplanten Eingabe mein Name fehlt. Dies Fehlen bedeutet, wie ich an den rührigen Verlag geschrieben habe, gewiß keine Geringschätzung für Stehr, aber der Kandidat meiner Wahl ist nun einmal nicht dieser etwas versponnene Gottesmann, sondern der mir durch seinen formalen Zauber und durch den Reiz seiner Mischung aus Romantik und modern-psychologischen Elementen ans Herz gewachsene Hermann Hesse.
So viel, verehrter Herr Professor, zur Information über meine Haltung in dieser Frage. Vielleicht hat die Kommission ganz andere, Deutschland garnicht berührende Pläne, aber ich mußte für alle Fälle meine Seele salvieren.
Mit den herzlichsten Grüßen und Empfehlungen, auch von meiner Frau

Ihr ergebener Thomas Mann

Am 4. II. 1934:
Lassen Sie mich aber schon heute auf einen früher bereits ausgesprochenen Wunsch zurückkommen! Die Auszeichnung Iwan Bunins mit dem Nobel-Preis war mir eine reine Genugtuung. Ich fand die Wahl vortrefflich. Wenden Sie aber nun – gerade heute – den Preis wieder einmal einem Deutschen zu; und zwar keinem Gefangenen und Liebediener des »totalen Staates«, sondern einem Freien; krönen Sie damit das dichterische Lebenswerk *Hermann Hesse's*! Er ist Schwabe von Geburt, Schweizer seiner staatlichen Zugehörigkeit nach, sein Wohnsitz ist Montagnola. Indem Sie ihn wählten, würden Sie die Schweiz zusammen mit dem älteren, wahren, reinen, geistigen, ewigen Deutschland ehren! Die Welt würde das wohl verstehen, und auch das Deutschland, das heute schweigt und leidet, würde es Ihnen von Herzen danken.
Wir sprechen vielleicht weiter darüber, wenn ich Sie sehen darf. Wir werden bis 1. Juli in Küsnacht bleiben, wo wir ein hübsches Haus

gemietet haben. Für zwei Monate werden wir dann wohl ins Hochgebirge gehen.
Leben Sie recht wohl! Jene schönen Festtage von Stockholm sind auch mir eine immer nachwirkende, liebe Erinnerung.

Ihr ergebener Thomas Mann

Und am 18. VII. 1934:
Da ich vom Nobelpreis spreche, regt sich wieder mein Interesse für die weitere Vergebung dieser großen Auszeichnung, und meine Neugier, wohin sei demnächst wohl treffen wird, ist lebhaft. Möglichkeiten bietet ja Frankreich, aber meine Aufmerksamkeit richtet sich begreiflicher Weise auf mein eigenes Sprachgebiet, und Sie wissen ja und ich möchte es Ihnen in Erinnerung bringen dürfen, wem ich unter meinen deutschen Kollegen den Preis am meisten gönne. Es ist Hermann Hesse – dessen Werk in seiner oft zauberhaften Mischung modern-psychologischer und traditioneller Elemente ein so liebenswertes Stück Deutschland außerhalb der politischen und sogar der Sprachgrenze Deutschlands repräsentiert. Sie werden verstehen, warum mir mein schon unter anderen Umständen gemachter Vorschlag heute noch sinnvoller scheint und noch mehr am Herzen liegt. Man würde etwas echt und unzweifelhaft Deutsches vor der Welt ehren und krönen, ohne sich dem Mißverständnis auszusetzen, daß man etwas anderes *mit* zu ehren und zu krönen beabsichtige, – ein Mißverständnis, das bei jeder Zuerteilung des Preises an ein Mitglied der heutigen Berliner Dichter-Akademie unvermeidlich wäre.
Ich muß sehr hoffen, verehrter Herr Professor, daß Sie diese meine Bemerkungen nicht als vorwitzig empfinden. Es spricht aus ihnen, in Liebe und Haß, mein deutsches Herz. Ihr eigenes inneres Verhalten zu dem gegenwärtigen Deutschland kenne ich nicht. Das meine deutet sich vor aller Welt in der Tatsache an, daß ich unter Verzicht auf meine ganze gewohnte Lebensbasis mich außerhalb der Reichsgrenzen halte. Ich tue gut daran, denn es ist eine schlichte und allgemein anerkannte Gewißheit, daß ich anderen Falles nicht mehr am Leben wäre.
Mit herzlicher Begrüßung

Ihr sehr ergebener Thomas Mann

Zu Brief 38, Fußnote 7
Dieser Titel entstammt Goethes »Westöstlichem Divan«. In »Rendsch

Nameh«, Buch des Unmuts, begegnet er der Kritik der Zeitgenossen, läßt sich selbst kritisch über die Zeit aus. Dort steht der Vers:

Übers Niederträchtige
Niemand sich beklage;
Denn es ist das Mächtige,
Was man dir auch sage.

Bedenkt man, daß auch dem Goethe-Roman »Lotte in Weimar« (1939) als Motto ein Gedicht aus dem Diwan, »Buch der Betrachtungen«, vorangestellt ist, darin es heißt:

Uns ist für gar nichts bang,
In dir lebendig;
Dein Leben daure lang,
Dein Reich beständig!

so gewinnt die Kampfansage hier eine höhere Ebene. Der »Unmut« findet den Mut zur gestaltenden Verbindung mit Goethe. Im Umkreis solcher Potenzierung ist das Unmuterregende gebannt, widerlegt, überwunden.

Zu Brief 45, Fußnote 1
Zu meinem 60. Geburtstag überraschte mich der S. Fischer Verlag mit einer schön gestalteten Kassette, die handschriftliche Grüße und Glückwünsche von Schriftstellern und Künstlern vieler Länder umschließt. Mir das herrliche Geschenk recht zu eigen zu machen, war ich erst nach der Rückkehr von einer Amerika-Reise imstande, die ich fast unmittelbar nach jenem Tage angetreten hatte. – In diesen Blättern wird von ersten Geistern der Zeit meinem Leben und Streben große, ergreifende Ehre erwiesen. Sie soll die Selbstbezweifelung nicht einschläfern, der ich vom allenfalls Erreichten wahrscheinlich das Beste verdanke, mich in der schmerzlichen Erkenntnis meiner Unzulänglichkeit nicht beirren. Aber sie wird mir eine Quelle des Trostes, der Stärkung und des freudigen Stolzes sein, solange ich lebe. – Allen, die zu der unschätzbaren Gabe beigetragen, sage ich hiermit meinen tiefgefühlten Dank.
Küsnacht am Zürichsee, Ende Juli 1935 Thomas Mann

Die Kassette enthielt handgeschriebene Glückwünsche fast aller Autoren des Verlages S. Fischer, ferner unter anderen von C. J. Burckhardt, Hans Carossa, E. R. Curtius, Albert Einstein, Knut Hamsun,

Alfred Kubin, R. Musil, E. Preetorius, R. Schickele, R. A. Schröder und G. B. Shaw.

Zu Brief 50, Fußnote 2
Die wichtigsten Passagen aus dem Brief Eduard Korrodis an Hesse vom 9. 2. 1936:
... Ich habe also gewagt 1.) den Typus Jude Schwarzschild mit einer Äußerung festzulegen. – Thomas Mann, der Angegriffene, schreibt schnell einen Brief an die N.Z.Z. – ich lag mit einer Rippenquetschung und einer bösartigen Schienbein-Verletzung zu Bett – und ließ den Brief erscheinen. – Als ich ihn genau las, sagte ich mir: Er kneift also vor diesem Schwarzschild – jetzt, wo Sami Fischer in Zürich nicht starten kann, erklärt er sich endlich gegen Deutschland. Die Quittung hat er schon im »Volksrecht«, wo er gepriesen wird, und ich ein armer Kretin der Reaktion bin. –
Und was nun S. Fischer Verlag betrifft, so glaube ich, auch Sie hätten nicht ohne Beratung mit Zürchern – so geheimnisvoll diesen Verlag fördern sollen. Sie vergessen, daß in Zürich ein jüdischer Verlag eine wahre Gefahr ist, und Dr. B[ermann] hat sehr unredlich im Vagen gelassen, was für Autoren nach den schon Bekannten kämen. – Eine gewisse Besorgnis, daß Zürich noch mehr Emigranten bekäme, – auf der andern Seite das Problem: Warum denn in der Schweiz lebende Autoren nicht bei Schweizer Verlegern verlegen wollen – und die Ihnen bekannten Treibereien haben eine ungünstige Stimmung hergestellt.
– Ja, die wirklichen Schweizer sind zwischen Stuhl und Bank gefallen, die begabten internationalen Romanciers nicht – denn sie haben ihren »Knopf« in Amerika, und was weiß ich für jüdische Relationen und Filiationen. (Siehe Stefan Zweig). Herr Thomas Mann will das alles bagatellisieren – und da irrt er sich. Wir *verlieren unsere Schweiz,* wenn diese schillernde Halbschweiz der Basler National-Zeitung (für die der wertvolle Dr. Kleiber, den ich sehr schätze, nichts kann) ein Lebensgefühl der Schweiz würde. Auch Sie, verehrter Herr Hesse, erkennen diese Gefahr der *Überfremdung* nicht, oder Sie stehen so sehr auf der »Freiheit froher Linken«, daß Sie meinen Pessimismus nicht verstehen. [...]
Kein Thomas Mann hätte die Feder ergriffen, um den üblen Schreiber im »Volksrecht«, der Sie so blöde angriff, wegen Emil Strauß –

in die Schranken zu weisen. Unsere israelitischen Blätter heulen, daß man Schwarzschild betupfte – aber daß es eine *deutsche Literatur* im Binnenland gibt und geben wird, geht über ihre Intelligenz.
Wie! wenn ich nun einmal konsequent wäre und all den Juden, die bei uns antichambrieren, sagen würde: geht in die Zeitungen, die sich nicht aus der nationalen Substanz nähren!
Haben wir denn nicht alle Fehler begangen, durch die Verwechslung der internationalen Literatur mit der *Weltliteratur*, wie sie Goethe begriff?
Thomas Mann sagt uns: daß Drama und Lyrik archaische Formen seien. – Das ist bedenklich und namenlos gewerblich gedacht. – Deutschland *hat* (was immer man sage) eine Jugend, die sich an Schwierigkeiten verbeißt und Romane mit schlechtem Gewissen liest – aber Hölderlin liebt – trotz Olympiaden –. Darum weiß die Familie Mann nichts.
Eine so inkomplette Literatur, die nur auf dem Roman fußt, begibt sich in die fragwürdigste Zone, sie riskiert, daß man sie ja denen überläßt, die in die Oper gehen und nicht wissen, was eine Symphonie von Beethoven oder ein Mozart-Streichquartett ist. – Von Bach nicht zu reden. –
Thomas Mann entdeckt das Westliche und den Katholizismus und schreibt einen Wälzer über Joseph und seine Brüder – nicht aus gläubigem Gemüt, sondern als Parvenü der liberalen Religionswissenschaft, erschrocken und beglückt, wie man aus »Wissenschaft« Romane destillieren kann. [...]
Ich sage Ihnen in der Offenheit, die uns verbindet, was mich *selbst betrifft*, ekeln mich alle diese Linksemigranten an; es sind rassküröse [?] Temperamente und *statisch* unfähig, ein Opfer des Individiums für eine Gemeinschaft zu bringen [...]
Es gibt einen schweizerischen Bonsens, und ihm vertraue ich. Es mag mir schlimm ergehen, aber wenn es so ist, daß die Dynastie Mann sowohl das Verständnis der liberalen Kultur und zugleich die Wohltaten einer schamlosen, kulturlosen Sozialdemokratie, die nichts produziert und nichts produzieren will, sondern nur aus unsern Steuern die alte Schweiz vernichtet – begehrt – dann weiß ich, wie sich viele Schweizer verhalten werden. Herr Thomas Mann findet das Verhalten Schwarzschilds wichtiger als »all Poesie«. Er glaubt es nicht, aber sagt es unter dem Zwang seiner Versippung. – Wir aber werden die Poesie verteidigen, wir werden uns wehren.

Und nachdem Sie sich meines Wissens zum ersten Mal öffentlich in einer Schweizer Zeitung als *Schweizer* erklärt haben, werden Sie begreifen, daß Schweizer sein kein restloses Vergnügen ist und auch einen bescheidenen Heroismus verlangt. Warum sollten wir es immer besser haben?

Dieser Brief ist von Affekten geladen, Ihre Klugheit wird sie auf das Maß zurückführen –. Sie werden zweifellos spüren, daß etwas nicht stimmt, wenn plötzlich die Schweiz durch einen Zudrang befremdender und anationaler Talente in eine Gefährdung kommt, wo wir denn lieber auf die *Literatur* als auf unsere helvetische Konstitution verzichten möchten.

Verübeln Sie mir dieses freie Wort nicht, wägen Sie es, ob es ganz unvernünftig ist, denn Sie kennen die Valeurs dieser delikaten Frage.

Kein Mensch weiß, was mit Deutschland geschieht. Ich weiß nicht, wie ich mich zu diesem Lande stellen muß, aber daß dieses Deutschland durch seine *Wehrkraft* eine Macht geworden ist, ist ein Phänomen, dem gegenüber Dichter sich in eine lächerliche Position begeben, wenn man weiß, wie Deutschland *gedemütigt* wurde durch die Versailler Verträge – kein Dichter des Samuel-Fischer-Verlags hätte für dieses schreckliche aber auch gesunde und hochqualifizierte Volk sich einsetzen dürfen. Und dieser Verlag lebte in der hauchdünnen Oberschicht – und hat sein Schicksal erreicht.

Verzeihen Sie mir meinen Freimut!

Die Tatsache besteht! Daß die S. Fischer-Autoren – durch ein Paradox gebunden, ihre »liberalen« Vorzüge erhalten wollen – und wir wissen, *daß es um eine andere Schweiz geht,* wenn sie nicht untergehen soll.

Ihr E. Korrodi

Hesses Antwort vom 12. 2. 1936 lautet:

Lieber Herr Dr. Korrodi

Danke für Ihren Brief, der sichtlich unter hohem Druck geschrieben ist; da Sie schon so lange im Zeitungsleben stehen, war ich erstaunt darüber, daß Ihr momentanes Exponiertstehen Sie so stark erregt. Mir ist diese Reaktion sympathisch, ich selbst bin sehr empfindlich gegen Anrempelungen etc., d. h. ich bin mit dem Herzen und den Nerven sehr viel empfindlicher als mit dem Verstande. Eben darum

habe ich mich in den Tageszeitungen, zu deren Atmosphäre der Kampf und das rasche Sichwehren gehört, stets nur als Gast bewegt, und in die politischen Kämpfe seit dem Weltkrieg niemals mehr, in die kulturpolitischen nur sehr selten ein Wort hineingeredet.
Als Reaktion auf eine augenblickliche Situation nun verstehe ich Ihren Brief sehr gut, und ich glaube auch nicht ganz fehl zu raten, wenn ich annehme, daß Ihr jetziger Bruch mit Thomas Mann, den Sie einst sehr verehrten, stark mit daran schuld ist. Ich kenne diese Art von Abschieden – mit Emil Strauß ging es mir ähnlich, ich habe ihm zwar die Treue gehalten, wie Sie wissen, aber persönlich hat er in seiner Verbitterung der ersten Nachkriegszeit mit mir gebrochen, und so habe ich noch manchen einstigen Freund in Deutschland, dem ich die Stange halte, wenn es nötig scheint, und zu dem ich stehe, von dem ich aber nie einen gleichen Gegendienst erwarten darf, denn sie sind politisiert, und bekanntlich hat im Zeichen der Politik und Partei der Mensch keine Verpflichtung mehr zu menschlichen, sondern nur noch zu parteilichen und kriegerischen Gefühlen und Methoden. So werde ich zur Zeit nicht bloß von der Emigrantenpresse in der Ihnen bekannten schmutzigen Art angegriffen, bloß weil ich für sie mit zu dem roten Tuch »S. Fischer Verlag« gehöre, – nein, ich werde zur selben Zeit, seit November systematisch und mit immer breiterem Nachhall in der Tagespresse im 3. Reich als Verräter und Emigrant denunziert, Leiter dieser Aktion ist ein Will Vesper, und es ist ganz wohl möglich, daß er sein Ziel erreicht, mich in Deutschland verboten zu sehen.
Ich kenne also die peinliche Situation des mit skrupellos gewählten Mitteln öffentlich Angegriffenen, auch wenn ich sie nicht schon aus der Kriegszeit her kennte, aus ganz aktuellem Erleben und leide erheblich darunter. Meine eigentliche Arbeit ist seit langem gestört und lahmgelegt – darum habe ich mich auch, um nicht leer zu laufen, längere Zeit so reichlich mit literarischer Kritik etc. befaßt, was für mich ja nur ein Nebenberuf ist.
Was mir aus Ihrem Brief klar wird, ist Ihre momentane Stimmung. Was mir nicht recht klar wird, das ist: was Sie eigentlich von mir erwarten und in welcher Beziehung Sie mit mir unzufrieden sind. Ich kann darüber sine ira reden, denn hier habe ich nicht nur ein reines Gewissen sondern auch keine Leidenschaften.
Wenn ich richtig verstehe, so haben Sie an mir zu tadeln, daß ich

meinem alten Verleger, dem ich seit dem Peter Camenzind (1904) bis heut treu geblieben bin, auch morgen und weiter treu bleiben möchte. Ferner nehmen Sie offenbar an, ich habe Dr. Bermann irgendwelche besonderen Dienste getan bei seinem Versuch, sich hier niederzulassen. Ich habe aber nichts getan als jene Erklärung gegen die lächerlichen Behauptungen Schwarzschilds mit unterzeichnet, was ich heute sofort wieder täte; außerdem habe ich meinem Freunde Bermann in Zürich Empfehlungen an zwei oder drei Privatpersonen ohne politische Bedeutung gegeben, wie ich es jedem Freunde, dem ich wohl will, sonst auch täte. Daß Bermann in der Schweiz einen Verlag auftäte, würde mir nicht wie Ihnen als ein Unglück erscheinen. Ich teile die Auffassung nicht, daß ein Verlag ein Handel wie ein andrer sei. Auch wenn der Schweizer Buchverlag wirklich auf internationaler Höhe stünde, und auch wenn Bermann vom alten Fischer gar keine überdurchschnittlichen Verleger-Fähigkeiten mitbrächte, so wäre es für die Schweiz kein Verlust sondern ein Gewinn, wenn der Verlag von Thomas Mann, Schickele und andren guten Autoren sich hier im Lande, statt in Böhmen oder Wien oder Holland befände. Es würde in der Schweiz ein Plus an Arbeit und Umsatz geben. Reüssierte der neue Verlag nicht, so ginge er eben kaputt, die Schweiz verlöre nichts dabei. Reüssierte er aber, so wäre dadurch nur ein Gewinn erzielt, auch an Renommée.

Was nun mich selber als Autor des Fischer Verlags betrifft, so steht die Wahl, ob ich bei der alten Firma in Berlin bleiben oder mit zu Bermanns neuem Verlag übergehen will, gar nicht bei mir. Ebenso hat Bermann keineswegs selbst darüber zu befinden, welche Autoren er in einen neuen Verlag mit hinübernehmen will. Sondern der alte Verlag Fischer wird und muß (dafür gibt es keine andre Lösung) in Berlin weiter existieren, nachdem Bermann ihn verkauft hat. Nach deutschem Recht erwirbt der Käufer des Verlags auch die Autorenverträge. Ich z. B. würde mit meinen Autorenrechten für die Jahre, die mein Vertrag mit Fischer noch läuft, an den neuen Besitzer mit übergehen, ohne irgend etwas dagegen tun zu können. Dagegen war ich allerdings gesonnen, meinem Freund Bermann wenigstens das zuzuwenden, was ich dem alten Verlag gegenüber als erlaubte Eskapade verantworten kann.

Ohne weiteres also hätte Bermann bloß die Autoren für einen neuen Verlag freibekommen, die in Deutschland zur Zeit verboten oder un-

ten durch sind. Über jede solche Erlaubnis entscheidet einzig das Handelsamt oder Gericht in Berlin.
Das wäre die Frage Bermann. – Frage ich mich, was Sie weiter von mir erwarten, so finde ich etwa Folgendes.
Sie erwarten von mir, ich als Dichter möge nun endlich auch einmal ein Minimum an Heroismus zeigen und Farbe bekennen. Aber lieber Kollege: dies habe ich seit dem Jahre 1914, wo mein erster Aufsatz zur Kriegspsychologie mir die Freundschaft Romain Rollands eingebracht hat, ununterbrochen getan. Ich habe nun seit 1914 fast ununterbrochen die Mächte gegen mich gehabt, die ein religiöses und ethisches (statt politisches) Verhalten zu den Zeitfragen nicht erlauben wollen, ich habe hunderte von Zeitungsangriffen und tausende von erbitterten Haßbriefen seit meinem Erwachen in der Kriegszeit zu schlucken bekommen, und ich habe sie geschluckt, habe mein Leben davon verbittern, meine Arbeit erschweren und komplizieren, mein Privatleben flöten gehen lassen, und immer war ich nicht etwa, wie es üblich ist, von einer Front her bekämpft, um dafür von der andern beschützt zu werden, sondern immer haben beide Fronten mich, den zu keiner Partei Gehörenden, gern zum Objekt ihrer Entladungen gewählt, es war ja nichts dabei zu riskieren. Und ich bin der Meinung, das Stehen auf diesem Posten des Outsiders und Parteilosen, wo man von beiden Fronten, von rechts und links beschossen oder bespöttelt wird, sei mein Platz, wo ich mein bißchen Menschentum und Christentum zu zeigen habe.
Sie erwarten, so scheint es beinah, von mir, daß ich mich zu Ihrem Standpunkt, zu einem schweizerischen Antisemitismus und Antisozialismus bekenne. Nun, Sozialist bin ich nie gewesen, ich bin ja auch gleich Ihnen nicht zum erstenmal Zielscheibe von Dreckwürfen aus jenem Lager. Dagegen bin ich ebensowenig Anhänger des Kapitalismus und Befürworter der besitzenden Klasse – auch dies ist ein Stück Politik, und meine Stellung ist bis zum Fanatismus a-politisch. Und was die Juden betrifft, so bin ich nie Antisemit gewesen, obwohl auch ich gegen manches »Jüdische« gelegentlich Ariergefühle habe. Ich halte es nicht für die Aufgabe des Geistes, dem Blut den Vorrang zu lassen, und wenn Juden wie Schwarzschild oder G. Bernhard widerliche Kerle sind, so sind es Arier und Germanen wie Julius Streicher, oder Herr Will Vesper und hundert andre genauso. Ich bin hier nicht zu belehren; dem Antisemitismus bin ich seit frühen Tagen

begegnet, und den rassebegründenden Imperiumsansprüchen auch. Ich wollte, ich wäre in allen Lebensfragen so absolut sicher wie in dieser, wo ich zu stehen habe. Geht es den Juden gut, so kann ich recht wohl einen Witz über sie ertragen. Geht es ihnen schlecht – und den jüdischen Emigranten geht es, ebenso wie den Juden im 3. Reich, zum Teil höllisch schlecht –, dann ist für mich die Frage, wer meiner eher bedürfe, die Opfer oder die Verfolger, sofort entschieden. Dies ist der Grund, warum ich meine schwedischen Berichte über deutsche Literatur schrieb, die ich jetzt so teuer bezahle.

Nein, ich bin weder für Antisemitismus noch für eine politische Partei zu gewinnen, ich wäre auch keine wertvolle Akquisition. Das hindert nicht, daß ich Schweizer und Republikaner bin mit all meinen Sympathien. Wenn ich unsre Demokratie recht verstehe, so verlangt sie nicht, daß die Parteien sich totschlagen, sondern daß sie sich zur Beratung und Verständigung treffen. Das tun weder die Sozi noch tun es die Besitzenden. Ich lasse sie streiten, aber das sind Fronten, in denen ich nichts zu suchen habe. Wenn ich in den 24 Jahren, die ich in der Schweiz lebe, fast nie von meinem Schweizertum gesprochen habe, so braucht Sie das nicht zu wundern. Von meinen Vorfahren war nur eine Seite schweizerisch, und mein eigenes Bürgerrecht ist gekauft. Nun, Sie wissen, wie gern man im Lande die Eingekauften hat, die jeden Satz mit »Wir Schweizer« beginnen. Ich selber finde das widerlich, und in manchen Fällen, z. B. bei dem Seiltänzer W[...], war es mir zum Kotzen. Wir haben aneinander vorbeigeredet, vielleicht. Mündlich wären wir weiter gekommen, und das wird sich ja auch einmal nachholen lassen. Aber zu einer Frage möchte ich doch noch ein Wort sagen: Sie deuten an, daß Sie recht wohl ein internationales, ein europäisches oder Welt-Feuilleton machen könnten. Das ist richtig. Doch wäre dies Feuilleton dann ja auch kein schweizerisches. Aber es hätte einen noch viel größern Fehler. Ein Feuilleton, das zu neun Zehnteln aus Übersetzungen bestünde, würde sprachlich ganz ungeheuer verarmen. Haben Sie nie, nachdem Sie etwa einen Roman in deutscher Übersetzung lasen, dann die Rückkehr zu einem Buch, das deutsches Original ist, wie einen Mund voll frischer Luft empfunden? Nein, auch mit den besten Übersetzern (wie viel gute gibt es denn schon?) würde da eine Esperantowelt entstehen, und man würde sich nach dem früheren Zustand zurücksehnen.

Ich gehe auf Ihre Worte über Thomas Mann, namentlich über seinen Josef, nicht ein. Sie sind in der Erregung gesagt.
Daß Sie sich mit diesem Brief an mich gewandt haben, das freut mich, es war nicht vergeblich. Sie sehen schon aus der Ausführlichkeit meiner Antwort, daß ich ihn genügend ernstnehme [. . .]

Ihr H. Hesse

Zu Brief 52, Fußnote 1

Küsnacht-Zürich 3. 11. 36

Lieber Herr Dr. Korrodi,
Ihr Artikel »Deutsche Literatur im Emigrantenspiegel«, erschienen in der Zweiten Sonntagsausgabe der »N. Z. Z.« vom 26. Januar, ist viel beachtet, viel diskutiert, von der Presse verschiedener Richtungen zitiert, um nicht zu sagen: ausgebeutet worden. Er stand überdies in einem gewissen, wenn auch lockeren, Zusammenhange mit der Erklärung, die ich im Verein mit ein paar Freunden zugunsten unserer alten literarischen Heimstätte, des S. Fischer Verlages, glaubte abgeben zu sollen. Darf ich also noch heute ein paar Bemerkungen daran knüpfen, vielleicht sogar ein paar Bedenken dagegen erheben?
Sie haben recht: Es war ein ausgemachter polemischer Mißgriff des Herausgebers des »Neuen Tage-Buchs«, zu behaupten, die ganze zeitgenössische Literatur, oder so gut wie die ganze, habe Deutschland verlassen, sei, wie er sich ausdrückt »ins Ausland transferiert« worden. Ich verstehe vollkommen, daß eine solche unhaltbare Übertreibung einen Neutralen wie Sie in Harnisch jagen mußte. Herr Leopold Schwarzschild ist ein sehr glänzender politischer Publizist, ein guter Hasser, ein schlagkräftiger Stilist; die Literatur aber ist nicht sein Feld, und ich vermute, daß er – vielleicht mit Recht – den politischen Kampf unter den heutigen Umständen für viel wichtiger, verdienstlicher und entscheidender hält, als all' Poesie. Auf jeden Fall mußte der Mangel an Überblick und künstlerischer Gerechtigkeit, den er mit seiner Behauptung bewiesen hat, einen Literaturkritiker wie Sie zum Widerspruch aufrufen, und einige der innerdeutschen Autorennamen, die Sie ihm entgegenhalten, widerlegen ihn unbedingt.
Zu fragen bleibt freilich, ob nicht einer oder der andere von den Trägern dieser Namen auch lieber draußen wäre, wenn es sich machen ließe. Ich will auf niemanden die Aufmerksamkeit der Gestapo lenken, aber in vielen Fällen mögen weniger geistige als recht mecha-

nische Gründe da ausschlaggebend sein, und so ist die Grenze zwischen emigrierter und nicht emigrierter deutscher Literatur nicht leicht zu ziehen: sie fällt, geistig gemeint, nicht schlechthin mit der Reichsgrenze zusammen. Die außerhalb dieser Grenze lebenden deutschen Schriftsteller sollten, so meine ich, nicht mit allzu wahlloser Verachtung auf diejenigen herabblicken, die zu Hause bleiben wollten oder mußten, und nicht ihr künstlerisches Werturteil ans Drinnen oder Draußen binden. Sie leiden; aber gelitten wird auch im Inneren, und sie sollten sich vor der Selbstgerechtigkeit hüten, die so oft ein Erzeugnis des Leidens ist. Sie sollten zum Beispiel Berufsgenossen, die zwar um ihrer europäischen Gesinnung und um der Vorstellung willen, die sie vom Deutschtum hegen, auf Heim und Heimat, Ehrenstand und Vermögen verzichteten .... aber auf keinen Fall, weder für den, daß die gegenwärtige deutsche Herrschaft besteht, noch für den, daß sie vergeht, alle Brücken zu ihrem Lande abzubrechen und sich jeder Wirkungsmöglichkeit dort zu begeben wünschten: – die Schriftsteller der Emigration, sage ich, sollten gegen einen Solchen nicht sofort den Vorwurf der Felonie und der Abtrünnigkeit vom gemeinsamen Schicksal erheben, sobald er in Fragen der Neuansiedlung deutschen Geistes, vielleicht aus guten und ihnen nicht ganz übersehbaren Gründen, anderer Meinung ist als sie.

Lassen wir das. Die Gleichsetzung der Emigrantenliteratur mit der deutschen ist schon darum unmöglich, weil ja zur deutschen Literatur auch die österreichische, die schweizerische gehören. Mir persönlich sind von lebenden Autoren deutscher Sprache zwei besonders lieb und wert: Hermann Hesse und Franz Werfel – Romandichter beide und bewunderungswürdige Lyriker zugleich. Emigranten sind sie nicht, denn der eine ist Schweizer, der andere böhmischer Jude. – Eine schwere Kunst aber bleibt die Neutralität selbst bei so langer historischer Übung, wie ihr Schweizer darin besitzt! Wie leicht verfällt der Neutrale bei der Abwehr einer Ungerechtigkeit in eine andere! In dem Augenblick, da Sie Einspruch erheben gegen die Identifikation der Emigrantenliteratur mit der deutschen, nehmen Sie selbst eine ebenso unhaltbare Gleichsetzung vor ...... verwechseln Sie selber die Emigrantenliteratur mit der jüdischen.

Muß ich sagen, daß das nicht angeht? Mein Bruder Heinrich und ich sind keine Juden, Leonhard Frank, René Schickele, der Soldat Fritz von Unruh, der bayrisch bodenständige Oskar Maria Graf, Annette

Kolb, A. M. Frey, von jüngeren Talenten etwa Gustav Regler, Bernard v. Brentano und Ernst Glaeser sind es auch nicht. Daß in der Gesamt-Emigration der jüdische Einschlag zahlenmäßig stark ist, liegt in der Natur der Dinge ..... Aber meine Liste, die auf Vollständigkeit so wenig Anspruch erhebt wie Ihre innerdeutsche .... zeigt, daß von einem durchaus oder auch nur vorwiegend jüdischen Gepräge der literarischen Emigration nicht gesprochen werden kann.

Ich füge ihr die Namen Bert Brechts und Johannes R. Bechers hinzu, die Lyriker sind – weil Sie nämlich sagen, Sie wüßten nicht einen ausgewanderten Dichter zu nennen. Wie können Sie das, da ich doch weiß, daß Sie in Else Lasker-Schüler eine wirkliche Dichterin ehren? Ausgewandert, sagen Sie, sei doch vor allem die Romanindustrie »und ein paar wirkliche Könner und Gestalter von Romanen«. Nun, Industrie heißt Fleiß, und fleißig müssen die entwurzelten und von einer wirtschaftlich geängstigten, in ihrer Hochherzigkeit beeinträchtigten Welt überall nur knapp geduldeten Menschen wohl sein, wenn sie ihr Leben gewinnen wollen; es wäre recht hart, ihnen daraus einen Vorwurf zu machen. Es ist aber auch schon hart, sie zu fragen, ob sie sich etwa einbildeten, das Nationalvermögen der deutschen Literatur auszumachen. Nein, darauf verfällt niemand von uns, weder Industrieller noch Gestalter. Aber es ist ja ein Unterschied zwischen dem uns allen teuren historischen Schatz der deutschen Nationalliteratur, den zu mehren nur weniges von dem, was heute entsteht, gewürdigt sein wird – und eben dieser gegenwärtigen, von lebenden Menschen geübten Produktion .... in der .. wie in der ganzen Welt der *Roman* eine besondere, ja beherrschende Rolle spielt ..... Seine prosaistischen Eigenschaften .., Bewußtsein und Kritizismus, dazu der Reichtum seiner Mittel, sein freies und bewegliches Schalten mit Gestaltung und Untersuchung, Musik und Erkenntnis, Mythos und Wissenschaft, seine menschliche Breite, seine Objektivität und Ironie machen den Roman .. auf unserer Zeitstufe ... zum repräsentativen ... literarischen Kunstwerk ... Er führt überall, in Europa und Amerika. Er tut es seit einigem auch in Deutschland – und darum, lieber Doktor, war Ihre Aufstellung nicht eben vorsichtig, der deutsche Roman sei ausgewandert. Wäre es so – nicht ich bin es, der es behauptet – dann würde erstaunlicherweise der Politiker Schwarzschild Recht behalten gegen Sie, den Literarhistoriker, dann wäre in der Tat das Schwergewicht deutschen literarischen Lebens aus dem Lande weg ins Ausland verlagert.

Sie haben noch vor kurzem, gelegentlich der Karlweisschen Wassermann-Biographie von dem Prozeß der Europäisierung des deutschen Romans mit gewohnter Divination und Feinheit gehandelt. Sie sprachen von der *Veränderung* im Typus des deutschen Romanciers, die durch eine Begabung, wie die Jakob Wassermanns, gezeitigt worden sei, und bemerkten: kraft der internationalen Komponente des Juden sei der deutsche Roman international geworden. Aber sehen Sie: an dieser »Veränderung«, dieser »Internationalisierung«, haben mein Bruder und ich nicht weniger Anteil gehabt als Wassermann, und wir waren keine Juden. Vielleicht war es der Tropfen Latinität (und Schweizertum, von unserer Großmutter her) in unserem Blut, der uns dazu befähigte .... Man ist nicht deutsch, indem man völkisch ist. Der deutsche Judenhaß aber, oder derjenige der deutschen Machthaber, gilt, geistig gesehen, garnicht den Juden oder nicht ihnen allein: er gilt Europa und jedem höheren Deutschtum selbst; er gilt, wie sich immer deutlicher erweist, den christlich-antiken Fundamenten der abendländischen Gesittung: er ist der (im Austritt aus dem Völkerbund symbolisierte) Versuch einer Abschüttelung zivilisatorischer Bindungen, der eine furchtbare, eine unheilschwangere Entfremdung zwischen dem Lande Goethes und der übrigen Welt zu bewirken droht.

Die tiefe, von tausend menschlichen, moralischen und ästhetischen Einzelbeobachtungen und -eindrücken täglich gestützte und genährte Überzeugung, daß aus der gegenwärtigen deutschen Herrschaft nichts Gutes kommen *kann,* für Deutschland nicht und für die Welt nicht, – diese Überzeugung hat mich das Land meiden lassen, in dessen geistiger Überlieferung ich tiefer wurzele als diejenigen, die seit drei Jahren schwanken, ob sie es wagen sollen, mir vor aller Welt mein Deutschtum abzusprechen. Und bis zum Grunde meines Gewissens bin ich dessen sicher, daß ich vor Mit- und Nachwelt recht getan, mich zu denen zu stellen, für welche die Worte eines wahrhaft adeligen deutschen Dichters gelten:

»Doch wer aus voller Seele haßt das Schlechte,
Auch aus der Heimat wird es ihn verjagen,
Wenn dort verehrt es wird vom Volk der Knechte.
Weit klüger ist's, dem Vaterland entsagen,

Als unter einem kindischen Geschlechte
Das Joch des blinden Pöbelhasses tragen«.

Ihr sehr ergebener Thomas Mann. (»Briefe I«, S. 409-413)

Die Antwort war dann Ende des Jahres die Aberkennung der deutschen Staatsangehörigkeit. In der Begründung nahm der Völkische Beobachter vom 3. 12. 1936, auch auf diesen Brief an Korrodi Bezug: »Seine Kundgebungen hat er in letzter Zeit wiederholt offen mit staatsfeindlichen Angriffen gegen das Reich verbunden. Anläßlich einer Diskussion in einer bekannten Züricher Zeitung über die Bewertung der Emigranten-Literatur stellte er sich eindeutig auf die Seite des staatsfeindlichen Emigrantentums und richtete öffentlich gegen das Reich die schwersten Beleidigungen, die auch in der Auslandspresse auf starken Widerspruch stießen. Sein Bruder Heinrich, sein Sohn Klaus und seine Tochter Erika sind bereits vor längerer Zeit wegen unwürdigen Auftretens im Ausland der deutschen Staatsangehörigkeit verlustig erklärt worden«.

Zu Brief 57, Fußnote 3

Ein Jahr früher, 1936, war unter der Redaktion von Bertolt Brecht, Lion Feuchtwanger, Willi Bredel im Jourgaz-Verlag Moskau die Zeitschrift »Das Wort« als Repräsentantin einer »Front des kämpferischen Humanismus« begründet worden. Im Vorwort, das sich auch auf Thomas Manns Brief an E. Korrodi vom 3. II. 36 beruft, heißt es: »Noch nie bedurfte eine Zeitschrift so wenig der Begründung ihres Erscheinens wie »Das Wort«; denn noch nie waren die wesentlichen Vertreter einer großen Literatur in einer Lage wie heute die meisten zeitgenössischen deutschen Schriftsteller, ja selbst viele deutsche Klassiker. Übersetzt in alle Weltsprachen, Zeugin eines Vierteljahrhunderts dramatischster Schicksale der Gesellschaft wie des Einzelnen, seit über drei Jahren im Exil – hat diese so hart bedrängte Literatur zwar ihre Verlage, aber keine eigene Zeitschrift.

Bis vor Jahresfrist erschienen die »Neuen deutschen Blätter« in Prag und »Die Sammlung« in Amsterdam. Getrennt marschierend erlagen diese beiden Literatur-Zeitschriften jedoch politischen und ökonomischen Schwierigkeiten. »Das Wort« erscheint unter ungleich günstigeren Voraussetzungen. Es zählt zu seinen Mitarbeitern ausschließlich alle Schriftsteller deutscher Sprache, deren Wort dem dritten Reich nicht dient«.

Zu Brief 80, Fußnote 7
Dazu auch T. Mann, »Die Entstehung des Doktor Faustus«, Berlin, 1949, S. 68: »In die Arbeit am XIV. Kapitel ... fiel ein denkwürdiges literarisches Vorkommnis, das mich Tage lang aufs persönlichste beschäftigte. Aus der Schweiz trafen die beiden Bände von Hermann Hesses Glasperlenspiel ein. Nach vieljähriger Arbeit hatte der Freund in Montagnola sein schwierig-schönes Alterswerk vollendet, von dem mir bisher nur die große Einleitung durch den Vorabdruck in der »Neuen Rundschau« bekannt geworden war ... Des Ganzen nun ansichtig, war ich fast erschrocken über seine Verwandtschaft mit dem, was mich so dringlich beschäftigte. Dieselbe Idee der fingierten Biographie – mit den Einschlägen von Parodie, die diese Form mit sich bringt. Dieselbe Verbindung mit der Musik. Kultur- und Epochenkritik ebenfalls, wenn auch mehr träumerische Kultur-Utopie und -Philosophie, als kritischer Leidensausbruch und Feststellung unserer Tragödie. Von Ähnlichkeit blieb genug, – bestürzend viel ...«

Zu Brief 80, Fußnote 8
T. Mann neckte Hesse oft mit der von H. gern verwendeten Diminutivform (»mein Büchlein«, schrieben Sie einmal sehr komisch, sage man aus Zärtlichkeit), die er scherzhaft auch selber übernahm. In einem Brief an Prof. Eugen Zeller (1951) kommt Hesse auf diesen charakteristisch schwäbischen Zug zu sprechen: »Sie haben mit Ihren Worten jene eigentümliche Art von Pietät und Schonung, die der Schwabe (der gute Schwabe wenigstens) schon mit seiner Vorliebe für das Diminutiv bekundet, genau beschrieben, es hat mir große Freude gemacht. Und darüber fiel auch ein kleiner Zug im »Glasperlenspiel« mir ein: jener Vers von Rückert mit der Endung »... ein Büchlein schreiben«. Das lein hat dort denselben Sinn wie das le des Schwaben«. (H. H., »Ausgewählte Briefe« a. a. O. S. 382) Der Vers Rükkerts steht im Kapitel »Die Legende« des »Glasperlenspieles« und lautet:

»Die Tage sehen wir, die teuren, gerne schwinden,
Um etwas Teureres herangereift zu finden:
Ein seltenes Gewächs, das wir im Garten treiben,
Ein Kind, das wir erziehn, ein Büchlein, das wir schreiben.«

Hierzu bemerkt anschließend Josef Knecht: »... höre doch nur hin, wie zärtlich und auch ein wenig verschämt das klingt: Ein Büchlein, das wir schreiben! Vielleicht ist es auch nicht bloß Verliebtheit, was aus dem ›Buch‹ ein ›Büchlein‹ gemacht hat. Vielleicht ist es auch beschönigend und versöhnend gemeint. Vielleicht, ja wahrscheinlich war dieser Dichter ein so an sein Tun hingegebener Autor, daß er selber je und je seinen Hang zum Büchermachen als eine Art Leidenschaft und Laster empfand. Dann hätte das Wort ›Büchlein‹ nicht nur den verliebten Sinn und Klang, sondern auch den beschönigenden, ableitenden, entschuldigenden, den der Spieler meint, wenn er nicht zu einem Spiel, sondern zu einem ›Spielchen‹ einlädt und der Trinker, wenn er noch ein ›Gläschen‹ oder ›Schöppchen‹ verlangt«. – Man möchte die Vermutung wagen, daß dieser Kommentar auch im Gedanken an Thomas von der Trave entstanden ist.

Zu Brief 80, Fußnote 9
Vgl. »Das Glasperlenspiel« (Das Rundschreiben: »Das Schreiben des Magister ludi an die Erziehungsbehörde« a. a. O. S. 397): »In früheren Epochen verlangte man bei aufgeregten, sogenannten ›großen‹ Zeiten, bei Krieg und Umsturz gelegentlich von den Intellektuellen, sie sollten sich politisieren. Namentlich im spätfeuilletonistischen Zeitalter war dies der Fall. Zu seinen Forderungen gehörte auch die nach der Politisierung oder Militarisierung des Geistes. So wie die Kirchenglocken zum Guß von Kanonenrohren, wie die noch unreife Schuljugend zum Nachfüllen der dezimierten Truppen, so sollte der Geist als Kriegsmittel beschlagnahmt und verbraucht werden. Natürlich können wir diese Forderung nicht anerkennen«.

Zu Brief 80, Fußnote 10
In dem Sinn, den T. M. meint, bekennt sich auch das »Glasperlenspiel« an vielen Stellen zur politischen Verantwortung des Geistigen. Gerade sie läßt ja Josef Knecht am kastalischen Elfenbeinturm zweifeln. So mahnt sein Brief an die Erziehungsbehörde: »Wir sind selbst Geschichte und sind an der Weltgeschichte und unserer Stellung in ihr mitverantwortlich. Am Bewußtsein dieser Verantwortung fehlt es bei uns sehr«. (a. a. O. S. 389) Oder: »So sitze ich, in einem der obersten Stockwerke unseres kastalischen Baues, mit dem Glasperlenspiel beschäftigt ... und werde vom Instinkt her, von der Nase her darauf aufmerksam, daß es irgendwo unten brennt, daß unser ganzer Bau bedroht und gefährdet ist, und daß ich jetzt nicht Musik zu

analysieren oder Spielregeln zu differenzieren, sondern dorthin zu eilen habe, wo es raucht«. (a. a. O. S. 383)

Zu Brief 80, Fußnote 11
»Glasperlenspielmeister war damals Thomas von der Trave, ein berühmter, weitgereister und weltgewandter Mann, konziliant und von artigstem Entgegenkommen gegen jedermann, der sich ihm näherte, in den Spielangelegenheiten aber von wachsamster und asketischer Strenge, ein großer Arbeiter, was jene nicht ahnten, die ihn nur von der repräsentativen Seite kannten, etwa im Festornat als Leiter der großen Spiele oder beim Empfang von Abordnungen aus dem Auslande. Man sagte ihm nach, er sei ein kühler, ja kalter Verstandesmensch, der zum Musischen nur in einem Höflichkeitsverhältnis stehe, und unter jungen und enthusiastischen Liebhabern des Glasperlenspiels hörte man gelegentlich eher absprechende Urteile über ihn – Fehlurteile, denn wenn er kein Enthusiast war und es in den großen öffentlichen Spielen eher vermied, große und erregende Themen anzurühren, so zeigen seine glänzend aufgebauten, formal unübertrefflichen Spiele doch für die Kenner eine nahe Vertrautheit mit den hintergründigen Problemen der Spielwelt.« (»Das Glasperlenspiel«, Kap. »Studienjahre« a. a. O. S. 150)

Zu Brief 82, Fußnote 3
In T. Manns Offenem Brief an Walter von Molo vom 7. September 1945 heißt es: »... ich habe Euch, die Ihr dort drinnen saßet, nie beneidet, auch in Euren größten Tagen nicht ... Beneidet habe ich Hermann Hesse, in dessen Umgang ich während jener ersten Wochen und Monate Trost und Stärkung fand – ihn beneidet, weil er längst frei war, sich beizeiten abgelöst hatte mit der nur zu treffenden Begründung: »Ein großes, bedeutendes Volk, die Deutschen, wer leugnet es? Das Salz der Erde vielleicht. Aber als politische Nation – unmöglich!« (T. M.: Briefe II, S. 441)

Zu Brief 83, Fußnote 2
Frank Thieß erwähnt zu Beginn seines Artikels einen Brief, den er 1933 anläßlich der Verbrennung einiger seiner Bücher an den »Reichskulturwalter« Hinkel gesandt habe, mit dem Hinweis, daß das Dritte Reich von Verfolgung und Verfemung des nicht national-

sozialistischen Schrifttums keinen Nutzen haben werde; diesem bliebe am Ende kein anderer Weg als die »innere Emigration«.

»... die Welt, auf die wir innerdeutsche Emigranten uns stützten, war ein innerer Raum, dessen Eroberung Hitler trotz aller Bemühung nicht gelungen ist ... Auch ich bin oft gefragt worden, warum ich nicht emigriert sei, und konnte immer nur dasselbe antworten: Falls es mir gelänge, diese schauerliche Epoche ... lebendig zu überstehen, würde ich dadurch derart viel für meine geistige und menschliche Entwicklung gewonnen haben, daß ich reicher an Wissen und Erleben daraus hervorginge, als wenn ich aus den Logen und Parterreplätzen des Auslands der deutschen Tragödie zuschaute. ... Auch möchte ich nebenher erwähnen, daß viele von uns schon deshalb nicht emigrieren konnten, weil sie wirtschaftlich dazu außerstande waren. ... Indessen mochten für uns diese persönlichen Umstände nicht stärker entscheidend gewesen sein als die Gewißheit, daß wir als deutsche Schriftsteller nach Deutschland gehörten und was auch käme, auf unserem Posten ausharren sollten. Ich will damit niemanden tadeln, der hinausging, denn für die meisten Emigranten hing Leben oder Tod von diesem Entschluß ab, also war es richtig, daß sie fortgingen. Ebenso wenig kann ich aber wünschen, daß die ungeheure Belastung und Schwere unseres Lebens ... verkannt werde. Ich glaube, es war schwerer, sich hier seine Persönlichkeit zu bewahren, als von drüben Botschaften an das deutsche Volk zu senden, welche die Tauben im Volke ohnedies nicht vernahmen, während wir Wissenden uns ihnen stets um einige Längen voraus fühlten.

... Wir erwarten dafür keine Belohnung, daß wir Deutschland nicht verließen. Es war für uns natürlich, daß wir bei ihm blieben. Aber es würde uns sehr unnatürlich erscheinen, wenn die Söhne, welche um es so ehrlich und tief gelitten haben wie ein Thomas Mann, heute nicht den Weg zu ihm fänden und erst einmal abwarten wollten, ob sein Elend zum Tode oder zu neuem Leben führt. Ich denke mir nichts schlimmer für sie, als wenn diese Rückkehr zu spät erfolgt und sie dann vielleicht nicht mehr die Sprache ihrer Mutter verstehen würden«.

In »Die Entstehung des Doktor Faustus« (a. a. O. S. 124/25) kommentiert T. M.: »Damals also nahm ich mir die robuste Sudelei eines C. Barth in der New Yorker »Neuen Deutschen Volkszeitung« recht wie ein Tor zu Herzen, und gleichzeitig ging über das O.W.I.

ein schiefer und aufreizender Artikel von Frank Thieß aus der »Münchner Zeitung« ein, jenes Dokument, worin eine Körperschaft, genannt »Innere Emigration« sich mit vieler Anmaßung etablierte: die Gemeinde der Intellektuellen, die »Deutschland die Treue gehalten«, es »nicht im Unglück im Stich gelassen«, seinem Schicksal nicht »aus den bequemen Logen des Auslandes zugesehen«, sondern es redlich geteilt hatten. Sie hätte es redlich geteilt, auch wenn Hitler gesiegt hätte. Nun war über den Ofenhockern der Ofen zusammengebrochen, und sie rechneten es sich zu großem Verdienst an, ergingen sich in Beleidigungen gegen die, welche sich den Wind der Fremde hatten um die Nase wehen lassen, und deren Teil so vielfach Elend und Untergang gewesen war. Dabei wurde Thieß in Deutschland selbst durch die Veröffentlichung eines Interviews aus dem Jahre 33, worin er sich begeistert zu Hitler bekennt, aufs schwerste bloßgestellt, so daß die Truppe ihr Haupt verlor«.

Zu Brief 85, Fußnote 4

Ein Abschnitt aus »Ein Brief nach Deutschland«: »Sie sehen, ich kann mit der Mehrzahl meiner deutschen Korrespondenten wenig anfangen. Es ist manches ähnlich wie einst am Ende des ersten Weltkrieges, und ich bin freilich heute auch älter und mißtrauischer als ich damals war. So wie heute alle meine deutschen Freunde in der Verurteilung Hitlers einig sind, so waren sie es damals bei der Gründung der deutschen Republik, in der Verurteilung von Militarismus, Krieg und Gewalt. Man fraternisierte allgemein, etwas spät, aber herzlich, mit uns Kriegsgegnern, Gandhi und Rolland wurden beinahe wie Heilige verehrt. »Nie wieder Krieg!« hieß das Schlagwort. Aber einige Jahre später konnte Hitler schon seinen Münchener Putsch wagen. So nehme ich denn die heutige Einmütigkeit im Verdammen Hitlers nicht allzu ernst, und sehe in ihr nicht die mindeste Gewähr für eine politische Sinnesänderung, oder auch nur für eine politische Erkenntnis und Erfahrung«. (a. a. O. S. 451)

Zu Brief 89, Fußnote 2

André Gide (1869-1951) schrieb 1933 an Hermann Hesse: »Depuis longtemps je desire vous écrire. Cette pensée me tourmente: que l'un de nous puisse quitter la terre sans que vous ayez su ma sympathie profonde pour chacun des livres de vous que j'ai lus. Entre tous

»Demian« et »Knulp« m'ont ravi. Puis ce délicieux et mysterieux »Morgenlandfahrt«, et enfin votre »Goldmund«, que je n'ai pas encore achevé – et que je déguste lentement, craignant de l'achever trop vite.
Les admirateurs que vous avez en France (et je vous en récrute sans cesse de nouveaux) ne sont peut-être pas encore très nombreux, mais d'autant plus fervents. Aucun d'eux ne saurait être plus attentif ni plus ému que André Gide.«
(Privatdruck Hesses nach dem Tode von André Gide: »Erinnerung an André Gide«, Montagnola, 1951)

Hesse schreibt dazu: »Ich dankte ihm herzlich, doch ist kein Briefwechsel zwischen uns entstanden, wir waren beide nicht mehr jung und unbelastet genug und begnügten uns mit gelegentlichen literarischen Gaben und Grüßen«. Im Frühling 1947 besuchte Gide Hesses mit Tochter und Schwiegersohn. »Da sah ich ihn, zum ersten und einzigen Mal, er war kleiner als ich ihn mir vorgestellt hatte, und auch älter, stiller, gelassener, aber das ernstkluge Gesicht mit den hellen Augen und dem zugleich forschenden und kontemplativen Ausdruck hielt alles, was die wenigen mir bekannten Photos angedeutet und versprochen hatten. ... Im Jahr meines 70. Geburtstags schrieb Gide etwas über mich, die deutsche Fassung erschien in der Neuen Zürcher Zeitung. Dann erschien die französische Morgenlandfahrt, und zu ihr schrieb er eine kleine Betrachtung, die man unter den Essays seines letzten Buches findet. Den Dank dafür war ich ihm lange schuldig geblieben.«
Kurz bevor Gide starb, schrieb ihm Hesse im Januar 1951 noch einen Brief. Darin heißt es:
»Die Leute unseres Schlages sind jetzt, so scheint es, selten geworden und beginnen sich vereinsamt zu fühlen, darum ist es ein Glück und ein Trost, in Ihnen noch einen Liebhaber und Verteidiger der Freiheit, der Persönlichkeit, des Eigensinns, der individuellen Verantwortung zu wissen. Die Mehrzahl unserer jüngeren Kollegen, und leider auch so mancher unsrer eigenen Generation, strebt nach ganz anderem, nämlich nach Gleichschaltung, sei es nun die römische, die lutherische, die kommunistische oder sonst eine. Unzählige schon haben diese Gleichschaltung bis zur Selbstvernichtung vollzogen. Bei jedem Abschwenken eines früheren Kameraden nach den Kirchen und Kol-

lektiven hin ... wird für unsereinen die Welt ärmer und das Weiterleben mühsamer ...
Seien Sie denn noch einmal gegrüßt von einem alten Individualisten, der nicht im Sinne hat, sich einer der großen Maschinerien gleichzuschalten«. (H. Hesse, »Ausgewählte Briefe« a. a. O. S. 365)

Zu Brief 92, Fußnote 2
Die Stelle des »Glasperlenspieles«, auf die T. M. anspielt, steht im Kapitel »Zwei Orden«. Knecht ist im Auftrag seiner Behörde für einige Zeit Gast des Benediktinerstiftes Mariafels, dessen gelehrter Historiker Pater Jakobus (nach dem Vorbild Jakob Burckhardts) ihn sehr beeindruckt. Eines Tages lädt ihn der Pater zu sich auf sein Zimmer ein. »Sie finden in mir, sagte er mit einer leisen und beinahe scheuen Stimme, aber wundervoll genau akzentuierend, zwar keinen Kenner der Geschichte Kastaliens und noch weniger einen Glasperlenspieler, aber da nun, wie es scheint, unsre beiden so verschiedenen Orden sich mehr und mehr befreunden, möchte ich mich davon nicht ausschließen und möchte auch meinerseits aus Ihrer Anwesenheit je und je ein wenig Gewinn ziehen. Er sprach mit vollkommenem Ernst, aber die leise Stimme und das alte kluge Gesicht gaben seinen überhöflichen Worten jene wunderbar zwischen Ernst und Ironie, Devotion und leisem Spott, Pathos und Spielerei schillernde Vieldeutigkeit, wie man sie etwa beim Höflichkeits- und Geduldspiel endloser Verneigungen bei der Begrüßung zwischen zwei Heiligen oder zwei Kirchenfürsten empfinden mag. Diese ihm von den Chinesen her so wohlbekannte Mischung aus Überlegenheit und Spott, aus Weisheit und eigensinnigem Zeremoniell war für Josef Knecht ein Labsal; es kam ihm zum Bewußtsein, daß er diesen Ton – auch der Glasperlenspielmeister Thomas beherrschte ihn meisterlich – seit geraumer Zeit nicht mehr vernommen habe; erfreut und dankbar nahm er die Einladung an«.

Zu Brief 93, Fußnote 1
So H. H. an Dr. P. E., Dresden, in einem Brief vom 16. September 1947: »Ich bin betrübt darüber, daß auch Sie, wie Hunderte meiner Leser und Korrespondenten, nicht Hesse schätzen können, ohne Thomas Mann dafür herabzusetzen. Ich habe für das gar keinen Sinn ... wenn Ihnen das Organ fehlt, diese entzückende und höchst einmalige

Erscheinung im Raum der deutschen Sprache erfassen und einordnen zu können, so geht mich das nichts an. Aber daß ich, der ich nicht nur ein persönlicher Freund, sondern ein alter und treuer Bewunderer von Thomas Mann bin, beständig dazu herhalten soll, gegen Mann ausgespielt zu werden, das ist mir höchst widerlich«. (H. Hesse, »Ausgewählte Briefe« a. a. O. S. 241)

Zu Brief 97, Fußnote 10
Am 26. Oktober 1947 schrieb Thomas Mann aus Kalifornien an Max Rychner auf dessen erste Faustus-Besprechung: »Ich bin tief bewegt von der Wärme all dessen, was Sie über das Schmerzensbuch aussagen. Ich weiß nicht, welche exzeptionelle Bewandtnis es damit hat, aber mir treten die Tränen in die Augen, sobald ernstlich davon die Rede ist. Nun ist Ihre große Anzeige die erste geformte, öffentliche Betrachtung des Werkes, und das hat etwas Erschütterndes für mich. Auch etwas Beruhigendes wieder; denn mir ist, als ob ihm nun nicht mehr viel passieren könnte. Einem Buch, das erst einmal gleich so besprochen und beurteilt werden konnte, mag nachher noch allerlei Tadel und Ablehnung zustoßen, – viel, denke ich, kann das ihm dann nicht mehr anhaben«. (Thomas Mann, »Briefe II« a. a. O. S. 562)

Zu Brief 106, Fußnote 6
Am 19. III. 1949 schreibt T. M. in Erwägung eines Deutschlandbesuchs an Hans Reisiger: »Es ist alles so äußerst kompliziert ... denn es ist da eine Sperre, und das Bewußtsein, wie sehr man sich in all den Jahren auseinandergelebt hat« – andererseits kommen Einladungen aus Frankfurt und München, die summarisch auszuschlagen er doch nicht wünschen kann. »... meine Verwirrung ist groß, seitdem dieser Ausblick sich eröffnet hat. Noch habe ich nicht zugesagt, aber ich werde es wohl tun müssen, und meine Ruh' ist hin. Ich sollte es wohl nicht so schwer nehmen, aber ich kann nicht umhin, das Wiedersehen nach diesen 16 Jahren der Entfremdung als ein gespenstisches Abenteuer und als eine rechte Prüfung zu empfinden«. (T. M. »Briefe III«, a. a. O. S. 83)

Zu Brief 117, Fußnote 1
Es heißt darin zu der »verzweifelten Kriegsangst und Bolschewiken-Panik«: »Ich bin der letzte, der von Euch erwartet, daß Ihr die Au-

gen vor der Wirklichkeit schließen und Euch hübschen Träumen hingeben sollt. Die Welt ist voll von Gefahren und Kriegsmöglichkeiten, und die »Bolschewiken« sind keineswegs die einzigen Bedroher, sie stehen unter demselben Zwang und sie sind vermutlich in der Mehrzahl ebensowenig für das Schießen und Erschossenwerden begeistert wie wir. Bedroher unsrer Welt und jedes Friedens sind jene, die den Krieg wünschen, die ihn vorbereiten und uns durch vage Versprechungen eines kommenden Friedens oder durch die Angst vor Überfällen von außen zu Mitarbeitern an ihren Plänen zu machen versuchen.
Diesen Leuten und Gruppen, für die der Krieg ein Geschäft ist, und zwar ein besseres als der Friede, diesen Vergiftern und Beschwörern tun Sie, lieber Freund, den Gefallen, ihren Suggestionen widerstandslos zu erliegen. Sie übernehmen damit eine Mitverantwortung am etwaigen Kriege. Statt in Ihrer Seele alle Helligkeit und Wachsamkeit, alle Tapferkeit und Heiterkeit zu sammeln und zu stärken, wie es nötig und Ihre Aufgabe wäre, lassen Sie den Kopf hängen, tragen das Gift der Blindheit und der Angst weiter und liefern sich und Ihre Umgebung dem unsinnigen Grauen aus«. (a. a. O. S. 360)

Zu Brief 117, Fußnote 2
Vorbemerkung der Redaktion: »Die Neue Zeitung glaubte, ihren Lesern die Antwort des Dichters und Nobelpreisträgers nicht vorenthalten zu dürfen, obwohl sie grundsätzlich anderer Meinung ist. Die Meinung der Redaktion bringt die nachfolgende Antwort an den Dichter zum Ausdruck«. – Am Schlusse dieser Antwort von Gerhard Thimm heißt es: »Er hofft auf den Sieg der Vernunft und den Verzicht auf Gewalt ...
Er hätte Verständnis haben müssen für Menschen, die aus den eigenen furchtbaren Erfahrungen Angst befallen hat. Er hätte diese Menschen nicht zurechtweisen dürfen und sie zum Trost anstatt auf ungewisse und unwirksame Umschaltung von Bewußtseinsvorgängen lieber auf den einzigen realen Weg und das einzige reale Mittel zur Beseitigung der Kriegsfurcht hinweisen sollen: auf die Vereinigung der freien Völker, die entschlossen sind, jedem Aggressor entgegenzutreten, wo immer er sich findet«.

Zu Brief 124, Fußnote 4
T. M. am 6. Sept. 1954 an Emil Preetorius: »Meine Verfassung ist

nicht die beste, ein quälender Mangel an Energie beherrscht mich, meine produktiven Kräfte scheinen erschöpft. Am Ende ist das physiologisch, und ich sollte mich drein ergeben, es wie Hesse machen, der sich entschlossen zur Ruhe gesetzt hat, hie und da ein Feuilleton, einen Rundbrief an seine Freunde schreibt und sich im Übrigen einen guten Abend macht. Aber ich verstehe mich nicht darauf, weiß nicht, wie ohne Arbeit die Tage verbringen und ringe nach Leistung, ohne die Spannkraft zu finden, die sie ermöglicht. Ein quälender Zustand«.

Zu Brief 134, Fußnote 1
»Ich habe viel zu danken, viel zu viel, als daß die physische Möglichkeit bestände, es mit eigener Hand, von Person zu Person zu tun. Aus aller Welt sind mir in diesen Tagen, da ich mein achtzigstes Lebensjahr vollende, Kundgebungen der Sympathie, der rührenden Anteilnahme an meiner Existenz, meinem Streben und Wirken in Form von Briefen, Telegrammen, herrlichen Blumen und sinnigen Geschenken in so unglaublicher, noch heute unübersehbarer Fülle zugekommen, daß es mich verwirrt, beschämt, beglückt, und daß ich zu dem summarischen Mittel dieser Druckzeilen greifen muß, um jedem, der mich grüßte, meine Freude darüber zum Ausdruck zu bringen, daß es mir vergönnt war, meinem Sein und Tun, dessen Unvollkommenheit ich kenne, meinem Werben im Wort um das Gute und Rechte, doch so viele Freunde zu gewinnen. ›Wohlwollen‹, sagt Goethe,

›Wohlwollen unserer Zeitgenossen
Das bleibt zuletzt erprobtes Glück‹.

Jeden Empfänger dieser Karte bitte ich, das Summarische daran zu vergessen und meinen Dank aufs direkteste an ihn – oder sie – gerichtet zu verstehen.«

Aus Anlaß des hundertsten Geburtstages von Thomas Mann legen die Verlage Suhrkamp und S. Fischer den Briefwechsel zwischen Thomas Mann und Hermann Hesse in dritter, erstmals erweiterter und soweit wie möglich komplettierter Auflage vor. Der Dialog zwischen Thomas Mann und demjenigen seiner Kollegen, den er »unter der literarischen Generation, die mit [ihm] angetreten, früh als den Nächsten und Liebsten erwählt und sein Wachstum mit einer Sympathie begleitet hat, die aus Verschiedenheiten so gut ihre Nahrung zog wie aus Ähnlichkeiten«, hat einen besonderen Reiz durch die Kongenialität der beiden Partner sowie die Konsequenz und Unabhängigkeit, mit der beide ihren durch Herkunft, Temperament und Lebenshaltung so unterschiedlichen Typus zu höchster Entfaltung und differenziertestem Ausdruck gebracht haben.
Die erste Ausgabe dieses Briefwechsels erschien 1968. Mittlerweile haben sich neben einer Anzahl biographisch und zeitgeschichtlich wichtiger Dokumente, die auch der Diskussion um die Exilliteratur eine neue Dimension erschließen, 19 weitere Briefe Hesses an Thomas Mann sowie sein Kondolenzbrief an Frau Katia gefunden. Insgesamt fehlen jetzt noch etwa 14 Briefe Hesses, die durch die Beschlagnahme von Thomas Manns Haus und Habe von den Nationalsozialisten und durch die häufigen Aufenhaltswechsel während der Jahre seiner Emigration verloren gegangen oder noch verschollen sind. Die frühesten der hier neu aufgenommenen Hesse-Briefe (von 1932–1937), also die Briefe Nr. 14, 24, 28, 30, 34, 35, 37, 40, 42, 50, 58, 59, 64 und 66, fanden sich 1972 in einem Züricher Keller, den der Verleger Emil Oprecht gemietet hatte. Hier hatte Thomas Mann, ehe er nach Amerika emigrierte, eine Kiste mit hunderten von Briefen in Gewahrsam gegeben, die ihn während seiner letzten Münchener Jahre und in der Zeit seines Züricher Exils (1933–1938) erreicht hatten. Auch im Kilchberger Haus Thomas Manns konnten – dank der hilfreichen Unterstützung

von Frau Katia und Prof. Golo Mann – einige noch unbekannte Hesse-Briefe aus den Jahren 1948–1955 aufgefunden werden. Es sind die Briefe Nr. 105, 107, 130, 135, 136 und 137, sowie weitere Briefe an Frau Katia, Erika, Klaus und Golo Mann. Die Originale aller dieser Briefe befinden sich jetzt im Thomas Mann-Archiv der E. T. H., Zürich, dessen Leiter Herrn Prof. Hans Wysling und seinen Mitarbeitern wir für manche Auskunft und Gefälligkeit dankbar sind.

Die vorliegende Neuausgabe des Briefwechsels erscheint zur gleichen Zeit auch in den USA im Verlag Harper & Row, New York, dessen Mitarbeiterin Miss Kitty Benedict es zu danken ist, daß in das schon seit längerem vorbereitete amerikanische Manuskript noch nachträglich alle Ergänzungen unserer Neuedition einbezogen werden konnten. Insbesondere aber danken wir Herrn Wolfgang Sauerländer, der die amerikanische Ausgabe betreut, für unermüdliche Mitarbeit am wesentlich erweiterten und komplettierten Anmerkungsteil.

Während bei uns Werk und Persönlichkeit Thomas Manns nach seinem Tod durch die literaturwissenschaftliche Forschung eine zunehmend angemessene und objektive Würdigung und Präsentation erfahren hat, war die Diskussion um seinen »geistigen Bruder«, dem einzigen, für dessen Auszeichnung mit dem Literatur-Nobelpreis Thomas Mann sich immer wieder einsetzte, im eigenen Lande vorwiegend emotional und unsachlich. Ein denkwürdiges Paradox, hatte doch Thomas Mann gerade ihn als die reinste Verkörperung deutscher Tradition und Sprache erkannt und dies provokativ zu einer Zeit ausgesprochen, deren programmatisches »Deutschtum« im Begriff war, jene Tradition auf Jahrzehnte politisch zu kompromittieren. »So recht von Herzen können wir wieder einmal ... Ja sagen zum Deutschtum«, schrieb Thomas Mann 1937 über Hesse, »und uns in tiefem, verschlagenen und kompliziertem Stolze als Deutsche fühlen. Denn Deutscheres gibt es nicht als diesen Dichter und das Werk seines Lebens, – nichts, das deutscher wäre in dem alten, frohen und freien Sinn, dem der deutsche

Name seinen besten Ruhm, dem er die Sympathie der Menschheit verdankt.«
Die Sympathie der Menschheit, ja, aber noch lange nicht die des offiziellen Deutschland. Denn »Ihr unbestechlicher Blick für das Wahre«, schrieb Thomas Mann 1946 an Hesse, »ist es natürlich, den Ihnen die Deutschen nicht verzeihen. Wem hätten sie ihn je verziehen? Sie lieben die Wahrheit nicht, wollen sie nicht wissen, kennen nicht ihren Reiz und ihre reinigende Kraft. Sie lieben den Dunst und Dusel, das faule, wehleidige, brutale »Gemüt«, und möchten noch heute, nachdem sie sich damit ›zu Kot und Unflat gemacht unter den Völkern‹, am liebsten jeden morden, der ihnen den Seelenfusel verleiden will.«
Dann aber, 25 Jahre später, ereignete sich das spektakuläre, kulturgeschichtlich höchst ungewöhnliche Phänomen, daß durch das unvoreingenommene Ausland eben dieses übernationale »Deutschtum« Hermann Hesses wieder ins Bewußtsein zurückgerufen wurde. Die von Thomas Mann vorhergesagte »Sympathie der Menschheit« stellte sich auf wahrhaft internationale Weise ein. Allen voran war es die junge Generation der USA, dicht gefolgt von der Japans, Lateinamerikas, der skandinavischen Länder, ja sogar der UdSSR, die Hermann Hesse für sich entdeckte, ihn nach Deutschland zurückimportierte und sich, »an der Basis« nicht weniger als an den Hochschulen, in einer Intensität mit seinem Werk auseinandersetzte, wie sie in Hesses eigenem Sprachraum bisher noch nicht möglich gewesen war.
Nicht zuletzt aus diesem Grund schien es uns wünschenswert, das Vorwort von Prof. Theodore Ziolkowski auch in die deutsche Ausgabe zu übernehmen, zumal er, als einer der profiliertesten Kenner der neueren deutschen Literatur, führend in der akademischen Auseinandersetzung Amerikas mit Werk und Wirkung Hermann Hesses geworden ist.

Frankfurt am Main, April 1975 *Volker Michels*

Register
der in Vorwort, Briefen, Anmerkungen, Anhang und Nachwort
erwähnten Personen

Register der in Vorwort, Briefen, Anmerkungen, Anhang und Nachwort erwähnten Werke Hermann Hesses und Thomas Manns

Werke H. H.

Postum erschienene Werke bzw. Dokumentationen:

* WA = H. H. Werkausgabe, Ffm., 1970

Werke T. M.

Postum erschienene Werke bzw. Dokumentationen:

** GW = T. M. Gesammelte Werke, Ffm., 1960

Verzeichnis der Abbildungen

Inhalt

Hermann Hesse in der Bibliothek Suhrkamp

Die Morgenlandfahrt
Erzählung. Band 1, 124 S., 103. Tsd. 1974

Narziß und Goldmund
Erzählung. Band 65, 320 S., 85. Tsd. 1975

Knulp
Drei Geschichten aus dem Leben Knulps
Band 75, 128 S., 79. Tsd. 1974

Demian
Die Geschichte von Emil Sinclairs Jugend
Band 95, 214 S., 233. Tsd. 1975

Der vierte Lebenslauf Josef Knechts
Zwei Fassungen. Band 181, 164 S., 17. Tsd. 1973

Der Steppenwolf
Roman. Band 226, 240 S., 229. Tsd. 1975

Siddhartha
Eine indische Dichtung
Band 227, 136 S., 146. Tsd. 1975

Politische Betrachtungen
Band 244, 168 S., 15. Tsd. 1975

Mein Glaube
Betrachtungen. Band 300, 152 S., 30. Tsd. 1974

Kurgast
Mit den ›Aufzeichnungen von einer Badener Kur‹
Band 329, 132 S., 17. Tsd. 1975

Stufen
Ausgewählte Gedichte. Band 342, 246 S., 23. Tsd. 1975

Glück
Späte Prosa: Betrachtungen
Band 344, 148 S., 20. Tsd. 1974

Hermann Hesse
Werkausgabe edition suhrkamp
Gesammelte Werke in zwölf Bänden
4. Auflage 1975
6100 S. leinenkaschiert

Band 1:	Stufen und späte Gedichte/Eine Stunde hinter Mitternacht/H. Lauscher/Peter Camenzind
Band 2:	Unterm Rad/Diesseits
Band 3:	Gertrud/Kleine Welt
Band 4:	Roßhalde/Fabulierbuch/Knulp
Band 5:	Demian/Kinderseele/Klein und Wagner Klingsors letzter Sommer/Siddhartha
Band 6:	Märchen/Wanderung/Bilderbuch/Traumfährte
Band 7:	Kurgast/Die Nürnberger Reise/Der Steppenwolf
Band 8:	Narziß und Goldmund/Die Morgenlandfahrt/ Späte Prosa
Band 9:	Das Glasperlenspiel
Band 10:	Betrachtungen/Aus den Gedenkblättern/Rundbriefe/ Politische Betrachtungen
Band 11:	Schriften zur Literatur I: Über das eigene Werk/ Aufsätze/Eine Bibliothek der Weltliteratur
Band 12:	Schriften zur Literatur II: Eine Literaturgeschichte in Rezensionen und Aufsätzen

»Nie zuvor bin ich auf die Idee gekommen, zwölfbändige Werke zu verschenken.«
Klaus Mehnert

»Hermann Hesse: ›Schriften zur Literatur‹ Hier sind die Schlüsselworte für Hesses heutige Renaissance zu finden – brisante, soziologisch brisante –, hier kann wirkliches Verständnis für das literarische Werk gefunden werden, hier ist Zeitgeschichte anzutreffen, die auch der Stand der Politologen sich zu Gemüte führen sollte.«
Die Presse, Wien

Eigensinn
Selbstbiographische Schriften. Band 353, 248 S., 16. Tsd. 1974

Iris
Ausgewählte Märchen
Band 369, 170 S., 14. Tsd. 1974

Wanderung
Aufzeichnungen mit farbigen Bildern vom Verfasser
Band 444, 133 S., 1975

Sprechplatte

Hermann Hesse – Langspiel-Sprechplatte. 33 cm/60 Min. Spieldauer; zusammengestellt von Volker Michels.
Seite A:
Hermann Hesse liest *Über das Glück* und die Gedichte *Im Nebel; Vergänglichkeit; Stufen; Mittag im September; Alle Tode; In Sand geschrieben; Regen im Herbst.*
Seite B:
Gert Westphal liest *Aus einem Brief des 15jährigen Hesse an seine Eltern* Prosa aus *Klingsors letzter Sommer* und Gedichte aus *Krisis.*

Überraschend fanden sich Tondokumente von Hermann Hesse, die lange Zeit für verloren galten. In den 1949, 1953 und 1954 auf Band gesprochenen Aufnahmen liest der über Siebzigjährige einige seiner schönsten und volkstümlichsten Gedichte, und, als charakteristische Probe seiner Altersprosa, eine konzentrierte Fassung seiner Betrachtung ›Glück‹. So wird es dem Leser möglich, auch akustisch Hesses Spannung ›zwischen dem Bewahrenden und dem Verwegenen‹ – wie es Th. W. Adorno einmal formuliert hat – zu erleben.
Hesses Schriften sind Selbstportäts, sie sind Protokolle der Entwicklungen und Metamorphosen eines komplizierten und konzessionslosen Individualisten. Während die vom Autor selbst gesprochenen Texte nicht so sehr die Konflikte, sondern deren Ergebnisse zeigen, dokumentiert die Rückseite dieser Schallplatte die Gegenprobe. Mit typischen Texten des immer wieder aufbegehrenden, des unbequemen und rebellischen Outsiders belegt sie die Entwicklung und Authentizität dieser Ergebnisse. Vom Brief des 15jährigen, den seine Eltern nach der Flucht aus dem Theologieseminar und nach einem mißglückten Selbstmordversuch in eine Heilanstalt gegeben hatten, über ›Klingsors letzter Sommer‹ bis zu den ›Krisis‹-Gedichten des ›Steppenwolf‹ führt eine gemeinsame Linie. Durch diese, von Gert Westphal kongenial vorgetragenen Texte wird die spontane Identifizierung einer neuen Lesergeneration mit Hermann Hesse nachvollziehbar.

Bibliothek Suhrkamp

Alphabetisches Verzeichnis